Zakazane wiersze lady Louisy

GRACE BURROWES

Chwila zapomnienia lady Eve
Spełnione życzenie
Tajemnica lady Maggie

Grace Burrowes

Zakazane wiersze lady Louisy

Przekład
Barbara Grabska-Siwek

Redakcja stylistyczna
Barbara Nowak

Korekta
Barbara Cywińska
Renata Kuk

Projekt graficzny okładki
Małgorzata Cebo-Foniok

Zdjęcia na okładce
© Zbigniew Foniok

Tytuł oryginału
Lady Louisa's Christmas Knight

Druk
EDIT Sp. z o.o.

ISBN 978-83-241-4884-4

Warszawa 2014. Wydanie I

Wydawnictwo AMBER Sp. z o.o.
02-952 Warszawa, ul. Wiertnicza 63
tel. 620 40 13, 620 81 62

www.wydawnictwoamber.pl

Dedykuję tę książkę mojemu bratu Tomowi,
jednemu z tych rzadko spotykanych ludzi,
którzy potrafią mówić szczerze i uprzejmie dokładnie to,
co powinniśmy usłyszeć, a nie wiemy, że powinniśmy.
Bez względu na sytuację
Tom nie traci poczucia humoru i rozsądku.
Kurczaczku, miałeś rację:
pisklęta wszędzie robią kupki.

1

Sir Joseph Carrington zyskał dwoje pocieszycieli po odegraniu swej roli w rozgromieniu Korsykanina. Nie był głupcem - nikt go za takiego nie uważał - i dobrze wiedział, że butelka, jego pierwsze źródło pocieszenia, to wątpliwy rodzaj przyjaźni.

Drugim, bardziej mu przyjaznym, towarzyszem była Lady Ophelia, którą Carrington spotkał wkrótce po zakończeniu służby wojskowej. Ta istota o życzliwych oczach, cicha i cierpliwa, dawała mu o wiele lepsze niż butelka wsparcie, a fakt, że co roku, zarówno wiosną, jak i jesienią, miała mioty stale liczące co najmniej dziesięć prosiąt, zaskarbiał jej jeszcze większą sympatię Carringtona.

– Nie rozumiem, dlaczego to ty miałabyś się smucić, Opie. – Sir Joseph podrapał ją za lewym uchem, a ona uspokoiła się i ucichła pod wpływem jego dotyku. – Możesz zostać tutaj na wsi, prowadząc biednego Rolanda w tańcu godowym, a ja muszę jechać do Londynu.

Tam, gdzie sir Joseph sam byłby prowadzony w takim samym zgubnym tańcu. Dzięki Bogu za powszechny zapał do polowań w okolicy. Polowanie z psami chroniło mężczyznę przed co najmniej kilkutygodniowym zbiorowym obłędem, jaki ogarniał socjetę w okresie poprzedzającym zimowe święta.

– Wrócę na Boże Narodzenie i, być może, w tym roku Święty Mikołaj podaruje mi żonę, która zajmie się moimi kochanymi szkrabami.

Pociągnął łyk z butelki, niewielki. Jeżeli nie spędzał wielu godzin w siodle lub nie wędrował po lesie z dubeltówką, albo jeśli nie zbliżała się zamieć lub nagłe ochłodzenie, ból w nodze – przeważnie – nie był dojmujący.

– Naprawdę nie wiem, jak ci się to udaje, moja droga. Dziesięć prosiaków dwa razy do roku, odkąd miałem przyjemność cię poznać.

Tym razem jednak jesienią nie miała miotu, a zima już nadeszła. To było niepokojące w stopniu, który prawie trzeźwego mężczyznę nie zachęcał do zbytniej dociekliwości w poszukiwaniu przyczyn. Płodność Ophelii potwierdzała fundamentalną prawdę o życiu. Potwierdzała daleko bardziej niż butelka w ręku sir Josepha.

– Podaruj mi kilka prosiaków, wielmożna pani. – Podrapał teraz przyjaciółkę za drugim uchem, a ona przechyliła ciężką głowę na jego dłoń. – Daj mi takie, które mogę sprzedać na targu i się wzbogacić. Nieźle wzbogacić. Dobry byłby na święta miot składający się z dwunastu sztuk.

Rekordowy liczył jedenaście prosiąt i wszystkie przeżyły. To było przed dwoma laty, kiedy sir Joseph rozpaczliwie potrzebował jakiegoś pomyślnego znaku.

Stajenny, pogwizdując arię *He Shall Feed His Flock* tak, jakby była to piosenka, dał mu znać, że koń jest osiodłany. Nie zamierzał zakłócać prywatnego spotkania sir Josepha z Lady Ophelią, skoro mógł w zamian znęcać się bez litości nad biednym Haendlem.

– Jadę. Pomódl się za lisa.

Jeszcze raz poklepał i podrapał przyjaciółkę, po czym wyszedł, by dołączyć do swoich sąsiadów.

Zbiórki przed polowaniem przypominały mu parady wojskowe: strojne ubiory i ozdoby przedstawiały imponujący widok, a trunki i emocje podsycały nastrój radosnego ożywienia i dobrego samopoczucia. Program dnia był z pozoru szlachetny, a jednak, gdyby wszystko poszło zgodnie z planem, ktoś nienależący do tego zgromadzenia miał ponieść krwawą śmierć.

Tym kimś był lis – zwykły szkodnik – nad którym wielką przewagę liczebną miały psy myśliwskie. Czasem przypadało ich po kilkadziesiąt na jednego lisa, co raczej nigdy nie przeszkadzało nikomu oprócz sir Josepha. Słysząc radosne okrzyki podczas zbiórki przed grudniowym polowaniem, wiedział, że lepiej nie zdradzać się przed nikim ze swoim współczuciem dla zwierzęcia, na które polowano.

– Sezon jesienny to dla mnie koszmar.

Lady Louisa Windham nie zamierzała ściszać głosu. Jechała konno na tyłach trzeciej grupy jeźdźców obok swojej siostry Genevieve, w rodzinie zwanej Jenny, w obecności której zawsze można było bez obaw ponarzekać.

– Ominęło nas wszystko poza dwoma następnymi tygodniami – stwierdziła Jenny. – Dzięki Bogu, że papa ma bzika na punkcie polowań.

Przyznała w ten sposób, że ona też wcale nie oczekuje z niecierpliwością zbliżającego się powrotu do Londynu, choć, na szczęście, na krótko.

– To mi przypomina polowanie na kuropatwy – powiedziała Louisa, pozwalając, by jej koń pozostał w tyle, wyprzedzany przez innych jeźdźców zmierzających niespiesznie na śniadanie. – Wielki post się kończy i zaczyna się polowanie na mężów, mamuśki naganiają swoje pociechy prosto na czekające w pogotowiu strzelby, i nagonka trwa, póki miasto nie opustoszeje w porze wakacji. Nie wiem, Jenny, ile jeszcze takich lat wytrzymam.

– Masz za sobą nieco więcej sezonów towarzyskich niż Evie czy ja. Rozumiem, co czujesz.

Na życzliwość Jenny zawsze można było liczyć. Była naprawdę dobra i miła, do czego sama Louisa już dawno przestała aspirować. Jenny była smukłą ładną blondynką, co pasowało do jej pogodnej osobowości, podczas gdy Louisa miała odpowiednie do swojego charakteru ciemne włosy opadające na plecy i zielone oczy bardziej przypominające barwą agat niż szmaragd.

– Moje panie.

Sir Joseph Carrington podjechał do Louisy z lewej strony na wychudłym czarnym wałachu, pasującym do ciemnego ubioru jeźdźca i jego posępnego wyglądu.

Louisa i Jenny powitały go grzecznie. Był ich sąsiadem i służył w wojsku na Półwyspie Iberyjskim z ich braćmi Devlinem St.

Justem i nieżyjącym już lordem Bartholomew Windhamem. Nie było powodu zachowywać się nieuprzejmie tylko dlatego, że ten człowiek miał najniższą szlachecką rangę, dającą prawo do „sir", i hodował świnie.

– Louiso, sir Josephie, wybaczcie mi, ale obiecałam pomóc przy śniadaniu.

Lady Jenny uśmiechnęła się do Carringtona i pocwałowała przed siebie, nie oglądając się i zostawiając siostrę w towarzystwie sir Josepha.

Wspaniałomyślność nawet ludzi naprawdę dobrych ma swoje granice.

– Mam do pani pytanie, lady Louiso.

Głos Carringtona nie mógł nikogo zmylić. Niski barytonowy pomruk był pozbawiony afektowanych samogłosek i arystokratycznej melodyjności typowej dla mowy absolwentów szkół prywatnych lub uniwersytetów.

– Wygląda na to, że będziemy się cieszyć swoim towarzystwem przez następne półtorej mili, sir. Może więc pan zadać mi pytanie.

Ściągnął brwi, co nie zapowiadało nic dobrego. Rodzina uważała Louisę za bezpośrednią i szczerą do bólu lub też – gdy wykazywali większą wyrozumiałość – niezdolną do tolerowania głupców.

Ona sama uznawała siebie za pozbawioną taktu.

– Ma pani ochotę na łyczek? – Sir Joseph wyciągnął srebrną piersiówkę z wygrawerowaną na niej kwitnącą różą. Przedmiot ten wydawał się dziwnie mały i elegancki w jego dłoni w czarnej rękawiczce.

Zerknęła na buteleczkę.

– Czy to właśnie pańskie pytanie?

– Nie. Ale gdyby panią interesowało, co jest w środku, wyjaśniam: mieszanka rumu z likierem orzechowym. Rozgrzewa kości.

Wzięła od niego piersiówkę, by okazać uprzejmość. Podczas polowania często robiono przerwy po to, żeby „sprawdzić popręg" lub dać koniom chwilę wytchnienia, gdy wypuszczano psy. W chłodne dni w trakcie takich postojów zawsze raczono się kropelką tego, co kto miał akurat w swojej piersiówce. Nawet damom pozwalano wtedy na dyskretny łyk i przeważnie nikt nie dociekał, co popijają.

A zbliżały się święta Bożego Narodzenia, kiedy to w każdym domu na czas kolędowania przygotowywano wazę z ponczem lub ulubiony trunek gospodarza.

– To jest... dobre. – Nawet krzepiące. Wzięła drugi łyk i oddała piersiówkę.

– Nalewka na rozgrzewkę według mojego przepisu. – Napił się również, po czym buteleczka znikła w wewnętrznej kieszeni jego myśliwskiego płaszcza. – Moje pytanie brzmi następująco: dlaczego trzyma się pani z tyłu z pijakami i lękliwymi, skoro tak świetnie jeździ pani konno, potrafi nadążyć za ścigającymi zwierzynę psami, a nawet wysforować się na czoło najszybciej jadącej grupy? Wzbudziło to moją ciekawość.

Wzbudzanie ciekawości mężczyzn nie było niczym dobrym, ale Louisa miała wrażenie, że pytanie sir Josepha stanowiło jedynie pretekst do niezobowiązującej pogawędki.

– Dotrzymuję towarzystwa siostrze.

– Ach.

Mężczyźni potrafili wyrazić drwinę jedną sylabą. Pięciu braci Louisy urodziło się z taką umiejętnością.

– Lady Genevieve całkiem dobrze jeździ konno – stwierdziła Louisa. Dobre kłamstwo zawsze powinno zawierać ziarno prawdy. Tego również nauczyli ją bracia. – Ale ma miękkie serce i nie chce oglądać zabijania.

– Rozumiem.

Nie obchodziło jej szczególnie, co on rozumie, ale było oczywiste, że ona sama nie lubi przemocy i nie ma najmniejszej ochoty wyrywać się naprzód.

– I ja mam do pana pytanie, sir Josephie.

– Niezwykle mi pochlebia, że jestem obiektem pani zainteresowania, milady.

Louisa nie dała po sobie poznać, że zaskoczyła ją jego riposta. Bywała niegrzeczna, ale córce księcia wolno okazywać nieuprzejmość tylko w pewnych granicach. Doszła do wniosku, że ironiczna odpowiedź sir Josepha to próba – co prawda kiepska i niezręczna – rozbawienia jej.

Nie brała pod uwagę możliwości, że sir Joseph jest po prostu szczery.

– Służył pan kiedyś w kawalerii i jest pan doskonałym jeźdźcem, a mimo to sam zazwyczaj trzyma się z tyłu. A jako że nie ma pan wrażliwej siostry, którą trzeba chronić, pozostaje to dla mnie zagadką.

Doskonały jeździec – wyraziła się bardzo powściągliwie. Cokolwiek jeszcze by się powiedziało o sir Josephie hodowcy świń, nawet Louisa musiała przyznać, że mało kto dorówna temu mężczyźnie w konnej jeździe.

– A ja się zastanawiam, lady Louiso, czy zamierza zaliczyć mnie pani do pijaków, czy też do lękliwych.

Gdy namyślała się przez chwilę nad odpowiedzią, koń sir Josepha zaczął się wypróżniać. Zwierzę nie wyglądało w tym momencie apetycznie, a jednak kiedy zebrało się w sobie i wyrównało krok, który przeszedł w rytmiczny kłus, jeździec i jego wierzchowiec wyglądali elegancko i nawet... atrakcyjnie.

– No już, spokój.

Kiedy Carrington przemawiał do konia, jego głos się zmienił – był miękki i pełen uczucia, a nie mrukliwy. Wierzchowiec się rozluźnił i zaczął iść stępa, a jeździec pogłaskał go po grzywie.

– Spieszno mu do domu. W tym względzie jesteśmy do siebie podobni, czujemy się najlepiej w znajomym otoczeniu. A wracając do pani pytania, lady Louiso, mogę tylko powiedzieć, że wojna zmieniła mój pogląd na krwawy sport do tego stopnia, że uznałem ten termin za oksymoron. Czy wybiera się pani do Londynu przed świętami?

Louisa od dawna wiedziała, czym jest oksymoron, a także onomatopeja, metonimia, synekdocha i antropomorfizm. Określenie „idealny dżentelmen" to oksymoron. „Idealna dama" również, pomyślała.

– Na następne dwa tygodnie przenosimy się do Mayfair.

– Czyżby nie był to powód do radości?

Louisa odwróciła głowę, by na niego spojrzeć, i zobaczyła, że wpatruje się w nią poważnie. Nazbyt poważnie?

– Czy droczy się pan ze mną, sir Josephie?

Jej bracia – wszyscy odważni – droczyli się z nią, gdy była podlotkiem, aż kiedyś jedna z ich prowokacji zakończyła się fatalnie. Wcale nie tęskniła za ich wygłupami.

Sir Joseph pochylił się nieco w siodle w jej stronę i rozejrzał dookoła, jakby chciał jej powiedzieć coś w zaufaniu.

– Raczej się lituję. – Wyprostował się, spojrzał przed siebie i ciągnął. – Jeżdżę do Londynu wiosną i jesienią i za każdym razem się zastanawiam, czy nie staję się taki sam jak brat mojego dziadka, Sixtus. Przez ostatnie czterdzieści lat swojego życia nigdy nie zajrzał do Londynu i z każdą kolejną dekadą zapewniał, że jest coraz bardziej szczęśliwy.

– To człowiek, po którym odziedziczył pan posiadłość.

– Moją farmę.

Jego farma liczyła tysiące akrów. Zdaniem Jego Wysokości księcia była to bardzo dobra ziemia, jednak... Louisa nie zamierzała pytać, jak się miewa jego inwentarz.

– Londyn nie jest taki zły, a na święta wrócimy do Morelands.

– Dwa tygodnie mogą wydawać się wiecznością.

Powiedział to jakby z rezygnacją. Louisa zobaczyła, że Carrington przekłada lejce do jednej ręki i wsuwa drugą rękę pod połę płaszcza po piersiówkę, a jednak jej nie wyciągnął i nie uraczył się już więcej nalewką własnego wyrobu.

Wyglądał smętnie, ale przeważnie tak właśnie wyglądał. Nie był, jej zdaniem, urodziwy – miał posępny wyraz twarzy, krzaczaste brwi, a nos niezupełnie prosty, dość wydatny i nieco haczykowaty. Mimo to mógł być uznany za atrakcyjnego mężczyznę, gdy łagodził swoje oblicze przelotnym uśmiechem.

– Czy wybiera się pan na bal wydany z okazji polowania, sir Josephie?

– Owszem.

– Czy mam zarezerwować dla pana taniec?

Od razu pożałowała tych wypowiedzianych pod wpływem impulsu słów, i to z dwóch powodów. Ze względu na siebie nie uśmiechało jej się bowiem męczyć się przez cały taniec z człowiekiem, którego towarzystwo było nieznośnie uciążliwe, zresztą jak towarzystwo większości mężczyzn.

Żałowała też trochę swojego pytania z powodu sir Josepha. Carrington utykał i Louisa wątpiła, czy on w ogóle tańczy.

Teraz jednak w jego spojrzeniu błysnęło rozbawienie.

– Poradzę sobie z promenadą. Ten taniec to spacer. Sarabanda i polonez w starym stylu mieszczą się zazwyczaj w granicach moich możliwości wczesnym wieczorem. W ostatnich latach nie próbowałem publicznie tańczyć walca i mam nadzieję odejść z tego świata w takim stanie łaski.

– A zatem promenada.

Gdy zbliżali się do miejsca, w którym dla uczestników polowania przygotowano śniadanie, Louisa starała się nie myśleć o tym, że sir Joseph się zestarzeje, nie zaznając przyjemności wirowania z partnerką w sali balowej w takt walca. Gdyby bowiem pogrążyła się w takich rozmyślaniach, zaczęłaby się nad nim litować, czego z pewnością żadne z nich obojga nie uznałoby za celowe.

Miała jednak nadzieję, że hodowanie świń dostarcza mężczyźnie przyjemności mogącej zrekompensować niemożność tańczenia walca.

Louisa Windham nie wiedziała, że uchroniła Josepha przed kłopotliwym towarzystwem panny Fairchild oraz jej chichotliwej przyjaciółki, panny Horton. Szukały go przez cały ranek jak para psów gończych, które zwęszyły lisa. Z rozpromienionymi oczami, prawiąc sobie niedorzeczne komplementy, rozglądały się za swoją ofiarą najpierw w pierwszej grupie myśliwych, potem w drugiej…

A Joseph był w tym czasie w towarzystwie ładnej kobiety, nieprzeznaczonej dla niego, jego kieszeni i świń.

Pomógł lady Louisie zsiąść z konia, dzięki czemu uświadomił sobie, że nie jest tak mocno zbudowana, jak by wskazywał na to jej wzrost. Kiedy zsunęła się na ziemię, zauważył coś jeszcze: mimo porannej aktywności roztaczała wokół siebie woń cytrusów i goździków.

Woń drogich perfum w rześkim powietrzu pogodnego zimowego poranka… zapach świąt. Lubił to.

Lubił i ją, chociaż nigdy nie obciążyłby jej takim wyznaniem. W ciągu ostatnich dwóch lat, odkąd został zwolniony ze służby wojskowej i przebywał pośród miejscowej szlachty hrabstwa Kent, spędził dużo czasu na obrzeżach salonów i sal balowych oraz na dziedzińcach kościołów, dbając o dobre stosunki z sąsiadami.

Zauważył, że lady Louisa chadza własnymi drogami na tyle, na ile było to możliwe dla niezamężnej córki księcia. Mówiła to, co myśli, i miała soczyste usta.

A także ponętną pupę. Właśnie to szczególnie w niej mu się podobało. Podobało mu się, kiedy jeździła konno w taki sposób, że prezentowała biodra bardziej, niż to było w modzie, i nie starała się ukrywać, jak szczodrze Stwórca ją kształtami obdarzył.

Była kobietą, którą mężczyzna miałby za co chwycić...

– Sir Josephie?

Odsunął się od niej o krok, gdy stajenny odprowadzał ich konie.

– Lady Louiso, czy mogę przynieść pani talerz z jedzeniem? Może coś do picia?

Jak długo będzie tak stał, kontemplując tylną część jej sylwetki, w tłumie sąsiadów, psów gończych, kłębiących się koni i krzątających się służących?

– Chętnie się posilę.

Nie odmówiła i nie odeszła, by poszukiwać swojej siostry, co go zdziwiło i uradowało.

– Ja również. Pani pozwoli? – Podał jej ramię, proponując eskortę z większą chęcią, niż się spodziewała.

Pominąwszy zwyczajną uprzejmość, dżentelmeni farmerzy mogli i powinni być ignorowani przez swoich utytułowanych sąsiadów nawet w tak demokratycznym otoczeniu, jakie cechuje śniadanie wydane na polowaniu otwierającym świąteczny sezon. Szlachta mogła utrzymywać ze sobą kontakty na gruncie towarzyskim, ale już nie dotyczyło to ziemianina z najniższą szlachecką rangą – zaledwie sir – i chociaż wszyscy byli wobec sir Josepha uprzejmi, równie grzecznie – i bez złych intencji – go ignorowali.

– Ni pies, ni wydra – wymamrotał pod nosem Joseph.

– A propos czego pan to mówi? – zainteresowała się lady Louisa.

– Hm? Mojego konia. Nie jest ani czystej krwi, ani pociągowy.

– Ma dobre kopyta, mocne kości i jest pojętny. Nie wydaje mi się, żeby coś jeszcze miało znaczenie. Gdzie usiądziemy?

Tam, gdzie psy gończe Josepha nie znajdą.

– W jakimś spokojnym miejscu, w słońcu, i osłoniętym przed wiatrem.

Panował lekki mróz, nawet w pobliżu zabudowań stajennych gospodarza.

Louisa uśmiechnęła się do Josepha na znak, że zrozumiała jego strategię i ją akceptuje.

– Może tam. Na tej ławce.

Napełnił dwa talerze przy długim, zastawionym rozmaitymi potrawami stole – lady Louisie najwyraźniej dopisywał apetyt – i skierował się do niej. Siedziała na drewnianej ławce, osłoniętej z jednej strony nieczynną fontanną, a z drugiej rabatą zwiędłych astrów. Kiedy stał z talerzami, Louisa postawiła napoje na drugim końcu ławki, odpięła kapelusz i poprawiła spódnicę, w iście kobiecy sposób czyniąc przy tym nieco zamieszania i opóźniając posiłek.

Powinien zareagować na to z niechęcią, gdyż doskwierał mu głód, a noga zaczynała rwać. Zamiast tego zauważył, że kiedy lady Louisa zdjęła kapelusz, lok jej ciemnych włosów wymknął się spod kontroli i owinął wokół szyi.

Zdawała się tego nie dostrzegać lub też nie przejmowała się tym, a on nie mógł przestać się wpatrywać. Może wyprawa do Londynu – do tej jaskini rozpusty – nie była takim złym pomysłem. Ostatecznie ziemianin, który zachowywał się poprawnie przez cały rok, mógłby się trochę rozerwać podczas świąt.

– Potrzymam to. – Wzięła oba talerze z rąk Josepha, gestem podbródka wskazując mu, by usiadł.

Jego zaabsorbowanie nieskazitelną, jasną skórą jej szyi, zapewne pachnącą goździkami, i tym, co by czuł, owinąwszy wokół palców gęsty lok jej ciemnych włosów, znikło, gdy uświadomił sobie, że ma usadowić się na ławce obok niej. Czekała go trudna chwila. Po kilku godzinach konnej jazdy stawy prawej nogi odmawiały posłuszeństwa.

Udało się. Po prostu trzeba było wykonać kilka kroków na sztywnej nodze, po czym opaść ciężko na ławkę niczym staruszek, zbyt uparty, aby czynić właściwy użytek z laski.

– Czy jazda konna nasila pana dolegliwości? – Zadawszy to pytanie, lady Louisa zaczęła przeżuwać plasterek jabłka.

– Panuje rodzaj równowagi. Gdy myślę o tym za dużo, jest gorzej; gdy myślę za mało, również jest gorzej.

– Ale nikt pana o to nie pyta, prawda? Chce pan kawałek jabłka?

Lubił jabłka. Nie był jednak pewien, czy lubi rozmawiać o swojej kontuzji – teraz, gdy ktoś o nią spytał.

– Rany wojenne to dawna sprawa. – Przyjął od niej plasterek jabłka. Oczywiście zdjęli rękawiczki do posiłku i dlatego od razu zauważył, jak bardzo różnią się ich dłonie. Jego dłonie były stwardniałe, na prawej widniała blizna, biała, pozbawiona owłosienia szrama u nasady czterech palców. Jej zaś dłonie mogłyby należeć do dziewicy z renesansowego gobelinu, gładzącej szyję jakiegoś durnego jednorożca.

Ściągnęła brwi na widok jego ręki. Właśnie obok nich przebiegał pies myśliwski, skacząc na swoich tylko trzech łapach i pobrzękując wesoło dzwonkami przy obroży.

– Kolejny uraz?

– Próba odebrania mi cugli przez francuskiego żołnierza. Nieudana.

Dzięki Bogu. Joseph zatrzasnął drzwi swojej pamięci – w czym nabrał wprawy – i przyjął kolejną porcję jabłka od siedzącej obok niego damy.

– Czy nudzi się pani czasami, lady Louiso?

Nie odzywała się przez chwilę i chyba celowo zajęła się opróżnianiem swojego talerza, zerkając na Josepha ze zdziwieniem.

– Czemu to pana interesuje?

Pomachał okaleczoną ręką.

– Pewnie w związku z rozmową o kontuzjach. Powracanie do zdrowia to większe wyzwanie niż sam uraz. Zastanawia mnie, co robią książęce córki, żeby się rozerwać.

– Sama się nad tym zastanawiałam. Składamy wizyty, zajmujemy się dobroczynnością, korespondujemy z naszymi siostrami, szwagierkami i kuzynkami, bierzemy udział w spotkaniach towarzyskich, a kiedy jesteśmy w Londynie, jeździmy konno lub w powozie po parku. To wszystko jest całkiem...

Zamilkła, pozostawiając Josepha w przeświadczeniu, że właśnie ujrzał przez moment ranę, która nie goi się dobrze. Lekko poklepał Louisę po grzbiecie dłoni.

– Ja wtedy czytam.

Znowu na niego spojrzała, jeszcze bardziej ostrożnie.

– Przecież nikt nie sądzi, że jest pan analfabetą.

Najczęściej czytał swoim świnkom.

– Czytam nie tylko gazety i klasykę, lady Louiso. Żyję w samotności, a zimowe noce są długie i zimne.

Znowu zajęła się jedzeniem, co zaoszczędziło mu kolejnych dociekliwych spojrzeń jej ciemnozielonych oczu.

– Owszem, są. Jenny spędza je na szyciu lub malowaniu; musi coś tworzyć. Sophie była naszą mistrzynią wypieków do czasu, aż wyszła za Sindala. Eve lubi towarzyszyć mamie podczas wizyt u znajomych, a Maggie zajmuje się swoimi księgami rachunkowymi, kiedy nie mizdrzy się do Hazeltona.

– Koresponduję z pani siostrą hrabiną w sprawie interesów. – Joseph zauważył, że Louisa nie wymieniła w swojej wyliczance żadnych własnych zajęć.

– Z Maggie? – Przestała jeść. – Ona nie wahałaby się korespondować z samotnym dżentelmenem tak, żeby nikt o tym nie wiedział. Pewnie uznała to za prawo starej panny. Myślałam kiedyś, że Maggie ma funta szterlinga tam, gdzie powinno się znajdować serce. Jakże niewiele wiedziałam.

Oderwała kawałek świątecznego słodkiego pieczywa ze szczególną uwagą, sugerując, że rozmowa zahacza o sprawy rodzinne. Joseph wypił łyk ponczu, po czym odstawił kieliszek.

– Uwaga na poncz. Czuć w nim skwaśniały cydr.

Przyglądała się swojej porcji świątecznego wypieku.

– Zawsze tak jest, prawda? Na spotkania z okazji polowań wkładamy najlepsze ubrania, uśmiechamy do wszystkich, napełniamy talerze, a mimo to zawsze jest coś... kwaśny poncz, koń, którego trzeba dobić, sąsiad wymiotujący w krzakach i jego niedorosły syn starający się nie okazać rozpaczy. – Odstawiła na bok niemal pusty talerz. – Przepraszam. Pewnie powinnam poszukać siostry.

Joseph uważał siebie za człowieka, który wykazuje się bystrością tylko od czasu do czasu, ale zmysł obserwacji wyostrzył w nim brak aktywności w wyniku kontuzji. Lady Louisę dręczyła myśl o kolejnym wyjeździe do Londynu, a może o wszystkich takich wyjazdach. Nie miała żadnego hobby ani rozrywek, do których by się przyznawała publicznie, a obie jej starsze siostry były zamężne.

Wyjął piersiówkę.

– Życie bywa niedoskonałe.

Wyciągnął rękę i zatknął zbłąkany kosmyk włosów za ucho Louisy, głównie po to, by ją rozchmurzyć, i przy okazji przekonał się, że jej włosy są w dotyku tak jedwabiste i miłe, jak to sobie wyobrażał. Mógłby napisać sonet o tym jednym loku.

Może to kiedyś uczyni.

– Ale prawdą jest też, milady, że oboje jesteśmy zdrowi, mamy przyjaciół i sąsiadów, którzy będą za nami tęsknić, kiedy wyjedziemy, nie brakuje nam jedzenia ani ciepłych łóżek do spania, a wkrótce nadejdą święta Bożego Narodzenia.

Nie wzdrygnęła się ani nie cofnęła przed jego dotykiem. Przyglądała mu się poważnie zielonymi oczami.

– Tego też nauczył się pan na wojnie? Żeby być wdzięcznym.

– Prawdopodobnie tak. – Nauczył się jeszcze czegoś, mianowicie tego, jak zadowalać się uprawą ziemi, samotnością i dobrą literaturą. No, prawie zadowalać.

– Jego Książęca Mość twierdzi, że pan również wyjeżdża jutro do Londynu, sir Josephie. Ciekawe dlaczego?

Pytanie było zbyt dociekliwe i Carrington poczuł nagle niechęć do Louisy i jej poważnych, ładnych zielonych oczu oraz jedwabistych włosów.

– Z tego samego powodu co wszyscy. Muszę spotykać się z ludźmi od czasu do czasu, jeśli mam kiedykolwiek znaleźć żonę. Czy napije się pani jeszcze?

– Tak. – Wzięła od niego piersiówkę i przytknęła do ust. Gdy Joseph znowu podziwiał wdzięczny zarys jej szyi, przechyliła butelkę, jakby zamierzała wypić jej zawartość do dna.

– Dlaczego sir Joseph Carrington szuka żony? – Mówiąc to, Louisa wzięła kieliszek grzanego wina od jednego z lokajów krążących po sali balowej. Na powierzchni płynu pływały drobiny cynamonu, wyraz świątecznej rozrzutności ze strony rodziny wydającej bal z okazji rozpoczęcia sezonu myśliwskiego. Jemioła wisiała w łukowych sklepieniach nad wejściami, a jodłowe wieńce przyozdabiały drzwi. Zapach wiecznie zielonych roślin i wosku pszczelego przebijał przez woń wielu ciał, zbyt wielu, którym zabrakło kąpieli po porannej jeździe.

Eve oddaliła lokaja machnięciem ręki, nie biorąc dla siebie wina, ale Jenny była zbyt grzeczna, by odmówić.

– Może sir Joseph szuka żony, ponieważ ma dzieci – podsunęła Jenny. – Małe dziewczynki potrzebują matki.

– A może czuje się samotny – zasugerowała Eve. – To całkiem przystojny mężczyzna. Pewnie ma niewiele więcej niż trzydzieści lat, a Maggie mówi, że hodowla świń jest całkiem dochodowa. Nie wydaje się, żeby zdradzał skłonności do typowych męskich występków, czemu więc nie miałby wziąć sobie żony?

Louisa popijała wino, starając się wyobrazić sobie Josepha z małymi córeczkami.

– Sądzisz, że jest przystojny?

Eve Windham, najmłodsza z książęcego potomstwa, rzadko wyrażała opinie na temat przedstawicieli męskiego rodzaju. Przyjmowała pełnych nadziei zalotników, a nawet oświadczyny, z niefrasobliwą wesołością, ale nigdy nie dała po sobie poznać, że zaangażowała się uczuciowo.

Wzrok Eve powędrował przez salę balową tam, gdzie sir Joseph rozmawiał z pulchną i bladą lady Horton. Otaczały go z obu stron dwie starsze córki tej damy, zagradzając mu drogę niczym dwie ciekawskie jałówki przypierające do muru młodego byka.

– Podoba mi się mężczyzna, który nie jest głupcem – rzekła Eve. – Który byłby w stanie mnie utrzymać. Podoba mi się, że on jest ojcem, chociaż będzie musiał mieć synów, żeby przekazać im majątek. A szerokie ramiona u mężczyzny również nie zaszkodzą.

Jenny uniosła jasne brwi.

– W twoich ustach, Eve, to prawdziwa aprobata. Gdyby nie to, że Carrington jest tylko sir Carringtonem, przekazałabym twoją uwagę mamie.

– Nieważne, że jest tylko sir Carringtonem – odparła Eve, ale jej sprzeciw był umiarkowany. – Czy ten napój jest dobry?

Louisa zmarszczyła nos.

– Za słodki. Niektórzy muszą wykorzystywać święta do informowania wszystkich bez wyjątku o swojej zamożności.

– Jesteś dzisiaj poirytowana – odrzekła Jenny. – Wiem, co cię rozweseli.

Usta Eve nagle się skrzywiły i siostry Louisy wymieniły konspiracyjne i figlarne spojrzenia. Eve i Jenny łączył nie tylko podobny rodzaj urody – obie miały jasne włosy, choć Jenny była wysoka i smukła, a Eve niższa i bardziej zaokrąglona. Te dwie z sióstr Louisy, nadal niezamężne, miały w sobie pewien rodzaj delikatności i serdeczność dla wszystkich w ich otoczeniu. Tych cech Louisie brakowało.

I zazdrościła im tego. Jej siostry byłyby już zamężne, gdyby tylko uznały, że są gotowe do małżeństwa, a Louisie pozostałoby zarządzanie książęcym domostwem w oczekiwaniu na starość. Oczywiście poradziłaby sobie z tym wyzwaniem. A nawet może znalazłaby w tym przyjemność, gdyby matka kiedykolwiek zechciała przekazać jej władzę nad domowym gospodarstwem.

– Chętnie się rozweselę – odparła Louisa, podejmując temat rozmowy. – Rozpoczynam wieczór od promenady z sir Josephem, a mój karnet nadal jest pusty. Sindal bez wątpienia się nade mną zlituje, ale pewnie tylko raz przemknie ze mną przez salę balową, żeby szybko powrócić do swojej ukochanej Sophie.

– Deene zatańczyłby z nami, gdyby nie był w żałobie – zauważyła Eve.

– Ale jest. – Jaka szkoda. Markiz Deene był dostatecznie wysokim, przystojnym mężczyzną i nie tak bliskim krewnym jak inni, co oznaczało, że Louisa może go wziąć pod uwagę w swoich planach.

– Lord Lionel Honiton nikogo ostatnio nie pochował – powiedziała Jenny – i właśnie schodzi ze schodów.

Stąd znaczące spojrzenia sióstr. Louisa nie podniosła wzroku, odstawiając na bok kieliszek ze zbyt słodkim, letnim winem.

– Odmówił dziś udziału w przejażdżce. Nie sądziłam, że przyjdzie.

– Był zbyt zajęty wybieraniem stroju na wieczór – odparła Eve. – Przyćmiewa nawet kobiety.

Lord Lionel wyglądał świetnie, cały w złocie, i miał cudowne piwne oczy, które przypominały Louisie czekoladę i ukradkowe popijanie tatusiowego koniaku. Kiedy zerknęła ponad ramieniem Eve, by zobaczyć, jak Jego Lordowska Mość kroczy po schodach, przekonała się, że w istocie Lionel zadał sobie sporo trudu, dobierając strój.

Przystojny mężczyzna, który wiedział, jak nosić koronki, był pięknym stworzeniem. Koronki zdobiły tylko kilka wybranych miejsc – przy szyi i mankietach. Były bladozłote, wspaniale pasujące do jego jasnej karnacji i niebiesko-złocistego stroju. Szpila w fularze wydawała się doskonale dobrana – prawdopodobnie szafir lub topaz oprawione w złoto – a spinki do mankietów świetnie ją uzupełniały.

– Louisa rezerwuje walca dla Lorda Koronki – mruknęła Eve. – Ten człowiek, idąc na bal, wkłada na siebie więcej złota, niż ja mam w szkatułce z biżuterią.

– Trzyma się norm – odparła Louisa. Typowo londyńskich, a nawet tych z Carlton House, siedziby regenta. – I tańczy całkiem nieźle.

Louisa wiedziała, co mówi, gdyż nieraz miała przyjemność przekonać się o jego umiejętnościach. Kiedy tańczyło się z lordem Lionelem, miało się wrażenie, że wszyscy w sali przystają, by się temu przyglądać. A on wydawał się wcale temu nie dziwić.

Uważała, że wybiera ją jako partnerkę do tańca głównie z uwagi na jej rangę – córka księcia mogła tańczyć z synem markiza – a także dlatego, że jej ciemna kolorystyka podkreślała jego złocistą męską urodę. Poza tym była dobrą tancerką.

– Idzie tutaj – rzekła Jenny, zaglądając do swojego wciąż pełnego kieliszka. – Pewnie zamierza porozmawiać z tobą o wieczornym walcu, Lou, zanim przywita się z panią domu.

– Dobry wieczór, moje panie.

Louisa stłumiła jęk w mrukliwym powitaniu.

– Dobry wieczór, sir Josephie.

Jej siostry dygnęły, a Jenny – na całe szczęście – zdobyła się na uprzejmość.

– Wspaniała pogoda na świąteczne polowanie, nieprawdaż?

Sir Joseph wydawał się rozważać tę uwagę.

– Ciekawe, czy lis podziela tę opinię. Pewnie co roku zaczyna się już modlić o paskudną zimę nie później niż w kwietniu.

– Wiosną on i jego lisica zajmują się prawdopodobnie rodzinnymi sprawami – odparła Louisa.

Usta sir Josepha drgnęły, zaś twarze Eve i Jenny nabrały zbolałego wyrazu. Rodzinne sprawy – co też ona sugeruje? Louisa zapatrzyła się w drobiny cynamonu pływające w jej napoju.

– Być może – odrzekł Joseph. – Zapewne myśli o wcześniejszym wyjeździe do Londynu, żeby się naradzić z krawcami przed rozpoczęciem sezonu. Jednak zamiast rozprawiać o krawieckich upodobaniach lisa, czy mogę przypomnieć, lady Louiso, że obiecała mi pani pierwszy taniec? Orkiestra już stroi instrumenty, aczkolwiek z pewnością zrozumiem odmowę, jeśli jest pani zbyt zmęczona po dzisiejszym wysiłku, żeby uczynić mi taki zaszczyt.

Dawał jej możliwość odmowy. Za plecami Jenny widać było, jak lord Lionel przystanął, przerywając swój marsz przez salę balową, żeby porozmawiać z Isobel Horton. Dziewczyna ta uczyniła z kokieterii sztukę i uczepiła się jego ramienia jak rzep. Poświęcał jej niepodzielną uwagę, spoglądając na nią cudownymi piwnymi oczami, jakby była światłem jego życia.

– Louisa rzadko przepuszcza okazję, by trochę poruszać nogami w tańcu – wtrąciła Jenny. W jej głosie zabrzmiała natarczywa nuta, jakby Louisa zapomniała, czego dotyczy rozmowa.

– Jenny ma rację. – Louisa przeniosła wzrok z przystojnego lorda Lionela na poważne oblicze sir Josepha. – Im częściej tańczę, tym rzadziej próbuję prowadzić towarzyskie rozmowy, do których, jak się z pewnością domyślacie, nie mam szczególnego talentu.

– Ani ja. – Joseph podał jej ramię. To wszystko. Nie był niegrzeczny, ale z pewnością... brakowało mu ogłady.

Lord Lionel gryzmolił swoje nazwisko w karnecie Isobel Horton. Louisa wzięła sir Josepha pod ramię. Oto zapłata za chwilę uprzejmości. Zajęła miejsce u jego boku pośród innych par przygotowujących się do tańca na otwarcie wieczoru i przestrzegła samą siebie, aby w przyszłości nie okazywać miękkiego serca, obojętnie w jakim sezonie.

Nie mogła wyjść za mąż, w każdym razie nie wtedy, gdy groźba skandalu wisiała nad nią niczym ułamana gałązka jemioły, ale powinna mieć prawo do przelotnego flirtu z przystojnym synem markiza, nieprawdaż?

2

Mogę recytować wiersze – zaproponował sir Joseph, kiedy Louisa przeszła z nim przez połowę sali. – To uchroni nas przed milczeniem i nie wymaga zastanawiania się, co powiedzieć.

Wiersze? Serce Louisy zgubiło rytm.

– Czy pan się ze mną droczy?

– Och, być może. Mogłaby pani skinąć od czasu do czasu głową lub trzepnąć mnie w ramię wachlarzem i nikt by nie wiedział, że uchylamy się od obowiązku konwersowania. Jeden z moich przyjaciół ma słabość do sonetów Szekspira. – Przerwał, a Louisa usiłowała wymyślić coś, co mogłaby powiedzieć, jednak zaoszczędził jej tego, rozpoczynając cichą, niemal kontemplacyjną deklamację: – „Tę porę roku dostrzec we mnie możesz, gdy liście żółte, żadne, nieco liści, z drżących gałęzi zwisają na mrozie..."

Po drugiej stronie sali Isobel Horton uderzyła zamkniętym wachlarzem w ramię lorda Lionela.

Louisa uwielbiała sonet, który sir Joseph zaczął recytować głosem z odpowiednio zrównoważoną dawką żalu i ciepła.

– A może zamiast tego powie mi pan, czemu poluje pan na żonę, sir Josephie?

Skrzywił się. Jej pytanie było nieuprzejme, ale już padło.

– Poluję? Chodzę w onucach, z naładowanym garłaczem, gotowy niespodziewanie ustrzelić jakiegoś niewinnego gołąbka w locie? Wydaje mi się, że to nietrafny obraz. Żona jest mi potrzebna z dwóch powodów.

Żona jest mu potrzebna. Kobietom wolno tęsknić za tym, żeby mieć męża, marzyć o dzieciach, które można kochać. Nie wolno im jednak mówić, że jest im potrzebny mąż. Louisa zapragnęła uderzyć sir Josepha, ale nie wachlarzem.

– Z dwóch powodów. Proszę je wyjaśnić.

Zostali zmuszeni do zatrzymania się przez parę tancerzy przed nimi, która wydawała się zbyt zajęta flirtowaniem, żeby kroczyć w rytm muzyki.

– Po pierwsze, jestem odpowiedzialny za wychowanie dwóch dziewczynek, a wpływ dorosłej kobiety w roli matki byłby dla nich wysoce pożądany.

Wykorzystując część mózgu odpowiedzialną za mowę i pozwalającą postrzegać każde wypowiedziane zdanie jako określoną strukturę, Louisa zauważyła, że sir Josephowi udało się napomknąć, że jest rodzicem, bez wspominania o jakiejkolwiek relacji z dziećmi. Nie powiedział: „Moje córki potrzebują matki" czy też „Potrzebuję żony, żeby była matką dla moich dzieci".

Dał opis powinności, odpowiedni do sytuacji.

– A drugi powód?

Rozejrzał się wokoło. Poczekał, aż gruchające gołąbki przed nimi ruszą do przodu, posuwając się niczym twór o trzech nogach, z głowami przechylonymi do siebie tak blisko, by nikt nie słyszał ich rozmowy. Louisa również chciała ich porządnie stuknąć, najchętniej końcem garłacza sir Josepha.

– Chodzi o tytuł.

Zapomniała o gruchających gołąbkach i niemal przestała zwracać uwagę na lorda Lionela po drugiej stronie sali, z trudem znoszącego pannę Horton, przyciskającą swoje wymię do jego ramienia.

– Słucham?

– Chodzi mi o tytuł. – Mówiąc to, wydawał się znużony, a jego głos niewiele się różnił od szeptu. – Baronostwo zostało zawieszone ponad dwieście lat temu i, jak Bóg da, takie pozostanie.

Zawieszenie. Oznaczało to, że tytuł wisiał sobie na drzewie genealogicznym jakiegoś rodu, niedostępny przez całe stulecia. Zdarzało się to w starych baronostwach, kiedy posiadacz tytułu pozostawiał po sobie tylko żeńskich potomków, kobiety, które były płodne i rodziły wiele dzieci, przez co nie można było zdecydować, na kogo powinien przejść tytuł, gdyż różni spadkobiercy mieli do niego równe prawa.

– Nie wydaje się pan zadowolony.

– Bardzo liczę na to, że mój daleki kuzyn, potomek Sixtusa o tym samym co on imieniu, jedyny pozostały kandydat do tytułu, wkrótce będzie oczekiwał ze swoją młodą żoną radosnego wydarzenia. Co roku w okresie Bożego Narodzenia oczekuję listu od niego w nadziei, że nowy, mały kuzynek męskiego rodzaju pojawi się niedługo na świecie.

– Nie chce pan tytułu?

Zatrzymali się niebezpiecznie blisko zwisającego stroika z jemioły i Joseph… zadrżał. Ten duży, prostolinijny mężczyzna o szerokich ramionach, stojący obok niej, drżał.

– Niech pani zauważy, lady Louiso, że nasz regent jest niemal rozrzutny w rozdawaniu tytułów. A jeśli wpadł na pomysł, żeby wynieść tytuł ponad barona? Co będzie, jeżeli przypomniał sobie, że zdobyłem swoje szlachectwo za zasługi w walce? Jeśli jego wielka skłonność do sentymentów wpłynie na jego szczodrobliwe serce i… „Sir" przed nazwiskiem mi wystarcza. Już baronostwo byłoby dla mnie prawie nie do przyjęcia, a wszystko powyżej wystarczy, żeby wysłać zdrowego człowieka do domu dla obłąkanych.

Być może doświadczenia bitewne sir Josepha wpłynęły na jego osąd.

– Byłby pan lordem, sir Josephie. Zasiadałby pan w Izbie Lordów i miałby duży wybór młodych dam, nawet debiutantek w towarzystwie.

Zdołała się powstrzymać przed stwierdzeniem, że wtedy nie zwracano by uwagi na jego hodowlę świń. Prowadzenie farmy nie było handlem, zdecydowanie zaliczało się do rolnictwa. Wytwarzanie boczku, szynki, smalcu i skór stanowiło konieczność, a każdy właściciel ziemski prawdopodobnie hodował trzodę chlewną.

Louisa nie spytała tego człowieka, co myśli o tytule księcia, skoro baronostwo było prawie nie do przyjęcia.

– Po części musi się pan ożenić z powodu tego tytułu.

Sir Joseph ciężko westchnął, ale na szczęście oddalili się już od jemioły Damoklesa.

– Nie powiedziałem, że muszę się ożenić. Nie jestem przeciwny małżeństwu z uwagi na dziewczynki, no i jest jeszcze ta dawna, choć niezupełnie teoretyczna, sprawa z tytułem. Z tytułami wiążą się obowiązki, a mój kuzyn nie jest młody.

Córka księcia zrozumiała, co miał na myśli. Potrzebował dziedzica. Tytuł, mimo dwustu lat zawieszenia, nie popadł w zapomnienie, ale bez spadkobierców przeszedłby na rzecz Korony.

– Być może w tym roku związek pańskiego kuzyna okaże się owocny.

– Modlę się o to, choć jest to już jego trzeci związek.

Para przed nimi szeptała, pochylając ku sobie głowy tak blisko, że młodzieniec mógłby niepostrzeżenie skraść partnerce pocałunek.

– Sir Josephie, chce mi się pić. Czy nie obraziłby się pan, gdybyśmy opuścili taneczny krąg i wybrali się na poszukiwanie czegoś orzeźwiającego?

Nic nie mówiąc, niemalże wyrwał ją z szeregu innych par i zaprowadził do bufetu, gdzie czekało na nich jeszcze więcej niedostatecznie ciepłego i okropnie słodkiego wina marnej jakości. Udawała, że pije, choć czekał ją wieczór przypominający niekończące się ćwiczenia w spełnianiu towarzyskich zobowiązań i unikaniu zderzenia z gałązkami jemioły, zawieszonymi w strategicznych miejscach.

Tymczasem po drugiej stronie sali panna Horton napierała na roześmianego lorda Lionela, a orkiestra ciągle grała.

– Tajemnica krótkich i udanych zalotów leży w tym, żeby wybrać zdesperowaną kobietę.

Jak można się było spodziewać, kompani lorda Lionela Honitona roześmiali się, słysząc tę złośliwą uwagę jednego z nich. Lionel pociągnął łyk doskonałej brandy – gospodarzem przyjęcia był Petersham, wciąż nowicjusz w tym mieście, który jeszcze nie zrozumiał, że ci, którzy piją jego brandy i obmacują jego służące, niekoniecznie są jego przyjaciółmi.

– Pominąłeś coś – rzekł Lionel do dowcipnisia, przeciągając samogłoski i rozpierając się na wyściełanym krześle blisko kominka. – Z pewnością zdesperowana dziewczyna wystarcza, by krótkie zaloty skończyły się małżeństwem, ale jeszcze lepiej, kiedy jej rodzice są zdesperowani, bo wtedy uzgadnianie warunków umowy przebiegnie pomyślnie.

Nastąpiła seria okrzyków w stylu „racja", „dobrze mówi", a wraz z nimi poszła w ruch kolejna karafka brandy.

– A potem – kpiarz ujął kieliszek, jakby wznosząc toast – jest noc poślubna.

Rozległy się kolejne drwiące śmiechy i tupoty, gdyż godzina stawała się późna, a karafka wciąż krążyła dookoła. Ci sami mężczyźni przed obiadem nie pozwalali sobie na oczernianie dam, mówiąc o ich honorze. A cztery godziny później zamieniali się w podrośniętych uczniaków, jakimi byli, gotowi uganiać się za czymkolwiek, co miało na sobie spódnicę, i dowcipkować na temat kobiet.

Kiedy całe to zgromadzenie zaczęło rozprawiać o tym, ile sezonów potrzeba, aby przyzwoita młoda dama stała się zdesperowana, a tym bardziej jej rodzice, lord Lionel ponownie napełnił swój kieliszek.

– Rano będziesz tego żałował.

Lionel ujął kieliszek w obie dłonie, czekając, aż ich ciepło ogrzeje trunek.

– Nie pożałuję. Jesteś zbyt trzeźwy, Harrison, jeśli sądzisz, że do jutra narobię jakichś głupstw.

Ciemnowłosy, o ciemnej karnacji, szczupły Harrison stanowił kontrast z jasną nordycką karnacją Lionela, przez co ten drugi zyskiwał na atrakcyjności. Harrison nie znał się również na żartach, przez co Lionel wydawał się dowcipny. W sumie lord Lionel uznał go za całkiem użytecznego towarzysza.

– Rano gdzieś cię poniesie. – Ton głosu Harrisona był kpiący, a nawet protekcjonalny.

– Być może o poranku rzeczywiście będę podążał do domu, jeśli za poranek uznamy czas po godzinie duchów, ale co do jutrzejszego dnia... – urwał Lionel, aby upić kolejnego łyka – Boże uchowaj.

– Jutro lady Carstairs urządza świąteczne śniadanie i najprawdopodobniej wszystkie trzy siostry Windham się tam znajdą, a jest to trio, w którego łaski wkradałeś się przez cały rok.

– Czyżby? – Lionel ziewnął, drapiąc się w okolicy swoich... ud, i zajrzał do kieliszka. – Wszystkie trzy, powiadasz?

Ciemne oczy Harrisona się zwęziły.

Człowiek ten był intruzem w gronie socjety. Malował portrety, co oznaczało, że nie zaliczał się do dżentelmenów, lecz był czyimś dziedzicem, a zatem tytułowano go i tolerowano. Z kolei regent uważał siebie za mecenasa sztuki i Harrison cieszył się pewnym prestiżem w otoczeniu Carlton House.

– Moreland ma trzy niezamężne córki – powiedział Harrison. – Wszystkie ładne i z dobrym posagiem. Tylko zdecyduj, z którą będzie najmniej zachodu.

Gdyby ton jego głosu był oskarżycielski, być może zaalarmowałoby to Lionela, ale Harrison mówił tak, jakby jedynie oznajmiał fakty, i to w dodatku nudne.

– Nie, to ty zdecyduj, która z nich jest dostatecznie próżna, żeby domagać się namalowania swojego portretu – odparł Lionel. – A może myślisz o tym, żeby poprosić księcia o pozwolenie na załatwienie od razu wszystkich trzech.

Postarał się, aby jego słowa zabrzmiały dwuznacznie.

– Nigdy nie ceniłem mężczyzn uganiających się za jakąś kobietą publicznie, a prywatnie ją znieważających. Taki mężczyzna to...

desperat. – Harrison zerknął na kieliszek w ręku Lionela. – Desperat i człowiek bez honoru. Życzę dobrej nocy, milordzie.

Odszedł. Usłyszawszy wyraźną aluzję, Lionel miał ochotę kopnąć tego bastarda w tyłek. Powstrzymał się, ale nie dlatego, że Harrison powiedział prawdę – Lionel istotnie stawał się coraz bardziej zdesperowany i rzadko uważał honor za coś więcej niż użyteczną zasłonę niegodnych motywacji. Miał poza tym zamiar zabawić się trochę z pulchnymi, rozchichotanymi pokojówkami Petershamów na górnym piętrze. Kłótnia na oczach wszystkich z nic nieznaczącym malarzem pokrzyżowałaby mu plany.

Sir Joseph obijał się przez dwa dni. W tym czasie regularnie odwiedzał Lady Opie, skreślił kilka listów do zarządcy swojego londyńskiego domu, wybrał się na przejażdżkę z zarządcą swoich włości, spotkał się – ponownie – ze swoimi dzierżawcami i tak odkładał podróż, w którą nie miał ochoty wyruszyć.

Ale musiał. Osobliwa rozmowa z Louisą Windham tkwiła w jego pamięci niczym cierń w oku. Dopóki nie powiedział jej tego głośno – że jest mu potrzebna żona – potrzeba ta nie wydawała mu się szczególnie nagląca, choć myśl o niej była dokuczliwa. Teraz, niczym bolący ząb, dręczyła go dniem i nocą.

– Kiedy będziesz z powrotem? – Wspinając się na jego kolana, Amanda przeciągnęła jękliwie ostatnie słowo na co najmniej pięć sylab. – Z po-wro-o-o-tem?

– Tak, papo. – Fleur ścisnęła jego kurtkę do jazdy konnej rączkami w niechlujnych mitenkach i zaczęła się gramolić w pobliżu jego lewego kolana. – Kiedy wrócisz?

– Nie przypominam sobie, żebym zapraszał którąś z was do moszczenia się na mnie.

One jednak już tam były, sadowiąc się na wybranych przez siebie miejscach na jego kolanach, pachnące mydłem, lawendą i czymś jeszcze – prawdopodobnie figlami.

– Zawsze wyjeżdżasz – stwierdziła Amanda. – Ale gdybyś nie wyjeżdżał, to w ogóle byś do nas nie przychodził.

Fleur wtrąciła się, wtórując siostrze:

– Kiedyś przychodziłeś nas utulić.

– Byłyście wtedy niemowlakami. Malutkimi stworzonkami, które nie zjeżdżają po poręczach ani nie żebrzą o kucyka przez cały boży dzień.

Amanda utkwiła w nim wielkie piwne oczy.

– Mógłbyś przywieźć nam kucyki na święta. Byłyśmy grzeczne przez cały czas.

– To prawda – przyznała Fleur. – Nasza niania nie potrzebowała brać swoich soli trzeźwiących od poniedziałku!

– Pozwól mi zauważyć, że dziś dopiero wtorek rano. – Joseph delikatnie powstrzymał Fleur przed włożeniem kciuka do buzi. – Nie liczcie na to, że przywiozę wam kucyki na Boże Narodzenie. Obie jesteście jeszcze za małe, a zima nie jest dobrą porą na naukę jazdy.

Fleur uniosła podbródek, zbyt wysoko jak na młodą damę.

– Gdybyśmy były chłopcami, miałybyśmy już kucyki.

Amanda pokiwała energicznie głową, powiewając ciemnymi lokami.

– Fleur ma rację. I wtedy przysłuchiwałbyś się naszym lekcjom.

– Gdybyście były chłopakami, mogłybyście odziedziczyć ten cholerny tytuł.

Słowa te zostały wymruczane pod nosem, ale czuły słuch dziewczynek wychwycił każdą sylabę.

– Papa powiedział: „cholerny". – Fleur przytknęła dłoń do ust, jakby chciała stłumić chichot. – To brzydkie słowo. Nie można mówić „cholerny" ani „do cholery" czy „do diabła" albo...

– Przestań. – Joseph objął ją ramieniem, aby zasłonić jej usta swoją, o wiele większą od jej dłoni, ręką. Miały jednak nad nim przewagę liczebną i Amanda natychmiast podjęła:

– ...albo „przeklęty" lub „niech to szlag". Gdybyśmy były chłopcami, nauczyłbyś nas przeklinać, a nawet bekać, i wiedziałybyśmy, jak puszczać bą...

Skończyło się na tym, że obie dziewczynki wygramoliły się z jego kolan i odbiegły nieco dalej, chichocząc.

– Dosyć już tego. – Wstał, prostując się na całą wysokość, i spojrzał na nie karcąco. – W ten sposób zasłużycie sobie tylko na rózgę pod choinką. Kiedy wrócę z miasta, macie się obie zachowywać przyzwoicie. Oczekuję, że pokojówki i panna Hodges będą was chwalić, i nie życzę już sobie żadnych hałasów ani wybryków.

Ucichły natychmiast na słowa wypowiedziane takim tonem, a ich uśmiechy przerodziły się w niepewne spojrzenia wymierzone w niego, a potem w siebie nawzajem.

Joseph znowu poczuł ucisk w dołku, oznaczający, że nie nadaje się na rodzica tych dzieci – ani trochę – a tym bardziej kolejnej dwunastki, którą widywał jedynie sporadycznie.

Przyklęknął na jednej nodze, nie mogąc pozwolić, by niepewne spojrzenia doprowadziły do wygięcia ust w podkówkę i – zadrżał na samą myśl o tym – wybuchu dziewczyńskiego płaczu na dwa głosy.

– Pocałujcie mnie na pożegnanie i już mnie nie ma. Mówcie paciorek, kiedy wyjadę, nie dokuczajcie zbytnio sobie nawzajem i słuchajcie panny Hodges.

– Dobrze, papo.

Wyciągnął ręce i dziewczynki się zbliżyły, najpierw Amanda – starsza, która podjęła się brać na siebie ryzyko – a potem Fleur, jej lojalna sojuszniczka. Posłusznie ucałowały go w policzek, po czym Joseph pozwolił im odejść.

– I trzymajcie się z dala od poręczy.

Nie miał już nic więcej do powiedzenia, wyszedł zatem z dziecinnego pokoju i z domu, wsiadł na konia i skierował się w stronę Londynu. Drogi były suche, pogoda sprzyjająca, a jego wierzchowiec – mniej więcej po pięciu milach – zaczął wykazywać uległość, dzięki czemu Joseph mógł się oddać rozmyślaniom.

Nie potrzebował żony, ale jego podopieczne potrzebowały dorosłej kobiety, która by się nimi zajęła, i dlatego przydałaby mu się małżonka. Wiedziałaby, jak postępować z panną Hodges, która – Joseph to podsłuchał – znowu się użalała nad „plebejską" karnacją jego córek.

Ciemne włosy i ciemne oczy nie wydawały się ani trochę plebejskie w przypadku króla Karola II i jego iberyjskiej żony, czyż nie? Współczesne damy trzymały się jednak nieco innych norm, zgodnie z którymi jasne włosy i skóra były ładne, natomiast ciemne włosy…

Louisa Windham miała ciemne włosy i ciemne oczy i w niej takie połączenie wydawało się... urocze. Nie była łagodną kobietą; sprawiała wrażenie niezadowolonej, a może znudzonej. Jednakże to właśnie jej wyjawił Joseph potrzebę posiadania żony i przyznał przed nią, że gnębią go myśli o tytule.

Tytule szlacheckim.

Kuzyn Sixtus Hargrave Carrington napisał do Josepha, że nie cieszy się dobrym zdrowiem. Otrzymanie corocznego listu od niego na wiele dni przed świętami Bożego Narodzenia dowodziło jedynie tego, co najważniejsze – Sixtus nie spodziewał się dożyć następnego roku.

Każda ze stron mających co najmniej jedną trzecią prawa do tytułu będącego w zawieszeniu mogła złożyć podanie z prośbą, aby ów tytuł został jej przyznany. Hargrave i Joseph zawarli cichą umowę, by nie składać podania, ale gdyby któryś z nich zmarł, nie pozostawiwszy po sobie męskiego potomka, ten drugi zostałby obarczony tytułem.

A wtedy... Joseph przypomniał sobie ulgę, jaką poczuł, kiedy lady Louisa zaoszczędziła mu – a może sobie – dreptania w promenadzie. I jak zaproponował jej, że będzie recytował wiersze, aby uchronić ich oboje przed koniecznością prowadzenia uprzejmej konwersacji. Pomyślał o swoich córkach zdanych na łaskę zatrudnionej opiekunki, która nie aprobowała ich karnacji... czegoś, na co dziecko nie miało przecież żadnego wpływu ani nie mogło tego zmienić.

– Moje życie to nie bajka – zwierzył się sir Joseph swojemu rumakowi – ale jest całkiem znośne. Zapewniam byt moim podopiecznym, mam całkiem duży zakres swobody i mogę wymknąć się czasem z domu, aby poczytać wdzięcznym słuchaczom.

Wierzchowiec parsknął.

– No dobrze, tolerancyjnym słuchaczom.

Zwykły sir mógł kuśtykać, natomiast lord musiał tańczyć walca. Zwykły sir mógł czytać Szekspira swojej ulubionej rozpłodowej maciorze, natomiast lord prawdopodobnie miał zakaz hodowania takiego zwierzęcia. Zwykły sir mógł podziwiać z daleka wspaniałą ciemnowłosą damę, natomiast lord...

Lord miał tytuł i powinien dbać o sukcesję, a zatem koniecznie musiał mieć u swego boku damę, która urodzi mu synów.

Joseph ponaglił konia, by przeszedł z kłusa w kołyszący cwał, a sam odegnał myśli o damach i walcach, dzięki czemu mógł się lepiej skupić na modlitwie za szybki powrót do zdrowia swojego dalekiego kuzyna.

– Moja droga, myślałem, że wyszłaś z domu dziś rano. – Mówiąc to, Jego Wysokość, książę Moreland, błyskawicznie dokonał oceny lekko ściągniętych brwi na czole księżnej i zmienił kierunek marszu, żeby przyłączyć się do niej w jej prywatnym salonie. Zobaczył, jak mars na czole żony znika, po czym zamknął za sobą drzwi.

Cokolwiek trapiło panią jego serca, którą była od ponad trzydziestu lat, zawsze starała się to przed nim ukryć. Niemądra dziewczynka. Gdyby odprawiono nadzorcę ukochanej sfory psów myśliwskich księcia, Jego Wysokość nie czułby ani trochę silniejszej potrzeby niż teraz, żeby dociekać dlaczego.

– Czy jest świeża herbata? – spytał, zajmując miejsce obok księżnej.

Jednak Jej Wysokość nie była głupią kobietą. Wiedziała, że herbata to pretekst, by objadać się ciastkami z kremem lub uraczyć się co pewien czas eklerką czy garścią kandyzowanych fiołków. W ostateczności herbata mogła być odpowiednim gorącym napojem, do którego co rusz dolewało się kapkę brandy w chłodne dni.

Sama herbata była kiepską wymówką i księżna już dawno odgadła stanowisko męża w tej sprawie.

– Wysłałam Gladys i Tony'ego na zakupy z dziewczętami – oznajmiła. – Eve próbowała się wykręcić, ale jej siostry nie oponowały i wszystkie wybrały się do miasta.

– Pozostawiając cię w moim wątpliwym towarzystwie. – I pozostawiając jego z wątpliwą zawartością tacy podanej na podwieczorek: babeczkami z masłem, dżemem i miodem. Nie było nawet gorących drożdżowych bułeczek czy kilku kawałków świątecznego ciasta. – Komu zlecisz nadzór na pieczeniem ciasta w te święta, skoro Sophie opuściła nas, by gospodarzyć swojemu baronowi?

– A jak myślisz, skąd Sophie ma przepis, Morelandzie?

Uwielbiał, kiedy tym apodyktycznym tonem nazywała go Morelandem. Złożył pocałunek na jej policzku.

– Od twojej matki, ponieważ interesujesz się gotowaniem prawie tak samo, jak ja filiżanką letniej herbaty. Czemu jesteś w złym humorze, moja droga? Czy mam zabrać cię na przejażdżkę? Posłać do Guntera po prowiant na piknik?

– Louisa zapytała mnie, czy może wiosną zostać w Morelands.

Książę rozsiadł się wygodnie na sofie, starając się sięgnąć do tej części swojego intelektu – błyskotliwego polityka i odnoszącego niegdyś sukcesy oficera kawalerii – która pozwalała mu czasem przebrnąć przez trudne sytuacje, gdy odwoływano się do niego jako ojca licznego potomstwa.

Ujął dłoń żony, chcąc pojąć subtelną informację w bliskim kontakcie z księżną i z jej pewnością siebie.

– O co chodzi, Esther? Louisa bynajmniej nie wycofuje się z życia i nie w jej stylu jest popadanie w przygnębienie.

Jednakże Louisa pochodziła z rozległego, niezbadanego terytorium zwanego Jego Córkami. Książę kochał swoje pięć dorosłych córek i z radością poświęciłby życie, aby je chronić, ale żeby je rozumieć... Równie dobrze mógłby próbować pojąć procesy mentalne... jakiegoś zupełnie innego rodzaju.

– Zastanawiałam się nad tym – odparła księżna. – Masz rację. Ona nie jest typem człowieka, który popada w przygnębienie. Pod tym względem wdała się w ojca i bardziej jest skłonna do działania niż zagłębiania się w sobie.

– W chwilach większej szczerości nazywałaś mnie słoniem w składzie porcelany, Esther.

– Bardzo przystojnym. – Przysunęła się do niego delikatnie, prawie niezauważalnie. – Zaślepionym miłością i cudownym, z którego zazwyczaj jestem bardzo zadowolona.

– Słysząc takie pochlebstwa, mam ochotę zamknąć drzwi na klucz, Esther Windham. – Dziesięć lat minęło od czasu, kiedy w środku dnia zamykali drzwi na klucz, ale gałązki jemioły wisiały w całym domu i normy musiały być przestrzegane, jeśli księżna miała nadal uśmiechać się w ten szczególny sposób.

Przechyliła głowę i taki właśnie uśmiech zaczął się czaić w kącikach jej ust.

– Chodzi o Louisę.

Jego Wysokość wiedział, co to priorytety, gdyż stanowiły esencję szczytnego tytułu. Pocieszanie księżnej polegało nie tylko na miłosnych z nią igraszkach. Objął ją ręką w talii, aby mogła wygodniej oprzeć głowę na jego ramieniu.

– Naszą drogą Louisę – rzekł, całując księżną w skroń. Ta ładna młoda dama popijała zwykle poncz w klubie u Almacka. – Niepokoisz się o nią, a zatem i ja powinienem się o nią niepokoić.

– Wydaje mi się, że ją rozumiem, ale musisz mi powiedzieć, co ty o tym myślisz. Zapewne jako najstarsza niezamężna córka uważa, że powinna zostać w Morelands, żeby nie usuwać w cień swoich młodszych sióstr.

Jego Wysokość, zastanawiając się nad tą teorią, głaskał pszenicznozłote włosy żony. Czynił to z wielką ostrożnością, by nie zniszczyć fryzury – małżonek księżnej nabywa wprawy w takich sprawach.

– Myślisz logicznie i Louisa też myśli logicznie. Wielu wciąż uważa, że siostry powinny wychodzić za mąż w kolejności od najstarszej do najmłodszej albo w ogóle za mąż nie wychodzić. Nadal sądzę, że Louisa powinna zostać kawalerzystą. Nie brak jej brawury i ma odpowiednie siedzenie.

– A także skłonność do przejmowania inicjatywy w sprawach, które nie należą do niej. I bez ogródek wyraża swoje opinie.

– Nie możesz winić dziewczyny za to, że pod niektórymi względami wrodziła się w matkę.

Esther obróciła się twarzą do męża i spiorunowała go wzrokiem. Uśmiechnął się, widząc jej groźną minę. Więc i ona się uśmiechnęła i rozchmurzyła.

– Jesteś bezczelny, książę.

– Ale też jestem ojcem. Czy rozmawiałaś z Louisą o jej dziwacznych pomysłach? Nie pozwólmy jej poddawać się tak szybko, Esther. Młodzi mężczyźni to durnie, co wiadomo wszystkim z wyjątkiem ich samych, Louisa zaś nie jest osobą, która tolerowałaby głupotę u kogokolwiek.

– Percivalu, a jeśli ona ma rację?

Nuta desperacji w głosie księżnej sprawiła, że Jego Książęca Wysokość poczuł niepokój.

– Rację? Poddać się po zaledwie trzech sezonach towarzyskich? To nonsens, kompletna bzdura, Esther, żeby rezygnować...

Położyła palce na jego ustach, dzięki czemu poczuł zapach róż i dotyk delikatnej skóry.

– Po sześciu sezonach, Percivalu. Co oznacza, że przez pięć sezonów wystawała w sali balowej z pustym karnetem, wiedząc, że nikt nie zarezerwował sobie z nią tańców, i przez cały czas przekonując samą siebie, że to z jej winy siostry nie wyszły jeszcze za mąż.

Brzmiało to rozsądnie. Księżna stawała się najbardziej niebezpieczna, gdy wykazywała się rozsądkiem.

– Maggie była po trzydziestce, kiedy wyszła za mąż, moja droga. Mężczyźni to idioci i w tym problem. Potrzebujemy czasu, żeby wydorośleć, poskromić natarczywe wymagania naszej natury i docenić kobiece...

Zamilkł. Był kiedyś właśnie takim idiotą i tylko dzięki łasce litościwego Boga i mądrości księżnej zostało mu oszczędzone piekło nieudanego małżeństwa.

– Ja też nie chcę przestać w nią wierzyć, Percivalu, bo Louisa ma miękkie serce i byłaby wspaniałą żoną i matką, ale kiedy widzę, jak co roku przeżywa męczarnie...

Męczarnie. Nie takie słowo ojciec chciałby usłyszeć w odniesieniu do swojego potomstwa, a szczególnie do urodziwej, dumnej i – uznawanie faktów również było częścią książęcych obowiązków – niekiedy szczerej aż do bólu córki.

– Ona dobrze tańczy. – Chciał bronić Louisy, nawet przed matką.

– Z tymi nielicznymi, którzy ją poproszą do tańca.

– Płynnie mówi w różnych językach.

– To dlaczego nie ma u jej boku jakiegoś dyplomaty? Na ogół pochodzą z dobrych rodzin i z pewnością wielu ich plątało się pod nogami w ostatnich latach.

– Jest bardzo oczytana.

– Niektórzy powiedzieliby, że za bardzo.

– Zna się na matematyce lepiej niż jakiś wykładowca z Oksfordu.

– Percivalu, to nie jest zaleta, która zapewniłaby jej szczęśliwą przyszłość.

Książę wstał z sofy, czując, że musi się przejść po usłyszeniu tych szczerych słów.

– To nie wina Louisy, że ma tęgi umysł. To nie jej wina, że nie jest kruchą jasnowłosą kokietką. Ty nigdy nie kokietowałaś, Esther, i żadnej kobiety twojego, całkiem pokaźnego, wzrostu nie można nazwać kruchą istotą.

Dystyngowaną, owszem – Jej Wysokości z łatwością to przychodziło – ale nie kruchą.

– Nigdy nie pytałam lorda Huberta, czy mogę zaciągnąć się jego cygarem.

– Hubert ma co najmniej osiemdziesiąt lat. Jak inaczej młoda dama może gawędzić z takim gburem i prawić mu pochlebstwa?

Tyle że stary Hubert, kiedy sobie popił, stawał się infantylny, a zaciąganie się jego cygarem nabierało – po kilku kolejnych kieliszkach koniaku – lubieżnych podtekstów. Książę zadrżał na wspomnienie cichej rozmowy, jaką odbył z tym człowiekiem, już trzeźwym, pewnego dnia.

Księżna poprawiła spódnice.

– Nigdy też nie upierałam się, że dojadę swoim powozem do Brighton w rekordowym czasie, twierdząc, że dzięki lżejszej sylwetce kobieta ma przewagę nad utuczonymi dandysami z otoczenia Carlton House.

– Ona wcale nie chciała znieważyć regenta. – Dzięki Bogu regent był tak w sobie zadufany, że do głowy by mu nie przyszła podobna myśl.

– Percy, przez sześć lat młodzi mężczyźni nie zaczęli doceniać Louisy, ale prawdą jest też, że ona wcale się nie ustatkowała,

– Nie musiała. – Książę ponownie zajął miejsce obok żony. – Jest odważna, inteligentna i lojalna jak diabli, o czym świadczy jej chęć poświęcania się dla sióstr. Musimy jej kogoś znaleźć, Esther.

Księżna uniosła brwi, dając do zrozumienia, że Jego Wysokość doszedł do innego wniosku niż ten, na który żona go naprowadzała. Jego zadowolenie dałoby się porównać do tego, co odczuwa lis, kiedy dwadzieścia par psów gończych odstępuje od niego i pędzi za jakąś sarną lub królikiem, ujadając z całych sił.

Księżna nie wzięła go za rękę ani nie położyła mu głowy na ramieniu.

– Myślałam raczej o tym, żebyśmy pozwolili jej zostać trochę z Sophie i Sindalem albo może zupełnie zwolnili ją z obowiązku uczestniczenia w życiu towarzyskim w kolejnym wiosennym sezonie.

– Czemu nie, ale najpierw poznajmy opinie innych, dobrze? – Nalał żonie do filiżanki parującą herbatę, przyrządził dokładnie według jej upodobań i podał jej, sam się nie częstując. – Znajdziemy dla niej kogoś spośród tych, którzy są w Londynie, oczekując świąt. Musimy po prostu się rozejrzeć. Jest z kogo wybierać. Czy trudno będzie znaleźć jakiegoś pana młodego przed Bożym Narodzeniem?

3

*M*ama zadawała mi wczoraj dziwne pytania, kiedy byłyśmy w parku. – Mówiąc to, Eve zakołysała się lekko w rytm muzyki granej przez orkiestrę. – Na twój temat.

Louisa również miała ochotę się kołysać. Pragnęła wirować na parkiecie sali balowej z Lionelem Honitonem i za kilka minut się tam znajdzie.

– Jakiego rodzaju pytania?

– Dopytywała się, czy masz słabość do Manneringa lub jakiegoś innego młodzieńca?

Louisa powstrzymała się przed rzuceniem złowrogiego spojrzenia na swoją młodszą siostrę. W zatłoczonej sali balowej nie było miejsca na wrzaski.

– Co jej odparłaś?

Na twarzy Eve malowało się współczucie.

– Że to przemyślę. Co chcesz, żebym powiedziała?

Louisa poczuła ulgę i wdzięczność. Rodzeństwo to najlepsi przyjaciele.

– Powiedz jej, że zastanawiam się nad wstąpieniem do zakonu, chyba że nie znajdę takiego, w którym dozwolony jest taniec.

– Louiso, to nie żarty.

To prawda. Oznaczało to, że księżna, zgodnie z tradycją rodzicielską Windhamów, zamierzała ulec swojej skłonności do wścibiania nosa w nie swoje sprawy.

– Pojadę odwiedzić St. Justa w West Riding.

– W West Riding są kawalerowie, siostro. I długie, mroźne zimy.

A St. Just, nawrócony jak pozostali bracia na wiarę w szczęście małżeńskie, zaoferowałby Louisie wątpliwy azyl.

– Powiedz rodzicom... Na miłość boską, Eve, czy sądzisz, że oni chcą sporządzić listę? – Louisa ściszyła głos, gdy muzyka zamilkła. Zobaczyła, że lord Lionel oddala się od swoich kolegów przy drzwiach do pokoju karcianego i rusza przez salę.

– Lista to niezły pomysł. A raczej dwie, jedna zawierająca możliwych kandydatów, druga niemożliwych.

– Wszyscy są niemożliwi. – Niemożliwi tak długo, jak długo każdy mógł się natknąć na dowody młodzieńczego szaleństwa Louisy. Wizja niewielkiego, oprawionego w czerwoną skórę tomiku wyparowała jej z głowy i zastąpiła ją rzeczywistość, w której zbliżał się do niej Lionel w lawendowo-złotym wieczorowym stroju.

Ametysty, domyśliła się Louisa. Lord Lionel wybrał na ten wieczór ametysty.

– Jutro rano – rzekła Eve cicho. – Spotkamy się w bibliotece i zobaczymy, co da się zrobić. Zawiadomię Jenny.

– A ja choć raz zatańczę walca z przystojnym młodzieńcem. – Miała chyba prawo do takiej rozrywki?

Eve nic nie powiedziała, kiedy lord Lionel torował sobie drogę między tancerzami opuszczającymi parkiet. Łabędź wśród kaczek. Jego wzrost, imponujący strój, arystokratyczna uroda... Louisa wpatrywała się w ten okaz męskiego uroku, jaki się do niej zbliżał, rozkoszując się choć przez chwilę myślą, że inne dziewczęta przyglądają się, jak lord Lionel pochyla się nad jej dłonią.

– Lady Louiso. Lady Eve. Spodziewam się, że obiecany mi taniec niebawem się zacznie.

– Cały zaszczyt po mojej stronie.

Louisa położyła rękę na grzbiecie jego dłoni, zauważając, iż faktycznie wybrał ametysty do ozdoby swego stroju. Ametystowo-złotą spinkę do fularu, ametystowe spinki do mankietów i, jeśli jej wzrok nie mylił, na dewizce zegarka, delikatnym złotym łańcuszku, również widniał rząd ametystów.

Lionel się ukłonił, ona zaś dygnęła. Rozległy się pierwsze dźwięki walca i Louisa znalazła się w ramionach lorda.

– Wyjątkowo dobrze pani w różowych kolorach, milady. – Spojrzał na nią, ale nie na dekolt, jak tylu mężczyzn, tylko w oczy. – Świetnie pasują do kolorów, które ja wybrałem dla siebie na ten wieczór.

Prawił komplementy jej czy sobie?

– Świnia w sukni balowej wyglądałaby zachwycająco w pańskich ramionach, milordzie.

Zamrugał raptownie, co nasunęło Louisie podejrzenie, że jej riposta nie była zbyt taktowna. Zanim zdołała naprawić szkodę, muzyka zaczęła grać na całego.

Lord Lionel był wprawnym tancerzem. Poruszał się zdecydowanie, tak że partnerka nie musiała się zastanawiać, kto tutaj prowadzi. Kiedy krążyli po sali, Louisa doszła do wniosku, że to jej się w nim podoba.

Był również wystarczająco wysoki, aby jej partnerować, i nie bał się nosić ametystów. Posuwając się w takt walca w jego ramionach, uświadomiła sobie, że lord Lionel mógłby zająć pierwszą pozycję na liście mężczyzn, z którymi skłonna byłaby flirtować, by uspokoić rodziców.

Tyle że nie wiedziała dokładnie, jak należy flirtować.

Z bliska Lionel pachniał dość mocno dymem z cygar – niezbyt ostro, na szczęście – wymieszanym z lekką wonią męskiego potu oraz nutką paczuli.

Paczula nie była ulubionym zapachem Louisy.

Usiłowała wyobrazić sobie małżeńskie intymne kontakty z mężczyzną pachnącym paczulą i stwierdziła, że na szczęście nie wychodzi za mąż. W ciemności zapachy stają się intensywniejsze.

– Czekałem na ten taniec przez cały wieczór, milady, i na to, żeby dotrzymała mi pani później towarzystwa.

– Ja również czekałam. Skrywał się pan w karcianym pokoju, co z pewnością rozczarowało wszystkie obecne tu młode damy.

Czy na pewno była to dopuszczalna odpowiedź? Uśmiechnął się do niej, a wtedy w kącikach jego oczu pojawiły się zmarszczki.

– Zbierałem się na odwagę. Czasem trzeba ją czymś wzmocnić.

Obrócił nią pod swoim ramieniem – zapach potu stał się odrobinę mocniejszy, gdy Louisa zbliżyła się na moment – po czym ustawił z powrotem w tanecznej pozycji.

– Czy będzie pani w mieście do świąt, milady?

– Nie aż tak długo. A pan? – Zastanawiała się, czy trzyma ją teraz nieco bliżej siebie niż wcześniej, czy też nie.

– To zależy.

Coś w jego oczach się zmieniło, stało się zimniejsze lub bardziej gorące – Louisa nie potrafiła rozróżnić ani ocenić, czy jej się to podoba.

– Od czego?

– Na przykład od towarzystwa, jakie będę miał.

– Dobre towarzystwo to zawsze szczęście. – Niemądra odpowiedź, ale wyraz jego oczu ją rozproszył.

– Istotnie. – Gdy mówił, najprostsze słowa nasycone były znaczeniem, brzmiały w nich zapowiedź i obietnica.

A mimo to, kiedy taniec się skończył i szli jedno za drugim wzdłuż niekończącego się rzędu zastawionych stołów, Louisa uświadomiła sobie, że przebywanie w towarzystwie lorda Lionela wymaga od niej wysiłku, podobnie jak rozmowy ze wszystkimi innymi młodzieńcami, których znała. Wysiłku tym większego, im silniej ściągała na siebie niedowierzające spojrzenia kobiet o pięć lat od niej młodszych.

A także tych o pięć lat starszych, spoglądających na nią... z litością.

Tyle spojrzeń, które nie pomagały Louisie ani w trawieniu, ani w próbach prowadzenia konwersacji.

Lord Lionel, spożywając kolację, miał osobliwą skłonność do zerkania na Louisę, gdy powoli oblizywał palce między poszczególnymi kęsami. Ona również się posilała. Ilekroć unosiła wzrok, widziała, że jej się przygląda. Zanim się rozstali po posiłku, znalazła słowo na wyrażenie tego, jak na nią patrzył.

Nie było miłe, ale Louisa szanowała słowa zawierające prawdę, a to, które przyszło jej do głowy, kiedy się zastanawiała, w jaki sposób lord Lionel na nią patrzy, nie brzmiało: „zaborczo" czy „badawczo" lub „z namysłem".

Słowem tym było: „pożądliwie". Przyglądał się jej właśnie tak.

– Dzięki Bogu, że to już koniec. – Lionel opadł na krzesło w rogu pokoju karcianego, przeznaczonego tylko dla mężczyzn. – Nieźle się namęczyłem, zdobywając lady Ponsonby trzykrotnie podczas jednego wieczoru.

Kilku starszych graczy przy sąsiednich stolikach spojrzało na niego karcąco za taką niedyskrecję, ale i oni prawdopodobnie wykonali taką samą żmudną pracę, gdyż niestała lady P. była wymagająca, lecz czarująco rozwiązła.

– Wiwat. – Grattingly uniósł kieliszek. Lionel wyrwał mu go z ręki.

– Wielkie dzięki. – Wypił duży łyk brandy Grattingly'ego. Po tańcu z Louisą Windham musiał się napić. – Powinien być jakiś medal w nagrodę dla każdego faceta, który jest tak wytrzymały, żeby tańczyć walca i jeść kolację z kobietą bez umiejętności prowadzenia rozmowy, poczucia humoru i chęci poddania się partnerowi w tańcu.

Krzesło zaskrzypiało i z mrocznego kąta wyłonił się Elijah Harrison. Kiwnął chłodno głową Lionelowi i wyszedł z pokoju.

– Wścibski głupek – mruknął Grattingly, po czym rozejrzał się, jakby sondował przez chwilę otoczenie. Nie słysząc słów poparcia, odchrząknął. – Choć muszę przyznać, Honiton, że wraz z lady Louisą tworzyliście imponującą parę. Ta dziewczyna ładnie się porusza.

Lionel się uśmiechnął.

– Jeżeli tak ładnie się porusza, to dlaczego jestem jednym z nielicznych, którzy z nią tańczą, zwłaszcza walca?

Pociągnął kolejny łyk brandy – całkiem przyzwoitej – zastanawiając się, czy potrafiłby znosić przez całe życie niepewne uśmiechy Louisy Windham i niezręczne z nią rozmowy. Przemknęły mu przez głowę zarzuty Harrisona sprzed kilku dni, że Lionel wybrał siostry Windham jako kandydatki na żonę.

Tak naprawdę Lionel poszukiwał jakiejkolwiek kandydatki, która uwolniłaby go od długów, zamknęła usta jego rodzicom i pozwoliła mu zrzucić z ramion ciężar, jaki stanowili jego starsi bracia. Siostry Windham z pewnością były odpowiednie dla syna markiza, ale to, co odpowiednie, i to, co upragnione, czasem dzieli odległość równa odległości Ziemi od Księżyca.

– Dwie pozostałe siostry wydają się ładniejsze – zauważył Lionel, znowu pociągając łyk brandy.

– Nie są też takimi sawantkami – dodał Grattingly. – Jasne blondynki, pogodne, nie wygłaszają człowiekowi mądrości, kiedy ten próbuje flirtować podczas tańca.

– Tak, ale lady Genevieve jest nieznośnie milutka i ta życzliwa słodycz emanuje z każdego jej słowa. Uciekłbym od niej w popłochu po niecałym roku, gdyby żądała ode mnie, żebym odwiedzał sierocińce lub inne tego typu bzdury. Człek byłby szczęśliwy, gdyby mu się udało posiąść ją raz na tydzień w ciemnościach, słuchając, jak odmawia mu do ucha *Ojcze nasz*.

Grattingly zaśmiał się uprzejmie, choć była to prawda.

– Najmłodsza może mieć miłe ramiona i jest dość znośna.

Lady Eve Windham była ładną i pełną życia drobną osóbką, która często litowała się nad starzejącymi się studentami takimi jak Grattingly lub zubożałymi młodszymi synami.

– Słyszałem, że lady Eve uległa kilka lat temu jakiemuś wypadkowi – rzekł Lionel, dopijając swojego, a raczej Grattingly'ego, drinka. – Ale rodzaj jej niedyspozycji pozostaje tajemnicą. Nie w pełni sprawna żona to przekleństwo. Trzeba taką możliwość brać pod uwagę bez względu na obecną formę młodej damy, zwłaszcza jeśli do owej lekkiej niedyspozycji doszło w majątku książęcym położonym dość daleko od Londynu.

– Nie słyszałem o tym – odparł Grattingly. Lionel ujrzał, że wzrok rozmówcy spoczął na siostrach Windham, stojących jak trzy Gracje po drugiej stronie drzwi do karcianego pokoju. Były na tyle ładne, dobrze urodzone i uposażone, że wszystkie trzy powinny być już dawno rozchwytane.

Gdyby Lionel musiał ożenić się z Louisą Windham, mógłby po prostu zamykać jej usta w chwilach intymnych kontaktów. Kneblować ją, a sobie zasłaniać oczy – w celu przedłużenia sukcesji robiono jeszcze dziwniejsze rzeczy – w przeciwnym razie powinien trzymać się z daleka od domu komornika. Skrajnie przygnębiająca perspektywa.

– Więcej brandy, Grattingly. – Lionel podsunął pusty kieliszek i jego towarzysz popędził w stronę bufetu. Gdy Grattingly się ruszył, Lionel dostrzegł jeszcze jednego mężczyznę w słabo oświetlonym kącie, z którego wyszedł niedawno Harrison.

Joseph Carrington siedział z nogą opartą na stołku, masując obiema rękami udo. W przyćmionym świetle twarz tego biednego skurczybyka miała sataniczny wyraz, mroczna i posępna, jakby kontuzja doprowadziła go do furii.

Być może. Carrington utykał, idąc przez życie, i zapewne nigdy nie zaznał przyjemności okpienia kobiety z dużym posagiem i doprowadzenia jej przed ołtarz jedynie dzięki zatańczeniu z nią walca w sali balowej.

Gayle Windham, hrabia Westhaven, uniósł swoje nagie ciało ponad równie roznegliżowaną hrabinę.

– Tęskniłem za tobą, Anno Windham.

Rozchyliła nieco nogi, co jej mąż zrozumiał jako bezpośrednie zaproszenie do miłosnego aktu.

– Mnie też ciebie brakowało. Cóż to za ważna sprawa wymagała twojej obecności w Carlton House przez cały dzień?

Anna, która była współczującą żoną, przesunęła dłoń po plecach hrabiego i poklepała go po pośladku. W odpowiedzi musnął ustami płatek jej ucha, wyczuwając przy tym lekki zapach wiciokrzewu.

– W porządku obrad były ustawy zbożowe, ale oczywiście musiały ustąpić miejsca kwestii katolików, a potem omawiano najnowsze plany Prinny'ego, naszego regenta, dotyczące dekoracji w Brighton. Zdaje się, że to ostatnie było dla obecnych tam najważniejsze. – Hrabia uniósł się nieco, aby żona mogła wsunąć rękę między ich ciała. – A potem jakiś człowieczek, który przypominał apoplektycznego pingwina, wciąż się wtrącał, zadając pytania na temat kolejnej listy kandydatów do tytułów.

Zamilkł, kiedy żona ujęła jego jądra w taki sposób, że zapomniał o ustawach zbożowych, kwestii brytyjskich katolików i kimkolwiek, kto przypominał pingwina.

– Myślałam, że listę z tytułami przygotowują komisje, sekretarze, ministrowie i tym podobni.

Westhavena rozproszyły na chwilę umiejętności hrabiny w polerowaniu rodzinnych klejnotów. Chwycił zębami płatek jej ucha i odparł, nie puszczając go:

– Prinny nie kryje swoich życzeń. Na jego liście są ci, których bierze się pod uwagę do tytułu para.

Jego Lordowska Mość również nie krył swoich życzeń, delikatnie odrywając dłoń małżonki od swoich intymnych partii ciała i kładąc ją na swoim pasie.

– Zachowuj się grzecznie, hrabino, bo zrobi się za gorąco i sprawy pójdą zbyt szybko.

– Za gorąco? Czy coś takiego jest możliwe? – Anna powoli się wygięła, przyciskając najpierw piersi, a potem łono do dostępnych części anatomicznych hrabiego. – Kto znajduje się na liście Prinny'ego?

– Kilku cholernych... – Przerwał nagle. Prowokowała go, rzucając mu małżeńskie wyzwanie w najlepszym stylu. Wsuwając nabrzmiały członek między delikatne fałdki jej kobiecości, wyrecytował około ośmiu nazwisk, choć połowę z nich zmyślił – ...i Joseph Carrington był na liście Prinny'ego.

Hrabina przesunęła rozczapierzonymi palcami po pośladkach hrabiego, lekkim naciskiem paznokci wyjawiając swe intencje.

– On ma już komandorię Orderu Łaźni, prawda? Jest jednym z tych, którym Prinny nadał szlachectwo kilka lat temu... – Anna westchnęła i zamilkła, kiedy Westhaven złączył ich ciała, po czym znowu się odezwała. – Lubię sir Josepha. Jest solą ziemi.

To, że żona potrafiła wspomnieć imię innego mężczyzny, trzymając nagiego męża w swoich ramionach, wymagało od Westhavena zasadniczej zmiany strategii.

– Ja też go lubię. Szczodrze się przyczynia do artystycznych przedsięwzięć Prinny'ego w Pawilonie Królewskim. – Dłoń Westhavena spoczęła na biuście żony. – Ale nie tak bardzo jak twój sutek, sztywniejący, gdy go pieszczę.

We wczesnej fazie ich turniejów potrzebny był delikatny dotyk. Po dwudziestu minutach – lub po pół godzinie, jeśli hrabia zdołał zachować samodyscyplinę – żona chwytała zazwyczaj jego dłoń w swoje ręce, domagając się mocniejszych pieszczot.

– Sir Joseph jest nieśmiały. – Zaledwie cztery słowa wypowiedziane przez hrabinę, wyraźna oznaka postępu. Westhaven, wprowadzonym niezbyt głęboko członkiem, zaczął wykonywać rytmiczne, powolne ruchy, gotowy utrzymać ten rytm do czasu, aż jego żona nie będzie już w stanie konwersować o – poszperał w pamięci – sir Jakimśtam.

Czy też kimkolwiek lub czymkolwiek innym.

– Mam dług wobec sir Josepha – powiedział, zmieniając pozycję, żeby zająć się drugą piersią małżonki. – To epistolarny przyjaciel Maggie od kilku lat.

– Epistol...?

Hrabina przeszła do bezwstydnego ataku za pomocą wewnętrznych mięśni, w podziękowaniu za rytm nadany przez hrabiego, zachęcając go ruchem bioder do przyspieszenia i wbijając paznokcie w jego pośladki, by zapomniał o pistoletach czy też o co mu tam chodziło...

– Korespondują ze sobą o finansowych korzyściach hodowli świń w celach zarobkowych. – Nie mówił tego przez zaciśnięte zęby ani nie przyspieszył rytmu swoich pchnięć. – Maggie przekonała mnie, że fundusze Morelanda... – O bogowie, musiał wziąć głęboki oddech, gdyż ręka żony przesunęła się po jego brodawce piersiowej. – Do diaska, jesteś boska, żono.

– Szybki z ciebie ogier, Westhaven.

Mógłby dalej rozprawiać o tym, że winien jest Carringtonowi poparcie go u regenta, ale żona zaoszczędziła mu takich heroicznych wysiłków, przytykając wargi do jego ust i całując go tak, że niemal stracił rozum.

Dziesięć minut później – dobrze wykorzystanych i wielce przyjemnych – hrabia Westhaven nie potrafił sobie przypomnieć, o czym dyskutował ze swoją hrabiną, i nie pamiętał nawet własnego imienia.

Książę Moreland miał skłonność do konspiracji, którą jego córki bezwstydnie wykorzystywały. Uwielbiał polityczne intrygi, spiski i machinacje w salach Pałacu Westminsterskiego, lubił pociągać za sznurki, aby lordowie tańczyli tak, jak im zagra, nie wiedząc, kto jest tym muzykantem.

Kiedy więc wybierał się rano na przejażdżkę konną po parku, bardzo się ucieszył, że może zabrać ze sobą do towarzystwa Louisę i Jenny, pod warunkiem że stajenny też z nimi pojedzie.

Jego Wysokość podjechał pod dąb, z którego wciąż spadały poczerwieniałe liście.

– Jest tam młody Mannering w stroju z zeszłego wieczoru. Niedobrze. Moje panie, wybaczycie mi, jeśli podjadę i zaoszczędzę wam prezentacji?

Louisa odparła za siebie i Jenny:

– Jedź śmiało, Wasza Wysokość. Jenny i ja wybierzemy się do Ladies Mile.

Książę zasalutował szpicrutą i się oddalił, pozostawiając Jenny i Louisę uśmiechające się do siebie znacząco.

– Zapoznał już nas z wieloma młodymi gogusiami, wciąż pijanymi po wcześniejszej hulance – zauważyła Jenny. – Jak myślisz, co on chce szepnąć lordowi Manneringowi do ucha?

– Może po prostu chce nam dać szansę, żebyśmy sobie pogalopowały, ciągnąc za sobą jedynie stajennego – odrzekła Louisa. – I zamierzam to zrobić.

Spięła mocno swojego konia piętami i ruszyła w stronę jeziora Serpentine. Jenny ustawiła się obok niej i kiedy dojechały nad brzeg jeziora, pognały galopem kilkaset jardów, a potem z powrotem przeszły w stępa.

– Dobry galop nie wystarczy – powiedziała Louisa, klepiąc mocno swojego wałacha – ale to lepsze niż nic.

– Zwłaszcza kiedy dni zaczynają się robić krótsze – odparła Jenny. – A poranki bywają bardzo chłodne. Kto jest tam, na tym czarnym koniu?

Duży czarny wierzchowiec kroczył stępa ścieżką pośród drzew, widoczną przed nimi w oddali, jeździec zaś był wcieleniem spokojnej elegancji.

– To chyba sir Joseph. Nie byłam pewna, czy ruszy się ze wsi, by przyjechać do Londynu, gdy święta za pasem. – Louisa przyglądała mu się przez kilka chwil, sir Joseph zaś puścił konia w kłus w miejscu; tę trudną figurę zwano piaffe.

– To całkiem utalentowana para.

– Dobry Boże. – Louisa zamilkła, kiedy obserwowany przez nią wierzchowiec stanął w kontrolowany sposób na tylnych nogach, powoli przenosząc ciężar ciała na zad, aż przednia część uniosła się nad ziemię, balansując w zapierającym dech w piersiach pokazie siły i opanowania.

– Czy St. Just potrafi nauczyć swoje konie czegoś takiego? – spytała Jenny przyciszonym głosem. – Nawet nie wiem, jak to się nazywa?

– To lewada – odparła Louisa. – A konie St. Justa tego nie umieją, ponieważ są za młode, żeby mieć dostatecznie dużo siły. Poza tym jemu brakuje cierpliwości, by nauczyć je takiej figury.

– Czy jest bardzo trudna?

– Przypuszczam, że wymaga lat ćwiczeń.

Koń opadł przednimi nogami na ziemię, wychodząc z imponującej pozycji, a Carrington poklepał go w szyję ręką odzianą w rękawicę. Jenny zaczęła bić brawo, na co Carrington uniósł głowę i rozejrzał się wokoło.

– Moje panie, nie wiedziałem, że ktoś się nam przygląda. Dzień dobry.

Jego chrapliwy i szorstki głos zawsze zbijał Louisę z tropu.

– Dzień dobry, sir Josephie – odrzekła. – Moje wyrazy uznania dla konia. To ten sam, którego miał pan na zbiórce przed świątecznym polowaniem?

– Ten sam. Sonet, przywitaj się z paniami. – Koń podwinął przednią nogę i skłonił błyszczącą głowę bez widocznego sygnału ze strony swojego pana.

Jenny uśmiechnęła się tak promiennie, jak tylko potrafiła.

– Wspaniale! Louiso, musimy dodać do twojej listy Soneta. Jest wysoki, ciemny, przystojny, ma dobre maniery i potrafi tańczyć.

– Lista? – Sir Joseph znowu pogłaskał konia po grzbiecie, lecz tym razem Louisie wydało się to pieszczotą. – Czy szuka pani nowego konia, lady Louiso?

Jenny parsknęła, jędza, po czym dostała napadu kaszlu.

– Nie. Genevieve, już sobie pogalopowałyśmy, może więc uwolnisz Jego Książęcą Wysokość od lorda Manneringa? Za chwilę was dogonię.

Jenny ruszyła potulnie – prawdopodobnie to Mannering potrzebował ratunku, by uchronić się przed kazaniami księcia na temat godności drobnych właścicieli ziemskich – ale na znak Louisy wzięła też ze sobą stajennego.

Sir Joseph z nieodgadnionym wyrazem twarzy patrzył na oddalającego się cwałem konia Jenny.

– Manneringowi jest potrzebna żona – rzekł, nie wydając się tym zachwycony.

– Skąd pan wie takie rzeczy?

– Męskie plotki – odparł sir Joseph ponuro. – A nasze plotki są gorsze od kobiecych, ponieważ nie ograniczamy się do „skandalowej zupy", lecz dzielimy się nimi przy brandy, porto lub czymś jeszcze gorszym.

„Skandalowa zupa" była inną nazwą filiżanki herbaty.

– Czy możemy skierować konie w stronę ostatniego miejsca pobytu Jego Książęcej Wysokości?

– Jak sobie pani życzy.

Louisa zawróciła swojego wałacha tak, aby szedł spokojnym krokiem przy boku konia sir Josepha. Zastanawiała się przy tym, dlaczego książę nagabuje młodego człowieka potrzebującego żony.

– Czemu Mannering miałby rozpowiadać o swoich matrymonialnych planach w klubach?

– Dlatego że on, jak większość mężczyzn w jego wieku i jemu podobnych, pozwala sobie po nocach na małe wyskoki. – Sir Joseph utkwił wzrok w grzywie swojego konia. – Podobno jego matka nie zapewnia mu dostatecznych środków, żeby stać go było na typowe miejskie rozrywki, a zatem on chce się ożenić, bo wtedy będzie miał więcej pieniędzy, a nowa żona go zabawi.

– Ma pan na myśli – rzekła Louisa powoli – że nie stać go na kochankę.

Sir Joseph ściągnął usta. Pod kopytami jego konia chrzęściły suche liście, a Louisę ogarnęło złe przeczucie. Problem polegał na tym, że Boże Narodzenie to sentymentalne święta. Melancholia Louisy nie miała nic wspólnego z jej stanem cywilnym i rodzajem narzeczonego, jakiego rodzice bezskutecznie starali się jej znaleźć.

– Czy mam odpowiedzieć szczerze, lady Louiso?

– Niech pan się do mnie zwraca po prostu Louiso. Nie powinnam była poruszać tematu osobistego życia Manneringa.

Nie zapytał, czemu pozwala mu na taką poufałość, być może dlatego, że rozumiał, iż żadne formalności nie przysłoniłyby jawnego zaciekawienia, które skłoniło ją do zadania tego pytania. Pełnego desperacji.

– Niech mi zatem pani powie, Louiso, o tej liście, o której wspomniała pani siostra.

– Czy muszę?

– Nie. – Pokierował koniem tak, by ominął koleinę na ścieżce. – Chyba potrafię odgadnąć. Jest pani już zmęczona całą tą cholerną sprawą, gotowa się poddać.

Mogłaby się roześmiać i odrzucić to podejrzenie, droczyć się z nim na temat jego własnej sytuacji lub zupełnie zmienić temat rozmowy.

– Szczerze powiedziane. Nie myli się pan. Próbuję przekonać rodzinę, żeby pozwoliła mi wycofać się z pola walki, bo wtedy moje siostry miałyby szansę na małżeństwo.

– Ale zaślepieni miłością rodzice są zdecydowani kontynuować oblężenie, czyż nie?

W jego głosie nie było nagany. Jeśli już coś, to litość, mimo że znowu zacisnął usta, tworzące teraz jedną linię.

– Myślę, że się wahają. – Tak jej się wydawało, chociaż rozmowa księcia z Manneringiem nie wróżyła nic dobrego.

Nie odpowiedział. Spojrzała na niego z ukosa. Miał wyraz twarzy poważny, ale nie gniewny. Kiedy jej koń uskoczył przed małą kałużą, Louisa zauważyła, że usta sir Josepha były bardziej pełne, niż sobie to wyobrażała, stanowiąc męską wersję typowej wdzięcznej podkówki.

Dziwne. Atrakcyjne usta u mrukliwego mężczyzny.

– Co poprawiłoby sytuację, lady Louiso? Dzięki czemu nie poszłaby pani na ustępstwa i nie pozwoliła, żeby znużenie doprowadziło panią do wyboru, którego by pani żałowała?

Znowu zwracał się do niej oficjalnie. Nie zamierzał nadużywać jej swobodnego zaproszenia do większej poufałości i, co gorsza, nie starał się zmienić tematu ani udawać, że zobaczył akurat jakiegoś znajomego na odległej ścieżce, z którym koniecznie musi porozmawiać. Odwaga była cechą, którą zazwyczaj podziwiała u innych.

– Trudno powiedzieć, co uczyniłoby tę sytuację bardziej znośną. Czy nie wyczuwam też w panu podobnego znużenia, sir Josephie?

– Być może, ale ja mam dzieci, które muszę brać pod uwagę, i to pomaga.

Spojrzała na niego z zaciekawieniem.

– Czy to oznacza, że zaciśnie pan zęby i wybierze żonę z odpowiednim posagiem? – I na jakiego rodzaju żonę się nastawiał?

Jego pełne usta drgnęły.

– Przeciwnie. Oznacza to, że nie mogę dokonywać niefrasobliwych wyborów bez względu na to, jak bardzo rozczarowany jestem całą tą sprawą.

– Rozczarowany. – Zastanawiała się nad tym określeniem i stwierdziła, że niestety jest… trafne. – Nie wszyscy młodzi mężczyźni są pozbawieni złudzeń.

– Zapewne nie, podobnie jak młode damy, ale cały ten proces nadal wydaje się w pewnym sensie mało pociągający.

Dotarli do miejsca, w którym książę rozdzielił się z córkami, ale teraz zniknął bez śladu.

– Papa gdzieś sobie pojechał. Jeżeli go nie znajdziemy, to po prostu wrócę do domu.

– Nie bez eskorty, Louiso Windham.

Teraz zwrócił się do niej po imieniu, a ton jego głosu był tak surowy i bezkompromisowy jak głos księcia rozmawiającego o ekscesach finansowych regenta.

– Nie zamierzałam insynuować, że będę jeździć po Londynie bez odpowiedniej eskorty. Co pan wie o lordzie Lionelu Honitonie?

Rzuciła to pytanie w odwecie za jego apodyktyczny ton, a także dlatego, że dałby jej szczerą odpowiedź.

– Wiem, że jest próżny i dumny jak paw, ale poza tym prawdopodobnie nie ma więcej wad niż większość jego kompanów. – Zostało to powiedziane z tak wystudiowaną obojętnością, że wzbudziło zaciekawienie Louisy.

– Wielu młodzieńców jest próżnych. Lionel to atrakcyjny mężczyzna.

– Być może, ale pani jest równie atrakcyjna, Louiso Windham, a nawet bardziej, ponieważ nie stroisz się w klejnoty, nie poprawiasz urody kosmetykami ani nie chełpisz swoimi zaletami. I nie wydaje mi się, żebyś wynosiła się ponad damy mniej obdarzone od ciebie.

Pozwalał sobie przed chwilą ją strofować, a jednak teraz Louisa nie mogła zaprzeczyć, że nieoczekiwany komplement sprawił jej niejaką przyjemność.

– Uroda przemija – odparła. – Całkowicie. I jeśli lord Lionel jest próżny, to czas wkrótce pozbawi go piękna.

Tę porę roku dostrzec we mnie możesz,
Gdy liście żółte, żadne, nieco liści.
Z drżących gałęzi zwisają na mrozie…

– Zapewne. – Sir Joseph odsunął zwisającą gałąź, żeby Louisa mogła przejechać. – Ale pani piękno nigdy nie przeminie.

– Czy próbuje mi pan schlebiać przed śniadaniem, sir Josephie?

Kąciki jego ust lekko się uniosły, gdy padło pytanie, w którym brzmiał przelotny i ledwo zauważalny ślad poczucia humoru.

– Z natury nie jestem zdolny do pochlebstwa. Jest pani szczera, Louiso Windham, lojalna wobec swojej rodziny i dostatecznie odważna, żeby znieść o wiele więcej sezonów towarzyskich, niż ja przetrzymałem. Dla człowieka, który rozumie, co liczy się najbardziej, takie przymioty stają się z czasem nie mniej atrakcyjne, lecz bardziej. Czy spotkam panią jeszcze kiedyś na porannej przejażdżce?

Zmienił temat teraz po tym, jak nazwał ją odważną, lojalną i szczerą. Równie dobrze mógł mówić prawdę – nie miał talentu do prawienia pochlebstw. Wcale.

– Rozumiem, że woli pan jeździć konno z samego rana?

– Oczywiście. W uznanych za modne porach przejażdżek brak okazji do ćwiczeń, a niedzielne parady przed kościołem są jeszcze gorsze. Poza tym rankiem można ujrzeć stary Londyn w całej krasie, kiedy „to wielkie serce jeszcze we śnie spoczywa".

Przechyliła głowę.

– Czy to Coleridge?

– Nie, Wordsworth. *Na moście Westminsterskim*. Przedstawia sielankowy obraz skąpanej w deszczu i rojnej metropolii, tak wielka jest zdolność kreacji tego poety.

Wers wiersza był dla Louisy niczym połyskująca przynęta dla kruka, nawet deklamowany przez Josepha Carringtona. A może właśnie dlatego, że przez niego.

– Chyba nie znam tego wiersza, choć czytałam wiele utworów Wordswortha.

Siedząc na czarnym koniu, pod którego kopytami cicho szeleściły liście, w połyskujących promieniach słońca wczesnego poranka, skrzących się na pobliskim jeziorze Serpentine, sir Joseph Carrington deklamował Louisie sonet. Opisywał on rześki, lśniący poranek w Londynie jako coś pięknego i cennego nawet dla człowieka kochającego przyrodę i zachowane w naturalnym stanie wiejskie okolice.

Kiedy zamilkł, Louisa poczuła się tak, jakby cisza wielkiego miasta o świcie otuliła ich oboje, i w spokoju, jaki nastał, uświadomiła sobie dwie rzeczy.

Po pierwsze, głos Josepha Carringtona był stworzony do deklamowania poezji. Jak wiolonczela, przechodząca od niskich skal i pełnych buczących tonów ćwiczeń do repertuaru solowego, tak głos sir Josepha stawał się liryczny, a nawet piękny, podczas recytacji wierszy.

Po drugie zaś, zauważyła, że ogarnęła ją wprawiająca w zakłopotanie i całkowicie niemądra chęć płaczu. Bynajmniej nie dlatego, że piękno wypowiadanych słów poruszyło ją do łez – choć chwilami mogło – ani że poemat był cudowny. Nie, był to krótki, ładny sonet opisujący wrażenie, jakie zrobiło na kimś to miasto w przejrzysty jesienny poranek.

Nagła chęć płaczu, całkiem nie w porę, wynikała z uświadomienia sobie przez nią jeszcze jednego faktu. Żaden mężczyzna nie wyrecytował jej wcześniej całego sonetu i prawdopodobnie żaden nigdy już nie wyrecytuje.

Sir Joseph odprawił stajennych machnięciem ręki, mamrocząc to samo, co zawsze mamrotał do pełnych dobrych chęci pomocników ze stajni, a czego nauczył go, jako najważniejszego obowiązku, jego dowódca na Półwyspie Iberyjskim:

– Kawalerzysta sam dogląda swojego konia.

Stajenni pokiwali głowami i odeszli do innych zajęć, których było mnóstwo w niewielkiej uroczej posiadłości zdobiącej jeden z zakątków idyllicznego hrabstwa Surrey.

– Dostaniesz rózgę pod choinkę – psioczył sir Joseph na swojego wierzchowca. – Pozwoliłeś mi siedzieć i ględzić z kobietą, z damą, o kopułach, kaczkach i czym tam jeszcze. Kiedy mężczyzna deklamuje poezje pięknej, inteligentnej niewieście, powinien przynajmniej wspomnieć o różach.

Przesunął strzemiona w górę na skórzanych paskach, poluzował popręg i spojrzał gniewnie na konia.

– Stój spokojnie, kiedy staram się dopasować uzdę do twojego pustego łba. Żonkile poprawiłyby sytuację. Żonkile i samotne obłoki.

Odszedł, kuśtykając; rzemień u kantara wisiał na tym haku co zawsze, Sonet stał w przejściu spokojnie jak baranek.

– Baranek też nie byłby zły, chociaż nikt teraz nie czyta Blake'a oprócz ekscentryków.

Koń pochylił głowę i zaczął się ocierać o kurtkę sir Josepha. Po kilku chwilach Carrington się odsunął.

– Paskudna bestio, będę śmierdział koniem przez resztę dnia.

I na tym właśnie częściowo polegał problem. Przebywając nad jeziorem Serpentine, gdy poranne światło wydobywało miedziane pasemka z ciemnych włosów Louisy Windham, Joseph wychwycił cytrusowo-goździkową woń jej perfum. A poemat, choć krótki, pozwolił mu rozkoszować się przez kilka chwil tym niezwykłym świątecznym zapachem.

– Zniosła moją deklamację – powiedział, zdejmując koniowi cugle. – W końcu był to krótki wiersz o wieżach i teatrach.

Sonet znowu spróbował się otrzeć, tym razem o biodro Josepha.

– Głupie stworzenie, czy chcesz, żebym upadł na tyłek? – Podrapał konia za uchem, co jedynie przypomniało mu o Lady Opie. – Jej byłoby wszystko jedno, jaki wiersz się jej czyta.

Pod warunkiem że dostawałaby swoje pomyje.

Louisa Windham wyglądała w oczach sir Josepha na kobietę, która również potrafi się rozkoszować jadłem. Była bowiem... zaokrąglona. Bardzo ładnie zaokrąglona. Joseph oparł głowę o szyję wierzchowca.

– Jestem w przykrej sytuacji, mój koniu, kiedy porównuję damę, córkę księcia, kobietę znajdującą się daleko poza zasięgiem zwykłego żołnierza, do swojej ulubionej hodowlanej maciory.

Sonet machnął leniwie długim czarnym ogonem.

– Jesteś wykastrowany. – Sir Joseph wyprostował się i pogładził dłonią grzbiet konia. – Dzięki temu nie dane ci są niewczesne chwile zapomnienia się w poezji. Nie jestem jeszcze gotów na to. Jeszcze.

Przyglądając się Louisie Windham siedzącej na koniu, ujmująco ładnej jak zimowy dzionek, sir Joseph doświadczył mieszaniny przyjemności i bólu tak silnych jak nigdy dotąd. Była tak cudowna, tak bezwiednie naturalna i pełna wdzięku, że samo patrzenie na nią sprawiało mu ogromną przyjemność, natomiast rozstawanie się z nią i świadomość, że zawsze będzie się z nią rozstawał, było całkowitym przeciwieństwem przyjemności.

– Może to żal. – Spojrzał na mocno już sennego konia. – Nieco dramatyczny, ale całkiem na miejscu.

Koń nie oponował, ani wtedy, gdy Joseph zdejmował z niego resztę uprzęży, ani też podczas szczotkowania i z pewnością nie wtedy, gdy jego pan zaprowadził go do przegrody wyłożonej miękką słomą.

– Pewnie zostanę tutaj przez większość dnia – rzekł sir Joseph, zdejmując z Soneta postronek. – Napaś się sianem i poleż sobie w spokoju. Moja noga mi mówi, że niebawem spadnie śnieg, a więc módl się o to, żebym zdążył zawieźć swoją rozpoetyzowaną osobę z powrotem do miasta przed najgorszym.

Sir Joseph po raz ostatni podrapał konia za uchem, zamknął drzwi do przegrody i kuśtykając, poszedł odwiesić uździenicę. Nie wróżyło to dobrze, kiedy człowiek uskarżał się koniowi, że tęskni za świnią.

Gdy sir Joseph wchodził do kuchni na tyłach dużej, dwupiętrowej wiejskiej rezydencji położonej w hrabstwie Surrey, wciąż zastanawiał się nad tym nieszczęsnym stanem rzeczy i próbował dociec, co powiedziałby na to jego były dowódca.

Zbyt długo marudził w stajni i teraz nadeszła pora posiłku. Zaskrzypiało dwanaście odstawianych krzeseł, tuzin par stóp zadudniło cicho na drewnianej podłodze. Dwanaście wysokich szczęśliwych głosów wzniosło się pod krokwie.

– To papa! Papa w końcu przyjechał!

Sir Joseph został zasypany mnóstwem gorącym uścisków; małe paluszki przyciągały go do siebie, chwytały za ubranie, za ręce, roztaczając wokół miły, zdrowy zapach dobrze zadbanych dzieci: woń mydła, krochmalu, lawendy oraz ciepłej czekolady w oddechu Ariadne, która przywarła mu do szyi.

Wyswobodził się ostrożnie ze wszystkich uścisków z wyjątkiem Ariadne – jako najmłodsza była bowiem najbardziej nieustępliwa – starając się nie porównywać przyjemności wąchania zapachu cytrusów i goździków z zadowoleniem, jakie przynosił mu widok jego dzieci, bezpiecznych, szczęśliwych i zadbanych.

4

Mamy kilka kolejnych nazwisk – szepnęła Eve do Louisy, udając, że przygląda się kolekcji jedwabnych chusteczek z wymyślnie haftowanymi brzegami. – Dziś po kolacji ci je przedstawimy i choć raz oderwiesz się od książek, Lou, i poświęcisz nam uwagę.

Poświęcanie uwagi długiej liście przygotowywanej przez Eve i Jenny okazywało się trudne, gdy Louisa wciąż słyszała w głowie słowa poezji Wordswortha recytowane chropawym barytonem sir Josepha Carringtona. Nie był to głos zgrzytliwy, lecz mocny i zdecydowanie męski podczas deklamacji wierszy. Ciekawe, jak sir Joseph recytowałby Blake'a?

Ponieważ wiedzą, że ja śmiać się, tańczyć wolę,
Myślą, że nie skrzywdzili mnie.

– Louiso – rzekła Jenny nieco surowo. – Przez następne jedenaście dni możesz przynajmniej udawać, że interesuje cię twoja własna przyszłość.

– Jedenaście dni albo dwieście sześćdziesiąt cztery godziny lub mniej więcej szesnaście tysięcy minut – odparła Louisa z roztargnieniem, przesuwając dłonią po przedmiocie z jasnoczerwonego jedwabiu z białymi płatkami śniegu na brzegach. – A dokładnie piętnaście tysięcy osiemset czterdzieści minut.

– Przedstawiony w ten sposób – odparła Jenny, marszcząc nos – ten czas rzeczywiście wydaje się wiecznością.

Dziewięćset pięćdziesiąt tysięcy czterysta sekund wydaje się okresem jeszcze dłuższym. Wzrok Louisy padł na kolejny przedmiot w sklepie z prezentami i przez chwilę jej serce zabiło szybciej. Tomik ten był odpowiednich rozmiarów, skóra na okładce w znajomym czerwonym odcieniu, ale książeczka miała też cienkie złote obrzeże. Kiedy Louisa zajrzała do środka, zobaczyła puste kartki.

– Dziennik – rozległ się znajomy baryton. – Kiedy kupię jeden dla Fleur, wtedy muszę kupić drugi dla Amandy i niech mnie Bóg broni, żebym dał Amandzie taki w kolorze ulubionym przez Fleur lub odwrotnie.

Sir Joseph, o zarumienionych policzkach i z groźną miną, przyglądał się woluminowi trzymanemu przez Louisę. Na widok Carringtona poczuła dziwną ulgę, choć nie spodziewała się spotkać go w zatłoczonym sklepie z podarkami niedaleko Piccadilly.

– Dzień dobry, sir Josephie. Szuka pan świątecznych prezentów dla swoich córek?

Przeczesał włosy dłonią bez rękawiczki i przezornie rozejrzał się wokoło.

– Zbyt późno się do tego zabrałem. Obie były grzeczne, oczywiście w pewnych granicach. Ich guwernantka uważa, że je rozpieszczam, ale to przecież tylko dzieci, które bardzo się starają, jak rekruci rozpoczynający służbę. Symboliczny gest na święta Bożego Narodzenia albo nawet kilka takich gestów to dobra zachęta. One też narysują mi jakieś obrazki, napiszą kilka linijek i nie trzeba... Louiso Windham, śmiejesz się ze mnie?

Odłożyła na bok dziennik i wsunęła mu rękę pod ramię, powstrzymując się przed absurdalną nagłą chęcią przytulenia go, gdy tak rozprawiał o swoich ojcowskich rozterkach.

– Przypomina mi pan Jego Wysokość. Kiedy byłam mała, potrafił zamienić w wyprawę kawaleryjską nawet rodzinny piknik. Dosiadaliśmy koni na jego znak i jechaliśmy kłusem, aż dał sygnał do ataku. Świetnie się bawiłam, próbując nadążyć za swoimi braćmi. A teraz proszę mi opowiedzieć o córkach.

– One są... – Ponownie rozejrzał się wokoło. – Siostry machają do pani przy drzwiach.

– Niech je licho porwie. – Louisa pozwoliła sir Josephowi doprowadzić się do wyjścia, gdzie ku swojemu zdziwieniu dowiedziała się nagle, że Jenny i Eve koniecznie chcą, żeby podskoczyć na

Berkeley Square i wpaść do herbaciarni Guntera, a sir Joseph koniecznie musi się do nich przyłączyć.

Zgodził się jak człowiek wdzięczny za wymówkę do porzucenia nużących zakupów, jednak los tak chciał – lub chciała tego para wścibskich sióstr – że Eve i Jenny wzięły się pod ręce i poszły przodem, pozostawiając Louisę, która ujęła ramię sir Josepha i ruszyła za nimi, a lokaj z pokojówką podążyli z tyłu w pewnej odległości.

Kulejąca noga Carringtona nie spowalniała przechadzki, a on też, jak się zdało, nie zwracał na nią szczególnej uwagi. Prowadził Louisę przez tłum kupujących, którzy rozstępowali się przed nim niczym Morze Czerwone przed Mojżeszem.

– Pachnie śniegiem – mruknęła Louisa. W powietrzu wyczuwało się rześkość, zapowiadającą rychłe ochłodzenie.

Sir Joseph zerknął na nią, gdy zbliżyli się do nieco mniej zatłoczonego rejonu przy Berkeley Square.

– To raczej zapach dymu palącego się węgla, Louiso Windham. Lepiej nie wdychać go zbyt głęboko.

Pochylił się, by otworzyć przed nią drzwi, i kiedy się zbliżył, do nozdrzy Louisy dotarła woń zupełnie inna niż zapach dymu – cedru i korzennych przypraw, przywołująca wspomnienie świąt Bożego Narodzenia i... sir Josepha. Aromat ten był przyjemny, ale też... podnoszący na duchu. Jego córki pewnie rozpoznawały go po tym zapachu, tak jak Louisa poznawała swojego ojca po zapachu wawrzynu.

I znowu tak się złożyło – może znów za sprawą tych samych sióstr – że w herbaciarni Guntera było tak dużo klientów, iż nie dało się znaleźć dwóch wolnych stolików obok siebie, aby ulokować cztery osoby razem. Eve i Jenny usadowiły się blisko okna, pozostawiając siostrę z Josephem nieco dalej od nich, przy stoliku w rogu sali.

Pomógł Louisie zająć miejsce, zachowując się przy tym tak szarmancko, jak pozwalały na to warunki panujące w tętniącej życiem herbaciarni, po czym usadowił się naprzeciwko niej, opierając się na stole i powoli opadając na krzesło.

– Boli – zauważyła Louisa i od razu pożałowała tych słów, widząc grymas na jego twarzy.

Gdy rozglądała się wokoło, próbując znaleźć jakiś temat do rozmowy, zaczęła się zastanawiać nad motywami, jakimi kierowały się jej siostry. Znalazła się tutaj w towarzystwie nieżonatego, przy tym nieco obcesowego dżentelmena, zdana na własne siły, i nie miała najmniejszego pojęcia, jak z nim rozmawiać.

– Nie chciałam znowu zwracać uwagi na... to znaczy... nie próbowałam... – Louisa zamilkła w końcu, czując, jak fala ciepła ogarnia jej szyję i policzki.

Sir Joseph uśmiechnął się do niej tak oszałamiająco dobrotliwie, że wydał się jej nie tylko przystojny, ale też w jakiś sposób... kochany.

– Nie musisz przepraszać, Louiso Windham. Kuleję i cieszę się z tego. Gdyby nie interwencja twoich braci, lekarz wojskowy pozbawiłby mnie nogi, która wymagała jedynie kilku szwów, złożenia kości i tym podobnych rzeczy. A teraz czy możemy porzucić ten nieapetyczny temat i porozmawiać o prezentach świątecznych dla moich córek?

– Oczywiście. Proszę mi opowiedzieć o Fleur i Amandzie.

Po spałaszowaniu przez oboje porcji lawendowych lodów i ciepłej śliwkowej tarty, Louisa stwierdziła, że jest zachwycona swoją pierwszą rozmową z mężczyzną nie o jej rodzinie, lecz o jego dzieciach. Jej bracia rozprawiali o swoich pociechach, wuj Tony miał bzika na punkcie córek, a jej ojciec nieustannie przechwalał się swoimi dziećmi, sir Joseph jednak martwił się o swoje dwie małe damy.

– To już prawie kobiety – powiedział, gdy kelner sprzątnął talerze. – Niemal od niemowlęctwa mają kobiecą psychikę i sposób postępowania. Mężczyzna, który nie ma sióstr i słabo pamięta własną matkę, czuje się nieco... przerażony.

Mężczyźni w rodzinie Louisy nie mówili, że są przerażeni, a przynajmniej jej tego nie mówili.

– Czym?

Sir Joseph ściągnął brwi.

– Te małe istotki jednocześnie błądzą i są niewinne. Potrafią otwarcie wyrażać swoje emocje, lecz także bywają nieodgadnione. Są porywcze, ale też pełne rezerwy. – Przestał wodzić palcem po słojach drewnianego blatu i spojrzał na Louisę. – One są już takie jak ty, milady. Mają w sobie te fascynujące, trudne do pojęcia cechy.

Fascynujące? Trudne do pojęcia? Poczuła w sobie gorąco, które nie miało nic wspólnego z zakłopotaniem.

– Jego Wysokość nazywał mnie kiedyś swoim liczydłem. – To wyznanie wyrwało się Louisie, gdy zobaczyła, że sir Joseph znowu się do niej uśmiecha. W jego uśmiechu ujrzała jakąś melancholijną czułość i nagle straciła oddech.

– Nie jesteś liczydłem, Louiso Windham. Każdy mężczyzna, który ma oczy, może się o tym przekonać.

– Owszem, jestem. Umiem liczyć w pamięci. – Zabrzmiało to jak przechwałka, Louisa spróbowała więc jeszcze raz. – Tak naprawdę to wcale nie umiem liczyć w pamięci. Gdy pojawia się jakieś zadanie liczbowe, rozwiązuje się samo w mojej głowie, zanim zdążę je zapisać. Mogę je nanieść na papier, ale to trwa dłużej, a odpowiedź pojawia mi się w myślach natychmiast.

Joseph przechylił głowę, przestając się uśmiechać.

– Czy zarzucano ci oszustwo?

Pytanie było wnikliwe, ale też bolesne. Louisa skinęła potakująco głową, a siedzące nieco dalej Jenny i Eve wybuchły śmiechem.

– Guwernantka chciała mnie ukarać, ale moje siostry wyjaśniły Ich Wysokościom, że zawsze potrafiłam tak liczyć. Mój brat Victor zorganizował dla nich pokaz, a papa zaczął wtedy nazywać mnie liczydłem. Nie wydaje mi się, żeby mamie się ta nazwa spodobała.

Nie powinna mówić tego ostatniego, chociaż nie była pewna dlaczego.

– On nazywał cię tak z czułości, Louiso – powiedział Joseph łagodnie.

– Wiem. – Miło jednak było usłyszeć od niego potwierdzenie. – Proszę obiecać mi jednak, że nie będzie pan nazywał Fleur lub Amandy liczydłem.

– Niech mnie Bóg broni. – Uśmiechnął się do niej jeszcze raz, po czym zbadał sytuację, spoglądając na stolik Eve i Jenny i ich puste talerze. – Czy mogę odprowadzić panie do domu? Louiso, jest pani bardzo pomocną przewodniczką. Wygląda też na to, że siostry zjadły już swoje lody.

Pomocna. Interesujące określenie. Nie błyskotliwa, dociekliwa czy też posągowa, ani – żaden z dwuznacznych komplementów, do których Louisa przywykła. Po prostu pomocna.

– Możemy wrócić przez Regent Street – odparła. – Gdy się ogląda wystawy sklepowe, przychodzi do głowy więcej pomysłów.

– To kobieca taktyka. – Sir Joseph wstał z trudem i wydawało się, że przez moment sprawdza, czy utrzyma równowagę. – Pani nazywa to oglądaniem wystaw. Wellington nazywał to rekonesansem.

Pomógł Lousie się podnieść i zarzucił jej na ramiona pelerynę, wygładzając materiał na plecach energicznymi ruchami dłoni. W chwilę później zawiązywał ozdobną taśmę z przodu pod jej podbródkiem, jak gdyby była...

Jego. Osobą, którą się opiekuje jak swoimi córkami, swoim koniem, swoją trzodą. Kiedy sir Joseph ściągnął brwi, skupiając się na należytym zaciśnięciu węzła pod brodą Louisy, ona pozazdrościła jego świniom.

Zrobił krok do tyłu, obrzucając ją spojrzeniem, by sprawdzić, czy wszystko w porządku, a ona uniosła nieco podbródek.

– Wyglądam znośnie, sir Josephie?

– Włóż jeszcze rękawiczki, milady. Twoja przepowiednia się sprawdziła. – Wskazał w stronę okien i sięgnął po swój płaszcz.

– Moja przepowiednia?

– Pada śnieg, Louiso. Gdybym był teraz w domu, Fleur i Amanda domagałyby się, żebym zaprzągł sanie.

Chyba tęsknił za domem. Louisa poczuła, jak jej serce zamiera. Z powodu Josepha, córek, których mu brakowało, i trochę z żalu nad sobą. Dopóki mała czerwona książeczka była wciąż w obiegu, nieoczekiwany deser w towarzystwie człowieka, który nie widział w Louisie liczydła, był dla niej najwspanialszym prezentem świątecznym.

Kiedy Joseph doprowadził Louisę do drzwi, lady Eve i lady Jenny przeprosiły ich na chwilę, żeby przywitać się ze znajomą. Fleur i Amanda tak samo się ociągały, spotykając swoich przyjaciół na dziedzińcu kościoła.

– Chodźmy, sir Josephie. Eve i Jenny w końcu nas dogonią. A jeśli postoimy tu spokojnie, nie okazując zniecierpliwienia, będą plotkować w nieskończoność.

Louisa wzięła Josepha pod rękę i uśmiechnęła się do niego, tak jakby byli spiskowcami, dwojgiem sojuszników sprzeciwiających się absurdalnym zwyczajom obowiązującym w sezonie.

– Woli pani zatem obserwować, jak dorosły mężczyzna rozprawia o lalkach, wirujących bączkach i książkach z bajkami?

– Już lepsze to niż przyglądanie się, jak moje siostry rozprawiają o pierścionku zaręczynowym Pameli Canterdink.

No cóż, zapewne. Rozważał teraz, jak iść ulicami wypełnionymi o tej porze tłumem i pokrytymi cienką warstwą śniegu. Mogło to nie być dla niego i Louisy zbyt miłe, ale nie spieszyło mu się z nią rozstawać.

Książęca córka znajdowała się zdecydowanie poza jego zasięgiem. Szkoda. Fleur i Amanda polubiłyby ją w roli macochy.

Po pierwszej wspólnej przechadzce Joseph zaczął ją uwielbiać. Uwielbiał przejęcie, z jakim się zastanawiała nad prezentami, które by najbardziej ucieszyły Fleur i Amandę, uwielbiał okazaną przez nią wrażliwość, gdy opowiadała o niezręcznym przydomku nadanym jej przez Morelanda.

Liczydło, doprawdy. Niezbity dowód, że zaszczytny tytuł księcia nie zawsze idzie w parze ze zdrowym rozsądkiem.

– Josephie, popatrz tylko! – Louisa przystanęła, gdy dotarli do chodnika, i jej usta wygięły się w radosnym uśmiechu. – Kiedy pada taki śnieg, wszystko staje się nowe i czyste. To cieszy serce, zwłaszcza tuż przed świętami Bożego Narodzenia.

Widok jej twarzy – płatków śniegu osiadających na rzęsach i brwiach, uśmiechu rozjaśniającego oczy – był czarujący. Joseph zadarł głowę do góry i ujrzał gałązkę jemioły, którą jakiś żartowniś zawiesił na szyldzie. Na placu uliczny zespół zaczął śpiewać żwawo partię chóralną *Alleluja* Haendla.

Poczuł radość w sercu.

Zanim zdołał mu przeszkodzić zdrowy rozsądek lub jakaś inna przereklamowana cecha, musnął ustami policzek Louisy i poczuł intensywny zapach cynamonu i goździków oraz kobiece ciepło.

– Wesołych świąt, Louiso.

Skradł ten świąteczny pocałunek dla siebie – w minionym roku okazał się bowiem nadzwyczaj dobrym człowiekiem – choć spodziewał się przynajmniej nagany.

– Łobuz. – Louisa odsunęła prędko twarz i poprowadziła go dalej ulicą, ani trochę niezniechęcona. – Wyszłam z wprawy. Kiedy moi bracia byli mali, nikt nie uchronił się przed ich wariackimi całusami o tej porze roku. Wkrótce przyjadą z wizytą i zapewniam cię, że koło Nowego Roku będzie pan musiał być o wiele szybszy, żeby pocałować mnie pod jemiołą.

Ta połajanka ani trochę nie umniejszyła radości płynącej z czysto męskiego wybryku fantazji pod wpływem chwilowej śmiałości.

– W Nowy Rok, milady, wszystkie jagody z jemioły już zostaną zerwane, a sama jemioła wyrzucona.

Uśmiechnęli się do siebie, uradowani tą nieplanowaną wspaniałą przechadzką i niespodziewaną przyjemnością ze wspólnego spędzenia czasu. A Joseph, gdyby nie był szlachcicem najniższej rangi, podarowałby tej kobiecie o wiele więcej niż jeden skradziony całus.

Esther, księżna Moreland, podała mężowi filiżankę z parującym napojem.

– Pijemy czekoladę pod koniec dnia? – zdziwił się książę. – Nie żebym się skarżył, oczywiście.

– Znosisz bohatersko okazyjne picie niepełnej filiżanki herbaty, od czasu do czasu, Percivalu, ale to był trudny dzień i potrzebuję twojej porady w pewnej sprawie.

– Stąd czekoladowe ciasteczka. – Nie poczęstował się jeszcze żadnym, chociaż w przeszłości, gdy był młodym żonkosiem, pochłaniał je w błyskawicznym tempie, nie zważając na dobre maniery.

– Poza tym są kanapki, winogrona i... dlaczego tak na mnie patrzysz?

Uśmiechał się do niej łagodnie i wyrozumiale, w sposób, który nawet po trzydziestu latach małżeństwa przyprawiał Esther o rozkoszne drżenie.

– Intrygujesz mnie, moja droga, i sama knujesz intrygi. Po co te wszystkie słodycze i pochlebstwa? To musi być jakaś strasznie ważna sprawa, skoro zadajesz sobie tyle trudu.

– Nie ma w niej nic strasznego. Dlaczego nie poszedłeś dziś do Prinny'ego szepnąć mu coś do ucha?

– Prinny jest biegły w kilku sprawach – odparł książę. Przyjął od księżnej filiżankę czekolady i upił trochę. – Wydaje pieniądze niczym młodzik na swoją pierwszą urodziwą kochankę... wybacz porównanie, moja droga. Dogadza swojemu podniebieniu jak cały pułk na przepustce i ma w sobie więcej sprytu, niż większość ludzi sądzi.

– Ale to nie jest odpowiedź na moje pytanie. – Położyła na talerzu kilka kanapek i kiść winogron. – Unikasz go?

– Skądże. Umówiłem się z nim na jutrzejszy lunch, a podczas takiego posiłku nigdy nie będę prawić mu kazań, upominać go czy też ganić za to, że marnuje pieniądze na te swoje cholerne pawilony, kucharzy i kolekcje dzieł sztuki. Nie wspomnę o hańbie, że skarbiec królewski... O co chodzi?

– Trzeba mu współczuć, Percy. On nie ma Westhavena, który by mu uporządkował finanse. Nie może liczyć na córkę i wnuków, jego małżeństwo to nieszczęście dla całego narodu, nawet korona nie należy do niego. Patrząc na to od tej strony, jego bogactwo jest pozorne.

Wyraz twarzy Jego Wysokości się zmienił i gorzki uśmiech wykrzywił mu usta.

– Celny strzał, Esther. Trafiłaś w sedno. Wcale nie radzę sobie lepiej z funduszami niż Prinny. Apelujesz do lepszej części mojej natury, a ja bardzo tego nie lubię.

– Zjedz kanapki, książę. Potrzebuję kilku panów do kompletu na obiad w tym tygodniu, a może nawet i w przyszłym.

W ustach księcia zaczęła szybko znikać pierwsza z trzech kanapek.

– Na dwa obiady? A ilu?

– Wydaje mi się, że przynajmniej sześciu, wszystkich nieżonatych. Chcę, żeby porozmawiali trochę na tematy polityczne, w razie gdyby ktoś myślał...

Książę włożył jej winogrono do ust. Uchwyciła jego spojrzenie i pozwoliła mu karmić się soczystymi owocami.

– Chcesz urządzić u nas oficjalny obiad w tym tygodniu, moja droga, i jeszcze w przyszłym, żebyśmy zaprezentowali naszym córkom kilku kandydatów. Całkiem niezły gambit, Esther.

Jego Wysokość wolał uważać, że chodzi o pokazanie kandydatów córkom, a nie odwrotnie. Esther uwielbiała go za to i podała mu kolejną kiść winogron.

– Pomyślę o kilku obiecujących młodych parlamentarzystach, którzy mogliby się tu zjawić w krótkim czasie – odparł – ale nasze dziewczęta zasłużyły na to, żeby mierzyć wyżej.

– Członkowie parlamentu często awansują dzięki własnym zaletom i odpowiedniemu poparciu. – Ich córki zasługiwały na miłość, lojalność, czułość, inteligentne towarzystwo. I dzieci. – Twoje poparcie wystarczy, żeby zapewnić młodemu człowiekowi przychylność polityków.

– Więcej pochlebstw. – Książę sięgnął po herbatnika, po czym zawahał się i cofnął rękę, odchylając się na krześle. Esther położyła dwa herbatniki na talerzu i podała mężowi. – Szczerych.

Kiedy wydzielała mu te ciasteczka, książę wymienił z nazwiska nawet tuzin młodzieńców pochodzących z dobrych rodzin o dopuszczalnych poglądach politycznych.

To było ustępstwo ze strony książęcej pary. Esther wiedziała o tym, wiedział książę, ale o tym nie rozmawiali. Wybierali młodszych synów zamiast sukcesorów z honorowymi tytułami, z dobrych rodzin zamiast najlepszych, i zapraszali ich na oficjalny obiad, zamiast urządzać bal ze wszystkimi wiążącymi się z nim dodatkami. Ludzie zauważą, że Moreland poszerza zakres swoich poszukiwań kandydatów na mężów dla swoich pozostałych córek.

Zauważą, ale nie będą o tym mówić. Nie ośmielą się.

Jego Wysokość sięgnął po ostatnie czekoladowe ciasteczko.

– Jeśli mamy zadawać sobie tyle trudu, Esther, to dodaj jeszcze do listy gości nazwisko Josepha Carringtona.

– Sir Joseph? – Księżna poszła nalać sobie kolejną niepełną filiżankę czekolady, ale zobaczyła, że dzbanek jest pusty. Tak się zdarzało, gdy jadła posiłki w towarzystwie męża. – Czy on jest w Londynie?

– Czasem przyjeżdża. Majętny Komandor Orderu Łaźni nie może się zachowywać tak jak zwykła szlachta ziemiańska.

– On chyba jednak nie bierze udziału w polityce, po co więc go zapraszać? Mam wrażenie, że sir Joseph woli raczej wieść życie na uboczu, niż wpadać w wir spotkań towarzyskich.

– Zaproś go z dwóch powodów. Po pierwsze, mogę z nim porozmawiać o psach i koniach, czego prawdopodobnie nie da się robić z tymi wszystkimi fircykami i parlamentarzystami, których będziemy przedstawiać dziewczętom.

Brzmiało to rozsądnie, ale też wskazywało, że zaproszeni młodzi ludzie nie cenią życia na wsi, co nie wróżyło dobrze, biorąc pod uwagę preferencje córek Windhamów.

– A jaki jest drugi powód?

Książę wziął ostatnią kiść winogron, oderwał jedno grono i podał żonie.

– Carrington daje od czasu do czasu spore datki na projekciki Prinny'ego. Im częściej majętna klasa społeczna bierze na siebie obciążenia za szalone przedsięwzięcia Jego Królewskiej Mości, tym rzadziej oczekuje się tego od rządu. Szczodrość Carringtona powinna zostać nagrodzona w zwyczajowy sposób, a jeśli okażę sir Josephowi swoją przychylność, Prinny prawdopodobnie zwróci na niego większą uwagę.

Książę podał żonie kolejne winogrono. Esther osiągnęła już swój cel – jego poparcie dla pomysłu zorganizowania przyjęć ze względu na córki – i powstrzymała się przed stwierdzeniem, że cichy i skromny Joseph Carrington jest prawdopodobnie ostatnim człowiekiem, który domagałby się tytułu lub cenił związane z nim obowiązki.

Zjadła grono, które dostała od męża, rozmyślając nad tym, jak usadzić gości przy stole podczas obiadu.

– Musisz jej odpisać.

Emmie St. Just – hrabina Rosecroft tylko wtedy, gdy zwracanie się tak do niej było nie do uniknięcia – wyrwała list z dłoni męża, zdjęła mu z nosa okulary i pochyliła się, by go pocałować, gdy leżał oparty o wezgłowie łóżka. Kiedy wreszcie pozwoliła mu nabrać powietrza, St. Just nie wątpił, że wygląda on na nieco zamroczonego.

– Dlaczego ty nie napiszesz do drogiej Lou? – Pacnął Emmie w nos końcem jej jasnego warkocza, gdy usiadła na nim okrakiem. – Wy, kobiety, z waszą korespondencją, zawstydziłybyście nawet siatkę wywiadowczą Wellingtona.

Puścił warkocz i dotknął jej piersi, zakładając się sam ze sobą, że Emmie zdejmie nocną koszulę, nie czekając, aż on to zrobi.

– Piszesz do swoich braci, do kolegów oficerów i żołnierzy, do... – oddech Emmie przyspieszył, gdy mąż ucisnął lekko brodawki jej piersi przez materiał koszuli – ...do swoich rodziców. Dlaczego nie piszesz do swojej siostry?

Pochylił się i pocałował ją w szyję.

– Piszę do swoich sióstr.

Czy jest coś bardziej satysfakcjonującego dla mężczyzny niż lekkie przyspieszenie oddechu żony, gdy poddana jego miłosnym zabiegom przestaje się zajmować wścibskim dopytywaniem się?

– Skreślasz w pośpiechu krótkie liściki, ledwie czy... czytelne. Czemu wciąż masz na sobie piżamę, St. Just? Przecież jesteśmy w łóżku.

– Może mi zimno. Rozgrzej mnie, żono.

Nastąpiła kolejna fala pocałunków, które zdaniem St. Justa ogrzałyby całą Moskwę przez cały grudzień, a może jeszcze i połowę stycznia.

– Pozwól mi się podnieść, żono. – Klepnął ją czule po pośladku.

– Po co? – Wyglądała na zadowoloną, ale też zdeterminowaną.

– Żebym mógł się rozebrać. I ciebie też. I napisać list do Louisy. Chciałaś przecież, żebym do niej napisał.

Emmie zsiadła z niego, odgarniając mu tylko włosy z czoła.

– Ona wydaje się taka zrozpaczona, St. Just. Zmęczona walką, samotna. Z pewnością niełatwo jej przyszło prosić o to, żeby mogła się u ciebie schronić.

Wstał, aby zdjąć spodnie od piżamy.

– U nas. Dawaj swoją koszulę, Em, bo do tej też będziesz musiała przyszywać guziki.

Ściągnęła koszulę przez głowę i rzuciła nią w męża, po czym odwróciła się i wpełzła na łóżko. Złapał ją, zanim naciągnęła na siebie kołdrę.

– Obnosisz mi się tu z tymi różowymi krągłościami? Poniesiesz bolesne konsekwencje za taką frywolność.

– Mam nadzieję, że poniosę. – Wiła się i skręcała w taki sposób, że St. Just wylądował między jej rozchylonymi nogami. – Ale martwię się o Louisę.

Bardzo go kusiło, żeby spytać: „Jaką Louisę?"

Tyle że Emmie dbała o wszystkich jak kwoka o swoje pisklęta, a to oznaczało, że nie protestowała zbyt mocno, kiedy i on dbał o wszystkich jak kwoka.

– W pewnym sensie cieszę się, że ona się do nas zwraca, chociaż to samolubne z mojej strony.

Emmie przechyliła głowę na poduszce.

– Nie ma w tobie nic samolubnego, przystojniaku. Jeśli chcesz, żeby Louisa spędziła u nas zimę, jeśli chcesz, żeby z nami zamieszkała, to z radością ją przyjmiemy.

Przesunął się, by nakryć sobą żonę, i oparł podbródek na czubku jej głowy.

– Chyba nie pora, by wycofała się zupełnie. Po prostu nie spotkała jeszcze odpowiedniego mężczyzny.

– A więc dlatego zwlekasz z odpowiedzią. – Emmie objęła go ramionami i przesunęła nosem po jego szyi. – Powinnam była się zorientować, że nie robisz tego bez powodu. Ale i tak do niej napiszę i przedłużę zaproszenie na okres po świątecznej wizycie.

– A co z zaproszeniem dla mnie? – Pocałował ją w policzek, a potem w skroń. – Ja też chciałbym być z radością przyjęty. Zaniedbujesz mnie przez cały boży dzień, zajmując się córkami, i człowiek nawet nie wie, czy w ogóle pamię…

Przerwał swoją tyradę, bo Emmie podsunęła się nieco wyżej i objęła go nogami.

– To urocze zaproszenie, żono. Chyba je przyjmę.

Kiedy zaśmiała się cicho, St. Just przyrzekł sobie w myślach wydać kilka poleceń Carringtonowi – obecnie sir Josephowi – żeby zrobił mały rekonesans w sprawie Louisy. Tylko Carrington mógłby rozpoznać sytuację bez wzbudzania podejrzeń, a trzeba było zlecić mu czasem jakieś zadanie, żeby nie popadł w skrajne przygnębienie.

– Ucieszyłabym się z towarzystwa Louisy w zimie, mój mężu. – Głos Emmie stał się tak rozmarzony jak głos kobiety oczekującej rozkoszy.

– Dla mężczyzny ładnych kobiet przy stole nigdy nie za dużo. – Spełniając jej życzenie, dotknął delikatnie członkiem jej kobiecości i lekko nacisnął, po czym przystąpił do nieco bardziej energicznej przygrywki.

– A więc zaproś też swoich braci, bo dla kobiety przystojnych mężczyzn przy... Devlinie St. Just, uwielbiam sposób, w jaki to robisz. Po prostu uwielbiam.

Westchnęła przy jego szyi, wydając z siebie rozkoszny jęk, który sprawił, że Just zamknął oczy, dziękując za błogosławieństwo pokoju.

– Em, czy jest jakiś szczególny powód, dla którego potrzebne ci tej zimy towarzystwo dorosłej kobiety? – Prowadzili spokojne życie, skupione na dzieciach, koniach i na sobie nawzajem. – Czujesz się samotna?

Ujął dłońmi z tyłu jej głowę i wszedł w nią, czekając na odpowiedź.

– Z tego, co wiem, to nie jestem znowu przy nadziei, jeżeli o to pytasz. Ale jeśli przestaniesz trajkotać, być może wkrótce swoim działaniem zaprzeczysz moim słowom.

– Chciałabyś tego? – Zamknął oczy, wyobrażając ją sobie w kolejnej ciąży, kwitnącą i zadowoloną z niego oraz z życia i wszystkiego, co ono ze sobą niesie. Na tę myśl poczuł ucisk w gardle, a oddech uwiązł mu w piersi.

– Pokochałabym kolejne dziecko, Devlinie. Tak jak kocham ciebie – rzekła cicho, przesuwając dłonie po jego plecach w najdelikatniejszej pieszczocie.

– Jeżeli chcesz znowu być w ciąży, Em, to może do rana twoje życzenie się spełni.

5

Zamieńmy się miejscami. – Louisa uśmiechnęła się do Jenny, a jej olśniewający, fałszywy uśmiech niemal przyćmił blask żyrandola w bawialni.

Jenny odwzajemniła uśmiech i pochyliła głowę, jakby chciała w odpowiedzi podzielić się pikantną plotką.

– Chcesz, bym usiadła między lordem Lionelem a panem Samuelsem?

Nie tego chciała Louisa. Nie chciała, aby jej siostra, śliczna blondynka, spędziła ten wieczór na flirtowaniu i żartach oddalona od niej o sześć miejsc przy stole.

– Proszę.

Jenny kiwnęła głową i przesunęła się. Po przeciwnej stronie salonu, między promiennymi uśmiechami tria bardzo przystojnych młodych parlamentarzystów w ozdobnych odświętnych strojach, Eve uniosła brew. Miało to znaczyć: O czym wy dwie tam szepczecie i kiedy się o tym dowiem?

Czas na wyjaśnienia miał nadejść później. Louisa dostrzegła swoją zdobycz w kącie, w tym samym rogu salonu, w którym stał dziesięć minut wcześniej; wciąż wpatrywał się w swojego drinka.

– Sir Josephie. – Louisa powściągnęła nieco uśmiech, kiedy zagadnięty zamrugał na jej widok. – Jakże miło znowu cię widzieć.

Nie wyglądał na specjalnie zadowolonego. Wydawał się zaniepokojony i trochę skrępowany.

– Lady Louiso, oczywiście mnie także bardzo miło.

Słyszała ten głos w swoich snach, recytujący cicho poezję, gdy zimowy wiatr tańczył wśród uschłych liści, a słońce migotało na jeziorze Serpentine.

– Wasza Wysokość, czy pozwolisz, by sir Joseph odprowadził mnie do stołu?

Książę puścił oko do swojego gościa.

– A to szczęściarz. Musimy jeszcze porozmawiać, Carrington, o tamtej sprawie. Louiso. – Książę ukłonił się swojej córce i odszedł, ale nim to zrobił, Louisa spostrzegła, że ojciec posłał jej karcące spojrzenie.

– O jakąż to sprawę chodzi, sir Josephie?

Jej rozmówca zmarszczył czoło, ujmując ją pod łokieć. Louisa nie odrywała wzroku od jego ust.

– O świnie, żywiec, gdybym miał użyć trochę mniej wulgarnego określenia. O rasę wieprzów z Gloucestershire, mówiąc ściślej, i ich wartość handlową. To nieodpowiedni temat na zabawianie damy przy kolacji.

Przeciągnął wolną ręką po włosach. Taki sam gest był charakterystyczny dla brata Louisy, hrabiego Westhavena, gdy ten zacny człowiek czuł się zagubiony i zniecierpliwiony. Louisa przysunęła się bliżej do swojego towarzysza.

– Uznałam, że powinnam pana wybawić. Papa nie rozumie, że większość z nas, ci z nas, którzy nie są książętami i księżniczkami, musi zachowywać się zgodnie z pewnymi regułami. Będzie pana zagadywał o żywiec, zapyta Summerdale'a, czy wydał już swoje córki za mąż, zakrzyknie przez pół stołu, jak to źle, że młoda klacz pana Trottenhama przegrała w drugiej gonitwie w Newmarket.

Twarz sir Josepha trochę złagodniała.

– W takim razie może i mógłbym uchodzić za księcia. Nie mam pojęcia, jakie tematy są dopuszczalne, jakie są niedopuszczalne, jakie można tolerować w gronie mężczyzn, ale już nie w gronie kobiet... Nikt nie spisał tych reguł, żeby można się było z nimi zapoznać w razie potrzeby.

Louisa spostrzegła w kącie salonu lokaja, usiłującego zwrócić na siebie uwagę księżny.

– Podoba mi się, że pan ich nie zna, sir Josephie.

– Podoba się pani, że jestem ignorantem. Czy zależy pani na opinii ekscentryczki, lady Louiso? Ja wolałbym przejechać nieuzbrojony przez całą środkową Hiszpanię z rozkazami księcia Wellingtona za pazuchą, niż być zmuszonym do radzenia sobie w kolejnej sali balowej czy na jeszcze jednym music-hallu.

– Wiem. – To słowo wymknęło się Louisie i pożałowała, że nie ma w ręku drinka. Porządny łyk z piersiówki sir Josepha dobrze by jej zrobił. – To znaczy, wiem, jak to jest. Tak jakby wskazówki zegara się nie poruszały, jakby duch postanowił opuścić ciało i zagnieździł się wśród kupidynów na suficie, czekając i czekając, aż wieczór dobiegnie końca. A nazajutrz znowu to samo: jakby Boże Narodzenie nie było świętem, a tylko wstępem do krótkiego odroczenia.

– Czyżby wszyscy w Londynie po cichu lękali się tych samych przyjęć, których, jak powiadają, nie wolno opuścić? – Stał na tyle blisko niej, że oboje nie musieli ściszać głosu. Tak blisko, że wyczuwała woń jego cedrowego zapachu, lecz nie odsunęła się od niego.

– Sama się nad tym zastanawiałam. Czy i my się lękamy?

Położył dłoń na jej dłoni spoczywającej na jego przedramieniu. Drobny władczy gest, który nasunął Louisie na myśl jej rodziców. Postąpiła słusznie, wyrywając sir Josepha z kleszczy Jego Wysokości – swego ojca. Słusznie zrezygnowała tego wieczoru z towarzystwa błyskotliwego lorda Lionela.

Dwie pary dalej Jenny mizdrzyła się i uśmiechała promiennie, uwieszona na ramieniu lorda Lionela, a jej blond uroda wyjątkowo pasowała do jego przystojnych rysów.

Na ten widok Louisa powinna poczuć zazdrość – silniejszą niż poczuła.

– Opowiedz mi o swoim koniu, sir Josephie. Sam go trenujesz?

Westchnął, bez wątpienia szykując się w duchu na męczarnie, jakimi była dla niego rozmowa przy stole podczas obiadu.

– Sonet jest jak małe dziecko, bardzo zmyślne. Trzeba go zabawiać, bo w przeciwnym razie zbiera mu się na psoty. W uczeniu go różnych sztuczek, wyższej szkoły jazdy i częstych wycieczkach bardziej chodzi o bezpieczeństwo jeźdźca niż o cokolwiek innego.

Ten koń przypomina debiutantkę z wyższych sfer, odznaczającą się nieszczęśliwie uroczo odmiennym sposobem myślenia – i Louisa to powiedziała. Udawało jej się podtrzymywać ten temat, kiedy podano zupę, ale potem stało się to trudniejsze. Sąsiedzi przy stole najwyraźniej uznali, że Louisa wzięła na siebie ciężar rozmowy z sir Josephem, on zaś – ciężar rozmowy z nią, choć nie przejawiał zapału do brania udziału w konwersacji.

Gdy rozmowa zgasła po raz trzeci, Louisę zaczęła ogarniać rozpacz.

– Odwiedziłeś Pawilon Regenta w Brighton, sir Josephie?

Pytanie zabrzmiało nader niezręcznie – regent był wspaniałym gospodarzem, ale na przyjęcia zapraszał tylko po trzydziestu gości, a skromny szlachcic raczej nie bywał w królewskim otoczeniu.

– Tak, mniej więcej przed rokiem. Jest... – Ściągnął brwi, wpatrzony w kieliszek z winem. Sir Joseph przetykał rozmowę takimi pauzami, że Louisa wypiła już sporo wina, choć wieczór dopiero się zaczynał. – Jest wspaniały. W przeciwieństwie do innych skarbów architektury, które mógłbym opisać, ten został świetnie i szczegółowo zaplanowany i zdumiewa ludzkie oko.

– A więc uważasz wzniesienie tych gigantycznych cebul na plaży w Brighton za wspaniałe?

Częściowo z powodu przypadkowego ucichnięcia rozmów wokoło, a częściowo za sprawą niedowierzania, jakie wkradło się do tonu głosu Louisy, pytanie to przebiło się ponad szum przy stole.

Zrobiło się jeszcze ciszej, a potem zapanowało całkowite milczenie.

– Jeszcze wina, lady Louiso? – Sir Joseph wskazał na karafkę, a Louisa skinęła potakująco głową. Nalał im obojgu, podczas gdy nieco dalej Jenny spytała lorda Lionela, czy bardziej pasują do niej topazy, czy polski bursztyn, a u szczytu stołu Jej Wysokość zauważyła, jak to miło cieszyć się kilkoma dniami łagodniejszej pogody, skoro zima tego roku postanowiła nadejść wcześniej.

Louisa nie upiła już wina, nie mogła też przełknąć kolejnego kęsa côte de boeuf z sosem cebulowym.

– Rozumiem – powiedział sir Joseph – że nie przepadasz za wschodnimi motywami w naszej architekturze, lady Louiso?

Rzucił to zwyczajnym tonem, zupełnie jakby Louisa nie zachowała się po raz kolejny absolutnie nieodpowiednio.

– Mamy piękne własne style architektoniczne – odrzekła. – Po co tu egzotyka, przy tym taka kosztowna?

Poruszył nóżkę kieliszka z winem, który wydał się osobliwie delikatny w jego dłoni.

– To, co egzotyczne, odmienne i niezwykłe, może być piękne na swój sposób.

Te słowa zirytowały ją, bo domyślała się, że znaczą coś więcej niż wzięcie w obronę dziwacznego królewskiego Pawilonu.

– Albo też może stać w tamtym miejscu, istne szkaradztwo i kuriozum, lub, jak twierdzi mój ojciec, obciążać narodowy skarbiec.

Sir Joseph przesunął sztućce na swoim talerzu.

– Narodowi potrzebny do istnienia nie tylko chleb.

– Naród, sir Josephie, podobnie jak człowiek, potrzebuje chleba przede wszystkim. Sądziłam, że ktoś, kto poznał wojenne wyrzeczenia, zrozumie to. Słyszałam niejeden raz, jak mój brat mówił, że wojsko maszeruje na brzuchu, a może przekręciłam jego słowa?

Wyraz twarzy sir Josepha stał się nieprzenikniony. Przypatrywał się swojemu kieliszkowi z winem, oddalonym dokładnie trzy cale od jego talerza, a Louisa poskromiła chęć, by jeszcze bardziej podnieść głos dla podkreślenia swojego punktu widzenia.

– Przytoczyła pani słowa Jego Lordowskiej Mości dokładnie, milady, ale czyż mamy być narodem piekarzy? Czy dla poezji nie ma miejsca w pani panteonie narodowych wartości? Czy chleb, wypiekany dzisiaj, ale stęchły jutro, jest sumą naszych narodowych osiągnięć?

Jakim cudem rozmowa przy obiedzie przeszła w słowną potyczkę – i to nad wartością poezji? Louisa miała ochotę wyć, chwycić bułeczki z koszyka na środku stołu i ciskać nimi, jedną po drugiej, w przeciwległą ścianę. Poezja, doprawdy.

– Tylko jak podziwiać willę Prinny'ego, jeśli się nawet nie pamięta, jaki jest smak świątecznego puddingu, a na święta nie ma w domu nawet bryły węgla na opał, sir Josephie.

Odsunął ze zgrzytem swoje krzesło o kilka cali. Ten dźwięk rozstroił Louisę i odbił się echem w salonie, w którym zalegała kolejna, pełna napięcia, nieszczęsna cisza.

U szczytu stołu Jego Wysokość odchrząknął:

– A więc co pan zrobi z pańską młodą klaczą, Trottenham? Jeśli nie zwycięża w gonitwach i nie daje się okiełzać, to chyba nie ma sensu jej hodować, co?

Po tej kolejnej niezbyt subtelnej uwadze Louisa aż spąsowiała. Trottenham coś tam odpowiedział, Eve piskliwym głosem wspomniała, że inne młode konie pędzą do mety szybciej, jeśli konkurują z piękną klaczą, a zebrane przy stole towarzystwo nagrodziło tę ripostę uprzejmym śmiechem.

Louisa zastanawiała się, czy nie wymówić się bólem głowy, ale odejście od stołu tylko nasiliłoby plotki. Mogła jednak zamilknąć, i to właśnie uczyniła.

Coś ciepłego nakryło jej dłoń, którą położyła na kolanach. Spojrzała w dół i zobaczyła pokryte bliznami palce sir Josepha, jak gładzą powoli kostki jej dłoni, raz i drugi. Zrobił to dyskretnie. Osoba siedząca naprzeciwko albo nawet obok niego niczego by nie zauważyła.

Louisa obróciła dłoń wnętrzem do góry i na krótki moment sir Joseph splótł palce z jej palcami i lekko je uścisnął.

– *Haec olim meminisse*...

– *Juvabit*. – Louisa dokończyła półszeptem. Wiedziała, co znaczą słowa Wergiliusza z jego *Eneidy*: „Może będziemy jeszcze kiedy to wspominać..." Eneasz, by obudzić ducha w swoich ludziach, obiecał im, że pewnego dnia będą wspominać z uśmiechem nawet złe chwile.

– Widzę, że potrawy ci nie smakują, lady Louiso.

Chwila odeszła w przeszłość, jego ręki na jej dłoni już nie było, jakby Louisie tylko się to przyśniło, a ciepło rozchodzące się w jej ciele stanowiło jedyny dowód tego, co się wydarzyło.

– Zostawiam sobie miejsce na słodycze. Jego Wysokość je lubi, więc możemy być pewni, że na koniec posiłku podadzą jakieś wspaniałe łakocie. Zdziwiłabym się, gdyby nie było między nimi puddingu z suszonymi owocami i przyprawami.

Gdyby Joseph był kimś innym, odpowiedziałby na to pochlebstwem: Pani towarzystwo to wystarczająca słodycz, lady Louiso. Cóż mogłoby być słodszego od oblicza, w które teraz się wpatruję?

Bujdy, rzecz jasna. Nie sądziła, aby sir Joseph tolerował takie banały. Upiła łyk wina.

– Odpowiada ci obecna pogoda, lady Louiso? Nie widziałem cię w parku, a przecież kilka ostatnich poranków było całkiem pogodnych. Ta odrobina śniegu stopniała tak szybko, że się prawie nie liczy.

To już nie banały – gorzej. Sir Joseph zniżył się do tego, by rozmawiać z nią o pogodzie. Louisa pomyślała o wrażeniu wywołanym przez jego palce muskające powoli kostki jej dłoni, po czym odstawiła na bok kieliszek z winem.

Zmobilizowała wszystkie wewnętrzne siły, żeby się nie rozpłakać.

– Pogoda jest piękna, ale nie potrwa długo. Założyłam się z siostrami, że śnieg spadnie znowu, zanim wyjedziemy do domu.

A wtedy, dzięki Bogu, nadejdą święta, a po powrocie na wieś nastanie cisza i spokój.

– Przyczaiłem się tutaj, ponieważ jestem artystą ponurakiem, na którym nie można polegać, że poprowadzi uprzejmą rozmowę. A jaką pan ma wymówkę, sir Josephie?

Carrington spojrzał w półcień otaczający wyściełany fotel koło palm w donicach. Elijah Harrison – lord-który-nie-używa-swojego--tytułu – siedział tam w wieczorowym stroju, znudzony i blady, jak przystało na artystę.

– Na mnie można polegać, że nie poprowadzę uprzejmej rozmowy – stwierdził sir Joseph. – Choć staram się, żeby było inaczej. Czemuż to pan nie maluje w wiejskich posiadłościach portretów książęcych cór?

Harrison się skrzywił.

– Akurat teraz trudno tam zastać książęce córki. Jeżeli są na tyle ładne, żeby zwabić kandydata na męża, albo dość dobrze uposażone, to raczej odwiedzają sale balowe. Ukrywa się tu pan przed nimi?

– Tak. – Wino uczyniło go bardziej szczerym. Albo nieostrożnym.

Josephowi potrzebna była żona – regularnie powtarzał to sobie w myślach, niczym przykazanie – co wieczór więc wybierał któreś z zaproszeń z zamiarem wytropienia jakiejś na „wrogim terytorium" w Mayfair, bogatej dzielnicy Londynu.

I co wieczór trafiał do pokoju, w którym grano w karty. Siadał przy kominku i sączył brandy w towarzystwie innych odmieńców, pijaków, hazardzistów i tchórzy, chyba że akurat było to przyjęcie, które zaszczycała swoją obecnością Louisa Windham, a wtedy popadał w zadumę i zadręczał się jej widokiem, tańczącej w sali balowej.

– Doskonała orkiestra – rzucił Harrison, ot tak sobie.

Doskonała, jeśli nie miało się serdecznie dosyć tych świątecznych spotkań i balów.

– Dlaczego więc pan nie tańczy?

Harrison zsunął się niżej w fotelu.

– Zazwyczaj przesiaduję przy sztalugach przez większość dnia. W mojej pracy niezbędne jest na ogół światło słoneczne. Gdyby znał pan to uczucie, Carrington, nie zwróciłby pan na mnie uwagi, gdy tak przysypiam sobie wygodnie w cieple.

W jego głosie przebijała nuta szczerego poirytowania, tak jakby Joseph faktycznie wyrwał go z zasłużonej drzemki. Joseph wstał więc, stawiając brandy blisko łokcia Harrisona.

– Miłych snów. Gdybym chciał zamówić portret pary małych dzieci... dziewczynek...

Umilkł. Nawet w pokoju przeznaczonym dla mężczyzn grających w karty nie należało wspominać o interesach.

Harrison wyprostował się nieco.

– Małych dziewczynek? W jakim wieku?

– Sześć i siedem lat. Są grzeczne; siedzą bez ruchu, jak się im powie. – Ale najwyżej przez jakieś dwie minuty. Rosły tak szybko, a ich portret utrwaliłby obraz drogich Josephowi istot, gdy pamięć zacznie już go zawodzić.

– Czy są teraz w Londynie? – Niespodziewanie okazało się, że Harrisonowi chyba zależy na zamówieniu.

– W Kent.

– Czyje to dzieci?

– Moje. – Miło się to mówiło i dobrze było przypomnieć sobie o tym osobliwym, choć prawdziwym jedynie od strony prawnej fakcie, zwłaszcza że od dwóch tygodni Joseph bardzo tęsknił za nimi oraz ich rodzeństwem w Surrey.

Harrison uniósł brwi.

– Proszę przyjść do mojej pracowni. Tam omówimy sprawę.

Joseph skinął głową i skierował się do wyjścia. Kiedy wyszedł na korytarz, usłyszał orkiestrę grającą żywo gawota, a dwie setki stóp tupało w jednym rytmie. Gdyby ruszył w stronę sali balowej, mógłby tam się natknąć na lady Louisę Windham, wirującą w tańcu, uśmiechniętą i elegancką, wspartą na ramieniu jakiegoś dandysa.

W przerwach między tańcami stałaby ze swoimi siostrami, przyćmiewając ich bladą urodę swym bardziej żywym pięknem. Podchodziliby do niej młodzi mężczyźni – od czasu niedawnego przyjęcia u księcia kręciło się koło niej większe grono młodzieńców – a nielicznym szczęściarzom podarowałaby taniec.

Co wieczór Joseph obserwował to tak długo, jak mógł, a potem wycofywał się ukradkiem do pokoju karcianego, gdzie w milczeniu dumał o marnym zdrowiu kuzyna Hargravesa i o dziewczynkach, które potrzebowały matki.

Stąpnął na nodze, której stan rzeczywiście się poprawiał dzięki łagodnej pogodzie, a następnie obrócił się i podążył nie w kierunku sali balowej, tylko ciszy i spokoju – oraz dyskretnego wyjścia – jakie zapewniał mu ogród.

Louisa zarezerwowała wieczorny walc dla Lionela – który wciąż się dopytywał, kiedy mógłby poświęcić jej wieczór – lecz zobaczyła, jak markiz uśmiecha się do zniewalających oczu Isobel Horton.

Niech go diabli.

Jednak Louisa zatańczyła walca z Lionelem poprzedniego wieczoru – teraz mówiła mu po imieniu, a i on nazywał ją Louisą – i jeszcze dzień wcześniej odtańczyli razem poloneza.

Louisa miała wrażenie, że Lionel starał się pomóc jej w ukręceniu łba plotkom, jakie wywołała krytyką Pawilonu regenta. Miło z jego strony, ale sama myśl o tym ją przygnębiała.

Siostry Louisy ruszyły na parkiet. Ostatecznie każda dama pragnęła, aby ktoś odprowadził ją do stołu na kolację.

Żadna nie chciała, by widziano ją, jak wystaje pod ścianą sali balowej, bez sióstr, bez towarzystwa zalotników czy też kogoś, kto odprowadziłby ją do stołu. Gdyby Louisa postała tu jeszcze dłużej, znalazłby się przy niej Westhaven.

Wolała do tego nie dopuścić. Jej brat tańczył całkiem dobrze – jak na brata – ale absolutnie nie życzyła sobie, aby się nad nią litował. Odstawiła kieliszek i wymknęła się z sali balowej, kierując kroki do ogrodu, gdzie mogła zaczerpnąć świeżego powietrza i pobyć w samotności.

Orkiestra odegrała gawota i tupot na parkiecie ucichł.

Sir Joseph rzucił okiem za siebie.

Powinienem stąd pójść, zanim ktoś inny wpadnie na pomysł, aby skryć się w mroku zimowego ogrodu oświetlanego tylko przez pochodnie, pomyślał.

Ale było już za późno. Samotna postać minęła przeszklone drzwi i stała przez chwilę bez ruchu, wysoka, smukła i urocza w migoczącym blasku pochodni.

– Nie powinnaś być tutaj sama, milady.

– Sir Joseph?

– Jestem tutaj. – Zbliżył się do pochodni ustawionych przy wejściu do ogrodu, ostentacyjnie nie zwracając uwagi na jemiołę zwisającą z drewnianej kraty osiem stóp dalej. – Pozwolisz, że odprowadzę cię z powrotem do sali balowej?

– Nie pozwolę. – Wyminęła go, roztaczając w nocnym powietrzu woń cytrusów i goździków. – Muszę zaczerpnąć świeżego powietrza.

– Tam jest ławka. – Ujął jej dłoń w rękawiczce i podprowadził do kamiennej ławeczki w cieniu pod murem. Na tarasie domu gospodarzy balu powietrze było niemal ciepłe od płomieni tuzina pochodni. – Pooddychaj świeżym powietrzem, a potem odprowadzę cię do sali balowej.

Poczekał, aż lady Louisa usiądzie. Nie zrobiła tego z wdziękiem i darowała mu przedstawienie z układaniem fałd sukni. Po prostu klapnęła, naburmuszona, i ściągnęła rękawiczki.

– Mógłbyś też usiąść, sir Josephie. Niedługo zaczną grać walca, ostatni taniec przed kolacją.

Dopiero po chwili, niedomyślny jak większość mężczyzn, zrozumiał, w czym problem.

– Lubi pani walca i nie chce go przesiedzieć na krześle.

Ściągnęła brwi, a potem zmarszczyła nosek w sposób, który przywołał sir Josephowi na myśl małą Fleur.

– A jaka kobieta chciałaby stracić ostatniego walca? Czy wreszcie pan usiądzie?

Powiedziała to zgryźliwie, chociaż nie czuła irytacji ani złości. A sir Joseph odniósł się do niej jak do jednej ze swoich córek, wiedząc od razu, że Louisa Windham jest trochę urażona i podenerwowana, a także nieco zmęczona jednym i drugim.

Wyciągnął do niej rękę.

– Nie tańczyłem walca od lat i słabo pamiętam, jak się go tańczy. Może ulitujesz się nad kulejącym żołnierzem, żeby się przekonać, czy potrafi to sobie przypomnieć?

Spodziewał się, że ją rozśmieszy. W złe dni naprawdę utykał, a i w lepsze czuł się nie najlepiej, jak stary koń, już nie w pełni sił. Nie tańczył walca, odkąd został ranny, i nie liczył na to, że jeszcze kiedyś zatańczy, gdyż taniec ten wymagał od tancerza gracji, poczucia równowagi i odrobiny dziarskości.

A także ochoczej partnerki.

Louisa podała mu dłoń bez rękawiczki i wstała.

– Cała przyjemność po mojej stronie. – Skrzywiła się, wstając, ale nie puściła jego ręki. – Nie może pan pozwolić, żebym to ja prowadziła.

Wcześniej przypatrywał się setkom par tańczącym setki walców i sam polubił ten taniec, kiedy walc stał się popularny w kontynentalnej Europie. Kroki były nietrudne. Za to z trudem mu przyszło poczuć obok siebie Louisę Windham, która bez ceregieli podeszła blisko i ujęła jego dłoń w swoją.

– Chciałabym wsłuchać się przez chwilę w muzykę – powiedziała. – Muszę poczuć muzykę w sobie, poczuć, jak mną porusza, jak kieruje krokami i przepełnia lekkością.

Przysunęła się jeszcze bliżej, tak blisko, że jej włosy musnęły policzek Josepha. Położyła dłoń na jego ramieniu i poczuł, że zakołysała się nieznacznie, gdy orkiestra zagrała pierwsze takty. Poddała się rytmowi muzyki, pozwalając jej sobą kierować, choć stała w objęciach Josepha.

Tym, co on poczuł w sobie, było cudowne wrażenie, że spotkał go przywilej trzymania Louisy Windham w ramionach, blisko swego ciała. Miał w swoich dłoniach ciepłe, kobiece kształty. Jej zapach, czysty i nieco korzenny, wydawał się jeszcze słodszy, gdy stała tak blisko.

W objęciach Josepha nie była tak wysoka jak w jego wyobraźni. Do jego ciała pasowała... idealnie.

Ale poczuciu uprzywilejowania i zadziwienia towarzyszył prąd podniecenia. Louisa Windham, urocza, droga jego sercu, inteligentna i dzielna, była także dorosłą kobietą, której Joseph pożądał, odkąd ujrzał ją po raz pierwszy.

Poczekał na odpowiedni moment, ścisnął delikatnie palcami jej palce i ruszył z nią do tańca. Sunęła w takt muzyki wraz z nim jak ucieleśnienie gracji, zwiewna niczym jedwab, płynna jak woda.

– Dobrze prowadzisz – powiedziała z przymkniętymi oczami. – Jak urodzony tancerz.

Dokuczały mu uszkodzone kolano i biodro, ale mając taką partnerkę jak Louisa Windham i słysząc uskrzydlającą muzykę osiemnastoosobowej orkiestry, Joseph Carrington tańczył.

Im dłużej razem krążyli w walcu, tym lepiej im się tańczyło. Louisa pozwalała mu się prowadzić, decydować, w którą stronę się obrócić i jak blisko trzymać ją przy sobie. Poddała się muzyce, a przez to trochę i jemu, jednak także nieznacznie go podtrzymywała.

Walc z kobietą, która uwielbia ten taniec, dawał mężczyźnie fizyczne poczucie pewności. Przyciągnął ją bliżej siebie, cudownie blisko, i uświadomił sobie, że wielką radość sprawia mu nie tyle cielesna przyjemność obejmowania jej, ile ciepło w sercu wzbudzone przez jej ufność.

Tańczyła z kulawym żołnierzem, hodowcą świń, i znajdowała w tym przyjemność.

Zbyt szybko zabrzmiała końcowa kadencja walca, lecz Louisa nie wykonała tradycyjnego dygnięcia. Nadal stała w objęciach Josepha, opierając czoło na jego barku.

– Dziękuję, sir Josephie.

Co teraz? Podniecenie szumiało w jego żyłach, cytrusowo-goździkowa woń Louisy Windham pobudzała zmysły, a głos rozsądku zaczął rozbrzmiewać mu w uszach.

Ukłon, idioto. Skłoń się nad dłonią damy i to już.

Powoli przesunął rękę po jej plecach, rozkoszując się zarysem mięśni i kości pod palcami.

– Tamtego wieczoru...

Nie cofnęła się, ale w jej plecach wyczuł napięcie.

– Podczas obiadu?

– Przepraszam. Chciałem wtedy przeprosić, ale nie miałem okazji. Nie jestem najlepszym rozmówcą, Louiso, a moje maniery... – Cóż takiego próbował powiedzieć? Wiedział, że tamten spór z damą nie doczekał się rozstrzygnięcia, ale nie tylko o to chodziło. – Pawilon Prinny'ego to ekstrawagancja, bez względu na to, czy atrakcyjna, czy też nie, a ty masz prawo wyrażać swoje wielce roztropne opinie.

Dotknął policzkiem jej włosów, starając się zapisać w pamięci każdą z rozkosznych chwil, które były mu dane:

Rozkosz złożenia przeprosin za rozmowę, w której niezbyt się popisał.

Rozkosz bliskości jej ciała, ciepłego z wysiłku, a jednak spokojnego w jego ramionach.

Rozkosz jej zapachu, czystego, słodkiego i jedynego w swoim rodzaju.

Rozkosz wynikająca z jej chęci pozostania blisko niego.

Przebiła wszystkie te rozkosze jeszcze jedną cudownością, która go zaskoczyła, której nie mógł przewidzieć w najśmielszych marzeniach. Uniosła się na palcach i go pocałowała.

Kobieta powinna ćwiczyć się w całowaniu, żeby złożyć pocałunek na policzku mężczyzny, jak zamierzała, a nie, zupełnie przypadkowo, na jego ustach.

Jakąś cząstką swojego umysłu Louisa zdumiewała się, że jej mózg potrafi myśleć, podczas gdy inną zauważyła, że z bliska, pod nutą cedru, ubranie sir Josepha pachnie lawendą, słodką i delikatną odmianą tego kwiatu, który Jej Wysokość trzymała w saszetkach z wonnościami w domach Morelandów.

Co więcej, gdy dotknęła ustami warg Josepha, jego pocałunek też okazał się delikatny. Łagodny, słodki i kuszący. Splotła palce na jego karku, żeby się nie zachwiać.

Nawet subtelny pocałunek najwyraźniej mógł zagrozić równowadze damy – a może także mężczyzny. Joseph rozstawił nogi nieco szerzej, a Louisa przylgnęła do jego szczupłej postaci. Kiedy przesunął dłonią po jej włosach, aby ująć ją za kark, Louisa zastanawiała się, dlaczego zaczyna inaczej postrzegać mężczyznę, który staje się jej partnerem w tańcu.

Usta sir Josepha były słodkie jak zaskakująco bogaty zmysłowy bukiet, który wypuścił pnącza wrażeń do jej wnętrza. Jego pocałunek, powolne smakowanie jej ust, wprawiał ją w omdlałość i zarazem ośmielał, pieścił i rzucał wyzwanie.

Mimo wszystko coś jeszcze do niej docierało. Sir Joseph się nie spieszył. Nie był niezdarny. Nie chuchał kwaśnym winem w jej szyję. Nie ugniatał jej piersi niczym ciasta na wypieki.

Nie był też obojętny na jej bliskość. Coś w nim... nabrzmiewało. I to znacznie. A może to były jego normalne wymiary?

Odsunął się nieco, więc ich ciała nie znajdowały się już tak blisko siebie, i dowód jego przypuszczalnego podniecenia przestał być dostępny badaniom Louisy. Oparła czoło na jego fularze i w milczeniu dziękowała mu za wykazanie się rozsądkiem, którego jej samej zabrakło.

Mężczyźni to dziwne stworzenia. Ci z wojennymi ranami potrafili zgrabniej jeździć konno i tańczyć, niż chodzić; a ten, który nigdy nie dotknął jej niestosownie, obdarzył ją pierwszym pocałunkiem, słodszym i bardziej intrygującym, niż kiedykolwiek mogła to sobie wyobrazić.

Ci, którzy wnosili zapach domu i szczęścia, bywali bez tytułów, nie udzielali się towarzysko i hodowali wieprzki na prowincji.

Zamierzała nieco popracować nad tym, żeby swoimi ustami nie natrafiać na usta, lecz tam, gdzie powinien się znajdować gładko wygolony policzek. Realizacja tego zamiaru wytrącała ją z równowagi, a sir Joseph zapewne myślał teraz o niej tak, jak tego nie chciała. Co gorsza, ona sama myślała o nim tak, jak nie powinna, i poczuła się trochę na niego zła, że tak się stało.

Westchnął, a Louisa uświadomiła sobie, że przywarła do jego piersi.

Szerokiej i muskularnej.

– Milady, choć ten taniec był uroczy pod każdym względem, obawiam się, że wieczór staje się coraz chłodniejszy, i najlepiej będzie, jak odprowadzę cię do sali balowej.

Louisa raz jeszcze zaciągnęła się jego zapachem, z nosem przy jego szyi, gdzie ciepło ciała potęgowało uroczą woń – lawendy, cedru i korzennych przypraw – czystą i mocną, po czym odstąpiła o krok. Cokolwiek starał się jej powiedzieć, pod każdym względem miał rację. Pora, by wróciła do swoich sióstr, ponieważ w trakcie jednego tańca i jednego pocałunku wieczór stał się nagle dużo chłodniejszy.

– Wasza Wysokość. – Joseph skłonił się z szacunkiem w przyozdobionym zielenią holu miejskiego domu hrabiego Westhavena, ściągając tym jedynie na siebie gniewne spojrzenie wychodzącego stamtąd gościa.

– Na litość boską, Carrington, wolałbym raczej, żeby mi pan zasalutował.

– Nie, Wasza Wysokość. Gdybym salutował, oznaczałoby, że jesteśmy znowu na wojnie, a przecież żaden z nas sobie tego nie życzy.

Wellington się skrzywił. Był przystojnym, choć już niemłodym mężczyzną, miał niespełna sześć stóp wzrostu, wzięcie u dam i potrafił być miły, kiedy mu to odpowiadało.

– Oponuje mi pan, sir Josephie? Widzę, że trudno się wyzbyć starych nawyków.

– Jestem tylko szczery, Wasza Wysokość. Cokolwiek innego w takim szacownym towarzystwie byłoby nie tylko niegrzeczne, ale i bezsensowne.

Książę prychnął przez nos, od którego zyskał swój przydomek „Stary Hak":

– Oszczędź mi pan pochlebstw. Jak tam się rozwija pański importowy interesik?

Na tym właśnie polegał problem związany ze służbą wojskową na Półwyspie Iberyjskim. Człowiek mógł potem wystąpić z wojska, ale mimo to nigdy tak naprawdę nie uwolnił się spod kurateli swoich byłych zwierzchników. Wellington często zwracał się do ludzi ze swojego sztabu jak do członków rodziny i nadal od czasu do czasu zapraszał ich na przyjęcia do swego domu.

– Mój interesik kwitnie, Wasza Wysokość. Dziękuję za zainteresowanie.

Książę odebrał od milczącego lokaja rękawice, cylinder i laskę.

– Zastanawiałem się, czy nie przestało cię to zajmować. Niektórzy z oficerów mieliby dość. A jak tam noga?

– Nadaje się do użytku.

– Można by to powiedzieć o każdym z nas. Tak trzymać. Wesołych świąt. – Książę podkreślił te słowa groźnym spojrzeniem i wyszedł.

– Lord Westhaven przyjmie pana teraz w bibliotece, sir Josephie.

Carrington podążył za lokajem do wnętrza domu, dziwiąc się, że w środku powietrze jest przyjemne nawet w taki ponury mroźny zimowy dzień. W domu tym było jasno i spokojnie, inaczej niż w różnych rezydencjach Josepha, a sezonowe rośliny, nabijane goździkami pomarańcze i wawrzyny tylko częściowo o tym decydowały.

Gdy Joseph został wprowadzony do biblioteki hrabiego Westhavena, zauważył, że jego gospodarz prezentuje podobne cechy – pogodę ducha i opanowanie – choć w żadnym wypadku nie zasługuje na miano jowialnego człowieka. Był przy tym przystojny: wysoki, z ciemnokasztanowymi włosami i oczami o bardziej szmaragdowozielonym odcieniu niż oczy jego siostry. Miał też nos, który mógł mu się przydać, gdy hrabia odziedziczy po ojcu książęcy tytuł.

– Sir Josephie, miło pana widzieć. Czy mam zamówić coś do przekąszenia?

– Nie trzeba, milordzie. Nie zabiorę panu zbyt dużo czasu.

– Mimo wszystko proszę spocząć. – Sam Westhaven nie zajął miejsca za wielkim biurkiem, tylko podszedł do kominka i poruszył pogrzebaczem czerwieniejący żar. – Może jednak zgodzi się pan na mały poczęstunek. Po wizycie księcia mam ochotę coś przekąsić.

Gdy Westhaven odwrócił się do niego plecami, Joseph trochę nieporadnie usadowił się na wygodnej skórzanej kanapie.

– Proszę bardzo, milordzie. Właściwie ja także nie odmówię filiżanki czegoś gorącego.

Westhaven odłożył pogrzebacz na stojak i znów się odwrócił twarzą do niego, stojąc z dłońmi opartymi na biodrach.

– Herbatę, kawę czy czekoladę?

Czekolada to napój dla rozpieszczonych kobiet... a może dla szczęśliwie żonatych hrabiów.

– Chętnie napiję się herbaty.

Westhaven zerknął w kierunku Josepha, po czym podszedł do drzwi, aby wydać polecenie lokajowi. Joseph wykorzystał tę chwilę na rozmasowanie sobie prawego uda, które podczas zimniejszej pogody dosłownie go rwało.

– Zaskoczyła mnie wizyta Wellingtona – powiedział Westhaven, siadając na wygodnym fotelu koło kominka. – Myślę, że książę uwielbia wytrącać z równowagi ludzi samą swoją obecnością. Wybiera się do Carlton House i podejrzewam, że wytrąci z równowagi nawet regenta, kiedy tam dotrze. – Westhaven wydawał się ubawiony tą myślą.

– Bóg jeden wie, że Wellington potrafił wytrącać z równowagi swój sztab, gdy naszła go na to ochota. – Nie była to może zbyt grzeczna uwaga, za to zgodna z prawdą.

– St. Just twierdzi to samo. Ale Wellington zniszczył też tego przeklętego Korsykanina, raz i na zawsze, Bogu dzięki. – Westhaven szorstkim głosem pozwolił wejść dwóm lokajom, z których każdy niósł tacę. Kiedy służący wyszli, usiadł wyprostowany i ściągnął brwi na widok mnóstwa specjałów leżących przed nim. – Niechże pan pomoże mi zjeść przynajmniej połowę tego, sir Josephie, bo inaczej żona udzieli mi długiej pogadanki na temat zdrowia, kiedy się z nią zobaczę. Ona ma swoich szpiegów w kuchni, a ja niczego przed nią nie ukrywam.

– I nie próbuje pan ukrywać.

– Nie.

Sir Joseph patrzył, jak regularne rysy twarzy Westhavena układają się w uśmiech tak przyjazny, tak zaślepiony miłością, że musiała upłynąć chwila, nim Joseph przypomniał sobie, gdzie widział już taką minę.

– Czy ktoś panu powiedział, że jest pan podobny do swojego ojca?

Hrabia zatrzymał czajniczek na wysokości kilku cali nad tacą.

– Do Morelanda? Nie, nie sądzę. Z czym pija pan herbatę?

Nawet zaprzeczając, Westhaven zachowywał się jak książę, co tylko sprawiło, że cel tej wizyty stał się dla Josepha jeszcze bardziej kłopotliwy. Hrabia podał mu herbatę, podsunął ciepłe maślane babeczki i podjął rozmowę o polityce i sprawach finansowych, aż z tac znikło zaskakująco dużo jedzenia.

Joseph spojrzał na zegar i uznał, że jeśli jeszcze trochę posiedzi wygodnie przy kominku, to uśnie i nie obudzi się wcześniej niż za dwadzieścia lat.

– Pewnie się pan zastanawia, dlaczego prosiłem o to spotkanie, milordzie?

– Przyznaję, trochę mnie to ciekawi.

I nic ponadto. Josepha drażniła ogłada jego rozmówcy, choć zarazem ją podziwiał.

– Niedawno dostałem list od pańskiego przyrodniego brata, St. Justa.

Wyraz twarzy hrabiego się nie zmienił.

– I co takiego mój brat napisał, że skłoniło to pana do przyjścia tu w taki zimny i posępny dzień?

Nie powiedział przyrodni brat, tylko brat – znamienna różnica.

– Wyraził pewne zaniepokojenie z powodu pańskiej siostry, lady Louisy, i prosił, abym się wywiedział... – Westhaven nie był wojskowym. Joseph miał ochotę wstać i przejść się po pokoju, ale taki manewr byłby niezręczny, a nawet niegrzeczny. W dodatku określenie „wywiedzieć się" w odniesieniu do kobiety brzmiało niezbyt wyszukanie.

– Chciał, żeby miał pan oko na Louisę? Z jakiegoś szczególnego powodu?

Zielone oczy nadal wpatrywały się w Josepha, oczy takie jak u St. Justa, chociaż może patrzące z nieco większą rezerwą.

– Wedle słów St. Justa, milordzie, wasza siostra, by tak rzec, przeprowadza odwrót z frontu, a St. Just nie ma zamiaru ułatwiać jej decyzji w tym względzie.

Westhaven uniósł palec wskazujący, po czym powoli i rytmicznie postukał nim w swoje usta, podczas gdy Joseph wpatrywał się w dzbanek z czekoladą.

– Louisa nie jest tchórzem – powiedział hrabia.

– A St. Just nie ma skłonności do dramatyzowania.

Wcześniej Joseph długo się zastanawiał nad tą prośbą przyjaciela, upominając sam siebie, że to nie jest rozkaz zwierzchnika. Choć Joseph skłonny był znosić katusze w obecności Louisy Windham, nie miał zamiaru podsuwać nikomu listy mężczyzn, z którymi dama ta tańczyła albo rozmawiała, zwłaszcza że jednym z nazwisk na takiej liście było jego własne.

Westhaven zmarszczył swój patrycjuszowski nos.

– St. Just po prostu martwi się o młodsze rodzeństwo. Trzeba to brać pod uwagę. Dlaczego przychodzi pan z tą sprawą do mnie?

– Jeżeli interesy tej damy wymagają ochrony, to czyż jej bracia nie nadają się lepiej ode mnie na jej stróżów?

I znowu stukanie w usta i badawcze spojrzenie zielonych oczu, które niczego nie zdradzały.

– Nie ma pan sióstr, sir Josephie?

– Ani sióstr, ani kuzynek, ani nawet ciotek. Ale mam córki. – A także synów, choć nie należało o nich wspominać w kręgach socjety.

– Siostry są wyjątkowo nieznośne, a przy tym drogie sercu. – Wyrażając tę opinię, Westhaven nalał sobie następną filiżankę czekolady. – Wymagają ochrony, nawet rozpieszczania, jednak nie dają bratu specjalnej do tego okazji. Moi bracia zgadzają się ze mną co do tego. Siostry są zbyt uparte, na swoją szkodę, a jeśli chodzi o moje siostry, to także diabelnie sprytne.

– Lady Louisa to nadzwyczaj inteligentna kobieta. – Joseph nie miał zamiaru mówić więcej na jej temat, zwłaszcza hrabiemu Westhavenowi. Najmniejszego zamiaru.

– Kobiety, w opinii większości mężczyzn, nie mogą być nadzwyczaj inteligentne, sir Josephie. Louisa pojęła to, ale postanowiła nie korzystać ze swojego sprytu, żeby usidlić jakiegoś niegroźnego człowieka i wyjść za niego.

Louisie Windham prędzej pękłoby serce, niżby zastawiła sidła na jakiegoś niegroźnego człowieka. To, że jej brat tego nie rozumiał, było... irytujące i rozczarowujące. Sir Joseph starał się nie rozmyślać o tym, jak wpłynęłoby to na siostrzane uczucia Louisy.

– Tyle że jakiś wcale nie taki niegroźny człowiek mógłby próbować usidlić ją, Wasza Lordowska Mość. Krążą słuchy, że ona i jej siostry są dobrze uposażone.

Oblicze Westhavena spochmurniało.

– Moja małżonka powiada to samo, ale Louisa, Eve i Jenny bardzo się nawzajem pilnują na przyjęciach i balach. Przypuszczam, że St. Just dąży do wzmocnienia straży, wykorzystując pańskie baczne oczy.

– Coś w tym rodzaju, ale ponieważ rzadko tańczę, a rozmawiam jeszcze rzadziej, nie najlepszy ze mnie szpieg.

Posłużył się takim nieładnym słowem, licząc na to, że Westhaven zrobi coś i oszczędzi mu konieczności spełniania prośby St. Justa.

– Szpieg. – Westhaven uśmiechnął się, tym razem zupełnie inaczej. W sposób zadowolony z siebie, wyrachowany, a mina ta przywodziła na myśl księcia, jego ojca, wpadającego na jakiś świetny pomysł w parlamencie. – Otóż to, potrzebny nam szpieg. Z pewnością potrafi pan zrozumieć, że moje starania, by przypilnować tej sprawy, byłyby bezsensowne? Louisa spławiłaby mnie przed pierwszym wieczornym walcem, a Jenny i Eve pomogłyby jej w tym. Jego Wysokość byłby jeszcze bardziej niż ja podobny do kota wśród gołębi, ale pan nie wzbudzi u nikogo podejrzeń, sir Josephie. – Przestał się uśmiechać, wypowiadając to ostatnie spostrzeżenie, po czym w skupieniu ściągnął brwi. – Istotnie muszę poprzeć życzenie brata, choć z największym trudem przychodzi mi prosić pana o pomoc.

Joseph wstał niezgrabnie, zły na swoją przeklętą nogę, na przeklętego byłego dowódcę i na swoją przeklętą troskę o kobietę, która ledwie przelotnie zwracała na niego uwagę.

– Nie będę szpiegował pańskiej siostry, Westhaven. Szpiegowanie damy to rzecz niehonorowa, a ta dama zasługuje na więcej ze strony swojej rodziny. Do widzenia panu.

Westhaven zerwał się na nogi z budzącą zazdrość lekkością.

– Nie tak szybko, jeśli łaska. Proszę mi pozwolić inaczej sformułować moją prośbę.

– To nie była prośba, Westhaven. I naprawdę czas już na mnie. – Dostojny odwrót niezupełnie był możliwy, w każdym razie nie wtedy, gdy Josepha akurat zaczęła boleśnie rwać prawa noga. Zdołał jakoś ruszyć w stronę drzwi, ale Westhaven położył mu rękę na ramieniu.

– Proszę pana tylko o chwilę, sir Josephie.

O chwilę, w której ten człowiek naśle szpiega na rodzoną siostrę. Sir Joseph przypuszczał, że Westhaven nie odpuści, więc może i lepiej będzie wysłuchać, co takiego ma do powiedzenia.

– Słucham.

– Napije się pan?

Joseph mimochodem zerknął na kredens, gdzie pół tuzina karafek i butelek tworzyło wspaniale zaaranżowany bukiet trunków.

– Proszę mówić, co ma pan do powiedzenia, Westhaven. Myślę, że ktoś, kto jest w stanie udzielić lady Louisie pomocy, powinien znać powody troski St. Justa, a nie obcy człowiek, który w każdej chwili może zostać wezwany do Kentu.

– Jest pan sąsiadem, a nie obcym. Służył pan pod rozkazami St. Justa i lorda Barta, brał udział w polowaniach z księciem. Jej Wysokość pana lubi.

To ostatnie najwyraźniej miało dla Westhavena znaczenie. Zaintrygowało też Josepha, ale nawet aprobata księżnej nie liczyła się dla niego aż tak bardzo.

– Westhaven, wielce sobie cenię pańską rodzinę, a pańską siostrę, lady Louisę, szczególnie. Niechże mnie pan nie prosi, żebym naruszał jej prywatność bardziej, niż uczyniłem to, przychodząc dziś tutaj.

– Dobrze więc, niech nie narusza pan jej prywatności. – Westhaven opuścił rękę i obrzucił Josepha oceniającym spojrzeniem. – Tylko proszę nie pozostawiać jej bez opieki, choćby niewidocznej. Ja nie mogę podjąć się tej roli, nie tylko z tego powodu, że wraz z hrabiną wyjeżdżam na wieś. Będziemy tam przez cały następny tydzień, zanim dołączymy do moich rodziców na święta. Nie ośmieliłbym się wciągać w to swojego ojca, bo on sam już postanowił zaangażować się w swaty. Gdyby Louisa się o tym dowiedziała, od razu wyjechałaby na północ, nie tracąc nawet czasu na spakowanie więcej niż dwóch książek.

Kolacja, głównie w męskim gronie rozprawiającym o polityce, w domu Windhamów, wydała się Josephowi rozsądniejszą propozycją. Zaiste, kolacja w pełni polityczna.

– Czy Louisa wie, że jej ojciec zajmuje się swataniem?

– Wątpię, że rozgłaszał swoje zamiary, a Jej Wysokość najczęściej pomaga mu w urzeczywistnianiu jego planów.

Dobry Boże. Chłód panujący na zewnątrz zdawał się przenikać do wnętrzności Josepha.

– A więc teraz aż do świąt Bożego Narodzenia każdy ze zubożałych kawalerów, którzy akurat nie polują w hrabstwach, postara się wkraść w łaski Jego Wysokości.

– Sam pan rozumie, w czym problem.

Westhaven odstąpił, pozwalając wyobraźni Josepha odgrywać sceny z lady Louisą nagabywaną w ogrodach, w pobliżu schodów, w szatniach i prywatnych salonach – niedaleko jemioły i świątecznego ponczu pomagających każdemu młodemu człowiekowi korzystać z okazji.

Wesołe święta Bożego Narodzenia, doprawdy!

– Ona uwielbia tańczyć – powiedział Joseph ledwo dosłyszalnie.

– Louisa?

Jak Westhaven może tego nie wiedzieć o swojej siostrze?

– Tak, lady Louisa. Nie będzie podejrzewała, że lista jej partnerów do tańca staje się długa, bo jej papa daje do zrozumienia, że ona szuka męża, aż jakiś idiota powie jej coś niestosownego.

– Louisa potrafi radzić sobie z idiotami.

Nie w tym rzecz – jej rodzony brat był idiotą. Problem polegał na tym, że będzie urażona, kiedy zda sobie sprawę, iż to knowania ojca, a nie jej urok, zapewniają jej wzięcie na tanecznym parkiecie.

– Będę miał na nią oko, ale nie będę informował ani pana, ani St. Justa. – Joseph usłyszał wypowiadane przez siebie słowa. – A pan nie powie o niczym ani swemu ojcu, ani matce, natomiast ja powiadomię lady Louisę o swojej roli.

Westhaven uniósł brwi.

– Odradzałbym to. Ona zastosuje uniki i zniweczy efekt pańskich starań.

– Nie rozumie pan swojej siostry, Westhaven. Teraz pana opuszczę, a kiedy będę zmuszony wyjechać do Kentu przed świętami, dam panu o tym znać.

Joseph mógł się nacieszyć widokiem zdumienia, choćby przelotnego, na twarzy Westhavena. A potem na obliczu tym zagościł kolejny uśmiech, tym razem słodki i nieco porozumiewawczy.

– W takim razie dzięki. I powodzenia.

Joseph pożegnał się z Westhavenem i odebrał kapelusz, rękawice i laskę od lokaja przy frontowych drzwiach. Zamiast zaszyć się w bibliotece Westhavena i rozkoszować się kapką doskonałej brandy w męskim towarzystwie, wyszedł samotnie na mroczne, mroźne zimowe popołudnie.

6

Co to takiego? – Ellen Windham podniosła mały tomik, który jej mąż właśnie rzucił na nocny stolik.

– Poezja. – Lord Valentine usiadł na łóżku i zajął się ściąganiem butów. – Dosyć frywolna, ale myślę o podłożeniu muzyki do niektórych z tych wierszy.

Ellen usiadła obok niego i zaczęła wertować książkę.

– „Wenus przeznaczyła wyłącznie dla ciebie najlepszy miłosny cierń...” – przeczytała na głos. – „Kupidyn bez skruchy miesza miłość i nienawiść w jednej czarze...” – Czytała nadal, podczas gdy Valentine wstał i dokończył rozbieranie się.

– Zajmiesz się mną, żono, czy też będziesz zaprzątać swój umysł tymi lubieżnymi strofami?

– Niektóre z nich są piękne. Nawet większość. – Odłożyła tomik i popatrzyła na męża stojącego nago przy kominku. – Ty też jesteś piękny.

Uśmiechnął się do niej i wziął ją za rękę.

– Muszę odesłać tę książkę Louisie, która zbiera takie rzeczy, ale możesz wybrać dla mnie te wiersze, które uznasz za dobre, a ja dobiorę do nich muzykę.

Podeszła do niego, pozwalając mu wziąć się w objęcia.

– Czy chcesz, żebyśmy byli teraz w Londynie, Valentine? Boże Narodzenie tuż-tuż, a twoja rodzina zbiera się tam.

– A zatem są o dzień drogi od nas, a utwory muzyczne łatwiej mi się komponuje, kiedy pracuję nad nimi tu, blisko ciebie i dziecka. Martwi cię to?

Schyliła głowę, opierając ją o jego pierś, co skłoniło go do okazania takiej mężowskiej troski, jakby chciał uwolnić żonę od wszelkiego niepokoju, a może też sprawić, by zapomniała wszystkich znanych sobie słów.

Gdy zanosił Ellen do łóżka, przemknęło jej przez głowę pytanie, dlaczego Louisa Windham kolekcjonowała zbiorki frywolnych wierszy, bardziej lub mniej uroczych.

Próby dopasowania swojego stroju do garderoby lorda Lionela wystarczyły do przekonania się Louisy o kilku gorzkich prawdach.

Po pierwsze, brakowało jej takiej cechy, która umożliwiała większości młodych dam zajmowanie się strojami i dodatkami do nich nie tylko przez kilka godzin lub dni, ale także przez całe tygodnie lub nawet przez całe życie. Uzmysłowiwszy to sobie, potwierdziła oczywistą dla siebie od dawna prawdę.

Po drugie, ojciec Louisy znowu coś szykował – to znaczy, że pożenił już synów, a teraz Louisa znalazła się w misternej siatce jego zabiegów w roli swata. Co gorsza, Jej Wysokość spiskowała razem z nim, radośnie planując następne przyjęcie przed wyjazdem do Morelands pod koniec tygodnia.

A wywieszenie w tym roku jemioły na drzwiach ich miejskiej rezydencji aż prosiło się o odpowiedni opis.

Trzecią prawdą, którą Louisa usiłowała traktować z pewnym rozczarowaniem, była jej własna wina w rozbudzeniu płonnych nadziei Lionela Honitona.

Tańczył nieźle.

Ubierał się w miarę gustownie.

Zasypywał ją pięknymi komplementami, niczym Święty Mikołaj rozdający świąteczne prezenty.

Uśmiechał się pobłażliwie, aż chciała mu przyłożyć pięścią w jego męski podbródek, a jednak…

Pewnego dnia w odległej przyszłości mógł zjawić się ktoś, kto przymknąłby oko na gafy i nierozważne czyny, popełnione przez Louisę w przeszłości, choć gafy te były poważne, a nierozważne czyny godne potępienia. Jednakże po upływie dwudziestu lat wydawały się mniej katastrofalne. Z czasem stałyby się może czymś tak nieważnym, że Louisa mogłaby opowiedzieć o nich przyszłemu małżonkowi i nie zostać sromotnie odrzucona z powodu takich wyznań.

Liczyła na to. A Lionel z pewnością nie był odpowiednim kandydatem na takiego przyszłego małżonka.

Na razie należało delikatnie go zniechęcić bez odstraszania innych, więc Louisa skupiła teraz uwagę na takim właśnie wyzwaniu.

– Musisz zainteresować się przyjaciółmi lorda Lionela – powiedziała po raz kolejny Jenny, dowodząc tym samym, że dorównuje niecierpliwością Jego Wysokości, choć miała na celu coś zupełnie innego. – Deene przyjaźni się i z księciem, i z St. Justem, sir Joseph to zaufany sąsiad, który służył w wojsku z St. Justem i Bartholomew, a nawet Hazelton pozostawał w dobrych stosunkach z naszą rodziną, zanim nie wyszła za niego Maggie.

– Hazelton podsłuchiwał przez dziurki od klucza i wzbudzał popłoch na każdym porządnym przyjęciu – odparła Louisa.

– A teraz świetnie się z nim dogadujesz – wtrąciła Eve. – Lionel nie ma specjalnych atutów poza tym, że stylowo się kłania i ma pewne wyczucie mody. Podobno z jego sprawami finansowymi nie najlepiej.

Louisa stała z siostrami wśród paproci na skraju balkonu, choć nawet w tak odosobnionym miejscu Eve mówiła ściszonym głosem.

– Cóż, nie musisz się obawiać, że będziesz miała Lionela za szwagra. – Louisa powinna była powiedzieć to ostrzej, dużo ostrzej.

Jenny oderwała listek paproci.

– Pokłóciłaś się z nim?

– Jeszcze nie. – Louisa przypatrywała się, jak palce jej siostry pozieleniały od rozcierania liścia paproci. – I mam nadzieję, że do tego nie dojdzie.

– Poszukaj kogoś innego do flirtowania – powiedziała Eve tonem tak przerażająco pragmatycznym, jak gdyby oceniała salę balową. – Ja tak robię, chociaż wolę w każdym sezonie poznać ze trzech albo czterech nowych. Wtedy na ogół nie wyobrażają sobie za wiele, pod warunkiem że się żadnego z nich nie wyróżnia.

Gdy Louisa zastanawiała się, co na to odpowiedzieć, podszedł do nich Timothy Grattingly.

– Panie Grattingly. – Louisa wyciągnęła rękę. Niezbyt ją uradował jego widok, chociaż nadejście Timothy'ego przerwało rozmowę, która przeradzała się w męczące przesłuchanie urządzone jej przez siostry. – Czy już pora na ostatni walc?

– Już? – Grattingly uśmiechnął się, choć uśmiech ten skojarzył się Louisie z chytrym grymasem. – Odliczałem minuty, sekundy nawet! Chodźmy, milady, żeby nie zabrakło dla nas miejsca na parkiecie.

Louisa wstała, lecz te same myśli, które podpowiadały jej, że nie powinna już zabawiać się z lordem Lionelem, skłoniły ją teraz do podjęcia decyzji, że nie warto zawracać sobie głowy tym ociężałym idiotą, nawet przez dziesięć minut – czyli sześćset sekund – gdyż tyle zazwyczaj trwał walc.

– A może zaczerpniemy trochę powietrza w oranżerii, panie Grattingly? Zbyt chłodno na dworze i przyznam, że chętnie przeszłabym nieco wcześniej do jadalni.

– Nie zależy pani na walcu? – Jego mina wyrażała konsternację, bo rzeczywiście Louisa po raz pierwszy, o ile dobrze pamiętała, odrzuciła propozycję tańca.

Stojąca obok niej Jenny przestała zabawiać się paprotką i włożyła z powrotem rękawiczki.

– Jeśli ma pan ochotę zatańczyć, panie Grattingly, mogę wyświadczyć panu przysługę.

Propozycja Jenny była rzucona nie tylko wprost, ale także bezzwłocznie. W dodatku to zupełne niepodobne do Jenny, by zdobyć się na tak ogromne poświęcenie.

– Nonsens. – Louisa wzięła Grattingly'ego pod rękę. – Pan Grattingly nie zechce mi odmówić.

Chociaż wyraźnie nie miałby nic przeciwko temu. Przeszli przez salę balową, znajdującą się naprzeciw oranżerii, zatrzymując się, by zamienić parę słów dosłownie z każdą napotkaną osobą. Natknęli się nawet na Lionela, z którym Grattingly wymienił konwencjonalne uprzejmości, podczas gdy Louisa starała się uśmiechać i nie wyglądać na znudzoną.

Lionel włożył tego wieczoru strój w barwach lawendy, złota i bieli. W umyśle Louisy symboliczne zmienne, oznaczające kolory jego kamizelki, surduta, spodni i pończoch, ułożyły się w algorytm. Później w tym tygodniu zmieni kamizelkę i pończochy na inne, w kolorze różu, złota i bieli. A potem na jeszcze inne, brązowe, złote i białe...

– Pozwoli pani? – Grattingly skłonił się i przeprowadził ją przez otwarte drzwi do oranżerii. Twarz Louisy owiało wilgotne, pachnące ziemią powietrze. Miejsce to było dość dobrze oświetlone i na szczęście spokojne, chociaż niewątpliwie niektóre pary szukały tam wytchnienia od sali balowej.

– Usiądziemy? – zapytał Grattingly. – Sam nie miałbym nic przeciwko temu, żeby dać odpocząć nogom. – Zaszczycił ją kolejnym ze swoich nieprzyjemnych uśmiechów.

– Może na tej ławce – powiedziała Louisa, wskazując na pierwszą, którą zobaczyła.

– A może znajdziemy najpierw słynną bożonarodzeniową orchideę? Podobno teraz kwitnie, a członkowie Towarzystwa Botanicznego przychodzą tu codziennie, żeby ją szkicować, wąchać i zachwycać się jej wyglądem.

Louisa już widziała ów kwiat, lecz Grattingly zaciągnął ją za rękę w głąb oranżerii.

– Nie wiedziałam, że nasi gospodarze mogą się pochwalić storczykami w swojej kolekcji roślin.

Grattingly zatrzymał się obok ocienionej ławki przy żwirowej ścieżce.

– Usiądźmy tutaj.

Stanął tak, że znalazł się między Louisą a drogą powrotną do sali balowej. Nie był dużo wyższy od Louisy, ale za to krępy, i tak tarasował przejście, że poczuła w brzuchu lekki ucisk.

– Panie Grattingly, mogliśmy usiąść blisko otwartych drzwi, a miejsce, które pan wybrał... och!

– Wybrałem idealne miejsce – odparł Grattingly, napierając całym ciałem na Louisę. Przycisnął ją do drzewa, oddalonego od ścieżki, w cieniu.

– Panie Grattingly! Niech pan się nie ośmiela...

Wilgotne usta przywarły do podbródka Louisy, a odór oddechu kwaśnego od wina wypełnił jej nozdrza.

– Oczywiście, że się ośmielę. Sama mnie pani błagała, żebym panią tutaj zaciągnął. Jak niby miałby się zachować mężczyzna na widok tych cycków niemal wystających z gorsetu?

Wepchnął dłoń w dekolt sukni Louisy i zacisnął palce na jej piersi. Przez moment Louisa była zbyt wstrząśnięta, by myśleć, a potem zawładnęło nią coś silniejszego od strachu.

– Ty obleśny, bezczelny, cuchnący, pijany, bezmyślny pachołku! – Naparła na niego mocno, ale nawet się nie poruszył, a jego grube, mokre usta wykrzywiły się ohydnie. Louisa usłyszała w głowie słowa swojego brata Devlina, instruujące, jak posłużyć się w takiej sytuacji kolanem, kiedy Grattingly nagle odpadł on niej i wylądował tyłkiem na ziemi.

– Przepraszam. – Sir Joseph stał tuż przed nią, jakby od niechcenia rozpinając wieczorowy surdut. Wyraz twarzy miał równie opanowany jak ton głosu i choć narzucił surdut na ramiona Louisy, nie spuszczał wzroku z Grattingly'ego. – Mam nadzieję, że nie przeszkadzam.

– Nie. – Louisa otuliła ramiona jego nagrzanym od ciała surdutem, znajdując pocieszenie w cedrowej woni i cieple. – Pan Grattingly właśnie odchodzi.

– Kim, do diabła, jesteś – rzucił wściekle Grattingly, z trudem wstając – żeby tu przychodzić i zakłócać damie przyjemność?

Gdzieś nieco dalej zamknęły się drzwi. Louisa zarejestrowała ten odległy odgłos w takim stopniu, w jakim zwróciłaby uwagę na deszcz, który rozpadałby się w trakcie czytania przez nią dobrej książki.

I choć teraz dobrej książki nie czytała, instynktownie wiedziała, nagle i bez udziału woli, że wpadła w coś absolutnie niedobrego.

– To nie była dla mnie przyjemność, głupcze. – Loiusa miała zamiar wyrzucić z siebie te słowa ze zjadliwym wzburzeniem, ale, ku swemu przerażeniu, jej głos drżał. Uginały się też pod nią nogi, więc usiadła na twardej ławce.

– Co tu się dzieje? – Lionel Honiton stał na ścieżce, a ze trzy albo cztery osoby zebrały się za nim.

– Nic – odpowiedział sir Joseph. – Ta dama dostała migreny i zbiera się do odejścia.

– Migreny! – Grattingly zerwał się na równe nogi, choć Louisie wydało się, że zachwiał się przy tym trochę. – Ta suka miała właśnie dostać coś o wiele...

Sir Joseph, jak wszyscy inni goście, miał na dłoniach wieczorowe rękawiczki. Gdyby nadal okrywały jego dłonie, stłumiłyby głośny, charakterystyczny odgłos uderzenia, gdy huknął Grattingly'ego w szczękę.

Lionel wystąpił naprzód.

– Spokojnie. Grattingly, przeproś. Wszyscy widzimy, że jest pan trochę wstawiony. Nikt się nie obrazi za coś, co człowiek powie po paru głębszych, racja?

– Nie jestem pijany, ty ośle. Ty...

– To nie brzmi jak przeprosiny. – Sir Joseph włożył rękawiczki. – Moi sekundanci zgłoszą się do pańskich. Gdyby ktoś ze zgromadzonych tutaj przestał się gapić i sprowadził siostry tej damy, byłbym wdzięczny.

Nie powiedział nic więcej, po prostu obrzucił wszystkich z zebranej gromadki przenikliwym spojrzeniem, a Lionel odprowadził wtedy gapiów z powrotem do sali. Nikt nie odezwał się do Grattingly'ego, który poczłapał w ubrudzonych spodniach, mamrocząc coś, czego Louisa nie zrozumiała.

Sir Joseph nie prosił o przyzwolenie. Usiadł obok Louisy, a ona walczyła z pragnieniem, aby wtulić się w niego i sama wymamrotać kilka przekleństw.

– Louiso? – Łagodność jego głosu była denerwująca. – Nic ci się nie stało?

Przytaknęła ruchem głowy, ale była to nieprawda. Gdyby Joseph nie nadszedł w porę, tłum gości zobaczyłby coś o wiele gorszego od pogniecionej sukni czy Grattingly'ego strzepującego kurz ze swojego tyłka w atłasowych spodniach.

– Jesteś roztrzęsiona. – Sir Joseph podał jej chusteczkę. – Zaraz dostaniesz dreszczy. Czasami ja też miewam chwile słabości. Raz, ku własnemu przerażeniu, się rozpłakałem. Na szczęście tylko mój koń był świadkiem mojego upokorzenia.

– Czy Grattingly też próbował cię pocałować?

– Grzeczna z ciebie dziewczyna. – Jak mężczyzna może zawrzeć tyle aprobaty i ciepła w kilku takich niemądrych słowach? – Napijesz się łyczka?

– Twojej specjalnej nalewki?

Podał jej piersiówkę.

– Nic innego tak dobrze nie działa. Muszę zapytać jeszcze raz, Louiso: czy nic złego ci się nie stało?

– Będę miała kilka siniaków. Wyśledziłeś nas tutaj?

– Nie. Szukałem tu ciepła i spokoju.

Kłamał. Sprawnie mu to poszło, ale naginał prawdę po raz pierwszy, odkąd zawarł znajomość z Louisą. Kiedy tak siedział spokojnie obok niej, a jego nalewka rozgrzewała jej trzewia, spokój i ciepło przywróciły Louisie opanowanie.

– Nie chcesz chyba naprawdę zmierzyć się z tym idiotą w pojedynku na pistolety?

Sir Joseph upił łyk z piersiówki i podał ją znowu Louisie.

– Grattingly może wybrać szpady, choć i nimi władam nieźle. Wellington wymagał tego od swoich sztabowców, poza sprawnością na parkiecie tanecznym.

– Rozumiem. – Podała mu piersiówkę.

– Proszę ją zatrzymać. Co takiego rozumiesz?

– Moi bracia szeptaliby po kątach, jakby ich siostry nigdy nie słyszały o pojedynkowaniu się o dobre imię damy. A ty tu siedzisz i zwyczajnie przyznajesz, że chcesz stoczyć pojedynek w obronie mojego honoru.

Chciała się posprzeczać, z nim albo z kimkolwiek. Ta potrzeba bójki na słowa była kolejną reakcją na sponiewieranie, lecz choć miała tego świadomość, nie zamierzała się zdać na łaskę swojego wybawcy.

– W rzeczywistości to twoi bracia prosili mnie, żebym czuwał nad tym, co się z tobą dzieje, a jeszcze nie znalazłem sposobu na to, byś zaaprobowała mnie w takiej roli. Oto jak ja to rozumiem, Louiso. Po pierwsze, wyrządziłabyś mi krzywdę, uważając, że próbuję udawać, iż tak urocza istota jak ty nie powinna kłopotać się całą sprawą. Po wtóre, twój honor doznał poważnego uszczerbku na oczach widowni, która już rozpowiada całemu światu o tych kilku szczegółach zajścia, jakie zauważyła. Mogę przyjąć przeprosiny Grattingly'ego, zakładając, że będzie na tyle rozgarnięty, żeby je złożyć, co w żaden sposób nie naprawi twojej reputacji.

– A stoczenie pojedynku naprawi?

– Zapewne nie, ale przynajmniej przysłuży się temu, aby na moim honorze nie było skazy.

Obróciła się i oparła czoło na jego muskularnym barku, ponieważ pojęła w pełni znaczenie całej sytuacji. Czuła się tak, jakby zwaliła się na nią zimna, cuchnąca lawina błota. Oddech uwiązł jej w piersi, w głowie dudniło.

– Jestem skończona, prawda? Jedno głupie zajście w oranżerii z tym kretynem i lata dobrego prowadzenia się przestają się liczyć. Gdybym przynajmniej dopuściła się jakiegoś grzechu, mogłabym zabawiać się wspominaniem go przez lata; ale nie, nic z tego. Niewątpliwie to ja zwabiłam Grattingly'ego tutaj, tak jak przywiodłam do zguby tylu innych mężczyzn w ogrodach i salonach. Mój oddech cuchnie, jestem posiniaczona i...

Sir Joseph objął ją ramieniem. W chwili, gdy odnalazły ich siostry Louisy, ona sama była prawie przekonana, że nikt nie będzie wiedział, iż wypłakiwała swoje żale.

Nikt, oprócz sir Josepha.

– Niemal już sam chciałem wyzwać tego cholernego drania na pojedynek. – Książę Moreland podszedł do okna i obrócił się na pięcie z wojskową precyzją. – St. Just już jedzie z północy, a wiem, że Valentine tylko czeka na właściwy moment w Oxfordshire, bo Westhaven go o to poprosił. Paskudna sprawa, Carrington. Bardzo paskudna.

– O tej porze w piątek będzie już po wszystkim, Wasza Wysokość.

– Może dla ciebie, ale co z moją Louisą? Co z jej siostrami? – Książę namacał podłokietnik fotela. – I co z moją drogą księżną? Ucichła. Nie łaja mnie, odkąd się to wydarzyło. A kiedy księżna Moreland przestaje besztać swojego księcia, oznacza to zagrożenie naturalnego porządku rzeczy.

Joseph wstał z fotela i podszedł do kredensu. Powąchał kilka karafek, zdecydował się na armaniak i nalał go do kieliszka.

– Niech pan wypije dla zdrowia, Wasza Wysokość.

Moreland przyjął podany kieliszek, ale trzymał go w dłoni, nie pijąc.

– Gdybym się nie bał, że moja żona wyzionie ducha z wściekłości, to, na Boga, sam go wyzwałbym, Carrington.

Joseph usiadł ponownie.

– Tyle że pojedynek ma właśnie nie dopuścić do tego, żeby żal przerodził się w otwartą waśń, Wasza Wysokość. Rodzina Grattingly'ego jest na tyle bogata i ambitna, że mogłaby zaszkodzić Windhamom. Muszę też przyznać, że pańscy dwaj synowie powierzyli mojej pieczy dobro lady Louisy.

Książę obrócił parę bystrych niebieskich oczu na Josepha.

– Poprosili pana o to? Nie mówiąc o tym mnie?

Joseph uznał, że ostatecznie jednak nie zawadzi mu drink, i zyskał nieco czasu na ułożenie w głowie argumentów, nalewając sobie odrobinę brandy.

– Przeklęta paskudna pogoda.

– Do diabła z pogodą, przynajmniej nie pada śnieg... jeszcze. – Książę wypił swój trunek jednym haustem i odstawił kieliszek. – O co chodzi z tym powierzeniem panu przez moich chłopców zadania pilnowania ich siostry?

Był to właśnie jeden z powodów, dla których sir Joseph nie chciał mieć tytułu. Wtedy bowiem musiałby się liczyć z innymi utytułowanymi, starszymi kolegami mającymi o sobie wysokie mniemanie, jak również z młodymi arystokratami, bardziej wpływowymi niż rozsądnymi, i też mającymi o sobie wysokie mniemanie.

– St. Just powiadomił mnie, że byłby wdzięczny, gdybym zainteresował się towarzystwem Louisy pod jego nieobecność. Powiedziałem o tym Westhavenowi, ale on potem wyjechał do Surrey. Twierdził, że musi tam wyskoczyć, zanim dołączy do rodziny w Kent.

Książę poradził sobie z drugim drinkiem równie sprawnie jak z pierwszym.

– Zgaduję, chociaż to tylko domysły, że Louisa zagroziła wyjazdem na północ, a St. Just chciał, żeby ktoś go uprzedził, gdyby wyruszyła w tamtym kierunku. Ten chłopak jest wciąż za nerwowy po stoczeniu tylu bitew. Jej Wysokość martwi się i o niego.

Podczas gdy sam książę wydawał się nieco bardziej uspokojony.

– Jeszcze jednego drinka, Wasza Wysokość?

Książę obrzucił opróżniony kieliszek smutnym spojrzeniem.

– Lepiej nie. Jej Wysokość ma złe zdanie o zbytnim dogadzaniu sobie. A sytuacja wymaga jasnej głowy.

– Owszem, więc proszę pozwolić mi wyjawić moje powody.

Książę wysłuchał Josepha do końca, nie przerywając mu ani razu. Kiedy Joseph wyłożył księciu swoje argumenty, w książęcym salonie zapadła cisza, zakłócana tylko sykiem ognia i cichymi trzaskami w kominku oraz szumem zimowego wiatru za wielodzielnymi oknami.

Książę oderwał wzrok od płomieni i zwrócił się do swojego gościa.

– Muszę omówić tę sprawę z księżną, Carrington. Miałem szczęście swatać młode pary, zanim taka praktyka stała się powszechna w kręgach socjety. Szło mi całkiem dobrze i mam nadzieję, że moi rodzice zauważyli to z jakiegoś wygodnego miejsca w niebiosach. Ich związek miał charakter dynastyczny.

Joseph zrozumiał przestrogę: Przyjmując, że przeżyje do końca tygodnia, i zakładając, że dama, o którą chodziło, przystanie na któryś z jego planów, zapewnienie jej doczesnego szczęście miało się stać jego powinnością. Perspektywa ta nie była jednak dla niego aż tak przytłaczająca, wprost przeciwnie, wydawała mu się czymś w rodzaju świątecznego prezentu, znacznie wspanialszym od jakiegokolwiek deseru.

– Pojmuję pańską troskę, Wasza Wysokość. Jeśli lady Louisie nie spodoba się mój plan, wówczas niezwłocznie wycofam swoją ofertę.

Nowa chwila milczenia, podczas której Joseph znosił badawcze spojrzenie bystrych niebieskich oczu.

– W porządku, Carrington. Przyślę do pana Louisę, ale proszę mi życzyć powodzenia z księżną. Jeśli wynikła z tego kłótnia sprawi, że Jej Wysokość odzyska formę, to opróżnię zawartość wszystkich karafek w tym kredensie.

Joseph patrzył na wspomniane karafki, czekając, aż Louisa do niego dołączy. Książę miał dwanaście karafek, a w bibliotece Westhavena było takich sześć. Siedząc blisko ognia wesoło płonącego w kominku, Joseph zastanawiał się, czy wychylić łyk z własnej piersiówki – zapasowej, gdyż oddał Louisie tę lepszą – i wtedy Louisa stanęła w drzwiach.

– Sir Josephie, Jego Wysokość powiedział, że prosiłeś o rozmowę ze mną.

– Właściwie to go zapytałem, czy mogę porozmawiać z tobą o małżeństwie.

Odstawił piersiówkę, a otuchy dodał mu fakt, że Louisa nie wybiegła z pokoju i nie zaczęła krzyczeć wniebogłosy.

7

Czego chcesz? – W ustach Jego Królewskiej Mości zabrzmiało to tak, jakby Hamburg był najgorszym ze wszystkich sługusów w Carlton House. Nie odpowiadało to prawdzie, niemniej ten człowieczek czerpał przewrotną przyjemność z narażania się na królewskie zniewagi. Regentowi nie sprawiło trudności okazanie mu niechęci w ten mroźny, wietrzny, nudny dzień.

– Najpokorniej błagam Waszą Królewską Mość o wybaczenie, że się narzucam, ale rok wkrótce dobiegnie końca, a pozostała kwestia...

Prinny machnął dłonią nieozdobioną pierścieniami, gdyż zła pogoda nasilała u monarchy ataki reumatyzmu.

– Przeklęta lista zaszczytów i kandydatów na parów. Nie mogłeś wymyślić nic innego, Humbug?

– Płaci mi pan, żebym nie myślał o innych sprawach, Wasza Królewska Mość, a nie ma niczego, co jako symbol świata arystokracji i trwałej szlachetności zrównywałoby się z...

– Daruj sobie, człowieku, bo zacznę ci płacić jeszcze mniej.

To najwyraźniej oznaczało przejście od tak chętnie słyszanej od monarchy zniewagi do prawdziwej groźby. Łysina Hamburga zaróżowiła się, a jego podobne do suszonej śliwki usta zamilkły.

Regent ułożył się na swoim miękkim szezlongu i przebiegł wzrokiem długą listę, którą trzymał przed sobą. Głównie pijacy i złodzieje, a tu i ówdzie pijak lub złodziej ożeniony z wyrachowaną dziwką. Nieliczni byli wystarczająco sprytni, by ofiarować pieniądze na różne przedsięwzięcia dla zaskarbienia łaski monarchy.

– Zdaje się, że kazałem ci dopisać Josepha Carringtona do tej listy. – Polecił to Hamburgowi pod wpływem sugestii samego Wellingtona oraz Morelanda. A przyłapanie Hamburga na niedopatrzeniu – o ile było to tylko niedopatrzenie – poprawiło nieco regentowi humor w tym ponurym dniu.

– Sir Joseph niebawem odziedziczy tytuł barona, Wasza Królewska Mość.

Regent odłożył listę i skinął na lokaja, by ten nalał mu następną porcję gorącego cydru.

– Jakiego znowu barona? Wiem, że tytuły dziedziczone przez jedynych spadkobierców lub przepadające, jeśli brak testamentu, są bardzo rzadkie.

– Sprawa sir Josepha została zawieszona, Wasza Królewska Mość. Jedyny inny kandydat jest bezdzietny, chorowity i dość stary.

– Zawieszona. – Zawieszanie było procederem żmudnym i też dosyć rzadkim. – Dlaczego nie złożył formalnego wniosku, skoro jest tylko jedna inna możliwość? Czemu obydwaj tego nie zrobili?

– Przypuszczam, że żadna ze stron nie chce pozbawiać drugiej szans.

Hamburg zaczął się rozglądać po wnętrzu królewskiej siedziby, przypatrując się portretom i wyposażeniu, które ten mały chytrus widział już wiele razy. Ręce trzymał nadal za plecami, jednak regent miał nieodparte wrażenie, że Hamburga coś niepokoi.

Jego Królewska Mość ponownie skinął ręką i czterech lokajów w komnacie opuściło ją, a ostatni cicho zamknął za sobą drzwi.

– O co tak naprawdę chodzi, Humbug? – W głosie regenta zabrzmiał ton, który on sam nazywał królewsko-konfidencjonalnym. Używał go, gdy chciał odgrywać rolę po części konspiratora, po części spowiednika, po części znękanej głowy rodziny. Używanie takiego tonu przynosiło czasem lepsze efekty niż cała sesja parlamentarna.

– Baronostwo, Wasza Królewska Mość... – Hamburg zaczął przestępować z nogi na nogę jak zdenerwowany pingwin.

– Mów śmiało i możesz poczęstować się czymś do picia. W kuchni się dąsają, kiedy nie ruszam niczego z tacy, poza tym pozwalam ci usiąść. Nie mogę znieść ludzi, którzy stoją nade mną.

Hamburg kiwnął głową i przysiadł na samym skraju aksamitnego podnóżka, a gdy sięgnął po porcelanowe naczynie, jego dłoń lekko drżała.

– A więc co z tym baronostwem, Hamburg?

– Tak. Właśnie miałem o tym mówić. – Gapił się dłuższą chwilę w pustą filiżankę. – Wydaje się, że musiało dojść do nieporozumienia w jakimś okresie przed czasami Karola II, a może nawet do pomyłki.

– Wtedy doszło do wielu pomyłek, wśród nich do królobójstwa.

Hamburg rzucił okiem znad filiżanki, zapewne po to, by się upewnić, czy powinien się zaśmiać z tej królewskiej riposty. Ostatecznie zdecydował się na typowy dla siebie uśmieszek, niepewny, mdlący, taki, który odbierał regentowi apetyt.

– Właśnie, Wasza Królewska Mość. Chodzi o dużo mniejszą pomyłkę, w istocie o drobiazg. W czasie bezkrólewia siedziba barona posłużyła za dom dla małych urwisów, a ponieważ jest ich wielu, nie pomieści się tam nikt więcej.

Prowadzenie ochronki dla biednej łobuzerki to niewątpliwie uciążliwe i kosztowne przedsięwzięcie, zwłaszcza że młodociani chuligani to klasa królewskich poddanych, która straszliwie się rozrosła w ostatnich latach.

– Czy szkółka ta wspierana jest z mojej kasy?

– Państwo ją finansuje, ale są i hojni patroni. Dość nieliczni.

Pewnie dwie zrzędliwe wdowy, które niewątpliwie panoszą się tam w święta Bożego Narodzenia ze skrzynią podgniłych pomarańczy.

– Ten przytułek znalazł się w nader żałosnym stanie, zdając się na hojność prywatnych patronów, Hamburg. Dręczy mnie myśl o losie tamtejszych bezradnych dzieci.

Ton monarszej poufałości został zarzucony na rzecz innego, zwiastującego królewskie niezadowolenie. Wśród drobnych właścicieli ziemskich, daremnie szukających pracy w mieście, żołnierzy zwolnionych z wojska po zwycięstwie nad Korsykaninem i szlachty mającej alergię na zarabianie pieniędzy w handlu, hojnych patronów zdarzało się niewielu.

Hamburg powrócił do przyglądania się obrazom na ścianach.

– Należy mieć nadzieję, że sir Joseph będzie rad z przejęcia tej siedziby. Wielu byłoby radych.

– Nie masz dzieci, prawda, Hamburg?

Zapytany wyprostował się na czerwonym podnóżku.

– Naturalnie, że nie, jako że nie mam jeszcze pani Hamburg.

Wobec ogromu rozwiązłości przypisywanej monarszemu dworowi Jego Królewską Mość ucieszyła myśl, że wśród jego świty znalazł się jeden purytanin, chociaż nieszczególnie bystry.

– Czy sądzisz, Hamburg, że sir Joseph nie zauważy, iż jego nieruchomość podupada? Czy myślisz, że nie będzie pilnie czytał raportów od zarządcy i nie zrozumie, że pochłonie to wszystkie jego środki? Nie przekona się, jak szybko dzieci zdzierają buty?

– Nie wydaje mi się. Kiedy po raz pierwszy dostrzegłem tę trudność, sir Joseph był tylko wojskowym na służbie w sztabie Wellingtona. Miejmy nadzieję, że Wszechmogący zna już rozwiązanie tego problemu.

– Prezentujesz okropne, ale praktyczne podejście, Hamburg.

Podczas gdy Hamburg mierzył się wzrokiem z jakimś wyfiokowanym dworakiem na obrazie zdobiącym wschodnią ścianę, regent rozważał różne warianty. Jego monarszy umysł wykazywał się na trzeźwo pragmatyzmem, a w innych sytuacjach – najczęściej sentymentalizmem. Teraz Jego Królewska Mość czuł się na poły trzeźwy, na poły sentymentalny, ze względu na świąteczną porę.

– Wellington wyraża się z uznaniem o sir Josephie. Onegdaj wychwalał go pod niebiosa. A jeszcze tydzień wcześniej Moreland też piał nad nim z zachwytu.

– Wellington znany jest z przywiązania do swoich byłych sztabowców, Wasza Królewska Mość.

To, że ludzie przyznawali rację rzucanym uwagom, należało do najbardziej uciążliwych aspektów życia władcy. Gdyby był pod ręką lokaj…

– Podaj karafkę, Hamburg, bo ta przeklęta pogoda przyprawia mnie o dreszcze. – Hamburg zerwał się na równe nogi ze żwawością marionetki.– – Wellington chwali sir Josepha, powiada, że w celności strzelania nie miał sobie równych, a i ja cenię Carringtona. Hoduje bardzo smaczne wieprzki i docenia sztuki piękne o wiele bardziej niż większość jego utytułowanych zwierzchników. Gdybym miał do nadania tytuł wicehrabiego, sir Joseph pewnie postanowiłby w swoim sercu, przesiąkniętym miłością do naszego kraju, zająć się chłopcami i dziewczętami, którym potrzeba odzienia i książeczki do nabożeństwa.

Hamburg obrócił się powoli, trzymając tacę z karafką i kieliszkiem.

– Wicehrabiego, Wasza Królewska Mość?

– Przynajmniej. Bardzo mi smakuje jego wieprzowina. A teraz daj mi tego przeklętego drinka, zabieraj się stąd i przyślij lokajów. Kiedy przygotujesz szkic listów z nadaniami tytułów, możesz ponownie zakłócić mi spokój.

Hamburg znowu zrobił przymilną minę. Postawił tacę przy łokciu władcy, skłonił się groteskowo nisko i wycofał z komnaty z listą w ręku. Jego Królewska Mość dolał kapkę trunku do swojego ponczu – mówiąc sobie, że przecież nastała świąteczna pora, i tak dalej – upił spory łyk i usadowił się wygodniej, podczas gdy lokaje układali poduszki pod jego królewskimi stopami.

To, co rozważał, przyniosłoby korzyść zasłużonemu szlachcicowi, zadowoliło dwóch wpływowych książąt i uspokoiło lojalnego pingwina, czyli Hamburga. Wszystko to brzmiało bardzo dobrze, ale odrobinę prawdziwej przyjemności w tym nieudanym poza tym zimowym dniu dała regentowi perspektywa wykarmienia i odziania kilku angielskich sierot, a także zapewnienia im bezpiecznego domu.

I to bez wydawania choćby jednego pensa z państwowego skarbca czy pieniędzy z kufrów monarchy.

– Zapytałeś Jego Wysokość, czy możesz mi się oświadczyć?

Louisa starała się mówić spokojnym głosem, ale kosztowało ją to wiele wysiłku. Joseph wyglądał poważniej niż zazwyczaj, a przy tym wydawał się zmęczony.

– Miejmy nadzieję, że do tego nie dojdzie. Możemy usiąść?

Przytaknęła ruchem głowy i wskazała gestem kanapę, ale zmieniła zdanie, kiedy dostrzegła, że sir Joseph utyka.

– Dokucza panu noga.

– Tak. – Nie skrywał prawdy. To jej się w nim podobało, mimo groteskowego tematu, który poruszył.

– A czy ciepło pomaga?

Przechylił głowę i przyjrzał się Louisie.

– Owszem. Ale taka pogoda nie pomaga. Grattingly wybrał pojedynek na pistolety, a jeśli to cię interesuje, to mógłbym, kulejąc, pojedynkować się na szpady...

Umilkł, kiedy Louisa rzuciła parę poduszek na podwyższenie przed kominkiem.

– Możemy usiąść przy ogniu, sir Josephie, a wtedy zgodzę się ciebie wysłuchać.

Podał jej dłoń i Louisa usadowiła się na poduszce. On sam przysiadł niezgrabnie, gdyż musiał trzymać prawą nogę wyprostowaną. Zwrócił się przodem do Louisy, dzięki czemu mógł ułożyć chromą nogę bliżej osłony paleniska.

– Jeśli zamierzasz zadzwonić po herbatę albo uciec się do innych uników, milady, to proszę bardzo.

– Nie będzie uników, sir Josephie. Mów, kiedy będziesz gotów.

Był bezpośredni. To także jej się w nim spodobało. Poza tym nie chciała, aby książęca służba zobaczyła, że jej gość siedzi na płaskim kamieniu przed kominkiem.

– Spytam wprost. Czy kocha się pani w Lionelu Honitonie?

– Co, do licha...? – To pytanie zadał beznamiętnie, w niepokojąco obojętny sposób.

– To przyzwoity młodzieniec, Louiso. Mam powód, żeby o to pytać, bo jest dalekim krewnym mojej świętej pamięci żony. Jego rodzinna sytuacja oznacza, że musi sam sobie radzić, ale widział sporo z tego, co wydarzyło się w oranżerii, i nie powinien mieć tego pani za złe.

Louisa oplotła rękami kolana i oparła czoło na przedramionach.

– To wyjaśnia, dlaczego w ciągu czterech dni, które upłynęły od tamtej pory, lord Koronka nie odwiedził mnie ani nie zatańczył z żadną z moich sióstr, a tym bardziej ze mną.

– Zawitał u mnie.

Louisa odwróciła głowę, aby spojrzeć uważnie na sir Josepha.

– Wydaje się pan tym zaskoczony.

– Grattingly jest jego przyjacielem, czy może raczej kompanem. Kompanem od kieliszka w każdym razie. Lionel chciał mi przekazać informację, że namawiał Grattingly'ego do złożenia przeprosin, i uprzedził mnie, że Grattingly nie odstąpi od pojedynku.

– Ale drogi Lionel nie będzie pańskim sekundantem, prawda?

Sir Joseph zmarszczył czoło i zaczął rozcierać prawą ręką swoje udo od góry do dołu.

– Nie sekunduje też Grattingly'emu. Gdybym go o to poprosił, jestem pewny, że zostałby moim sekundantem, jednak im mniej twój przyszły małżonek ma wspólnego z tą paskudną sprawą, tym lepiej.

– Trochę to dziwne. – Louisa przyglądała się dłoni sir Josepha, wypowiadając te słowa. – Miałam wrażenie, że mężczyzna oświadcza się, zanim zostanie małżonkiem, ale jakoś nie widzę tu Lionela. Może czai się gdzieś za kotarą?

Nie, nie przyjęłaby starań Lionela Honitona w tych okolicznościach – w jakichkolwiek okolicznościach. Był dokładnie takim rodzajem kandydata na męża, który nie zniósłby że nad jego żoną wisiał skandal w przeszłości, a tym bardziej obecnie.

– Mam wielką nadzieję, że nie ma go w pobliżu. Jeśli nie chcesz herbaty, to może naleję ci kapkę czegoś z kredensu?

– To mój kredens, sir Josephie. Sama mogę sobie nalać drinka, gdybym tego potrzebowała. Czyżbyś wykręcał się od odpowiedzi?

Nieznaczny, dziwny uśmieszek wykrzywił mu usta.

– Tak. A czy mogę być szczery?

– Oczywiście.

Uśmiech nieco się rozjaśnił, sprawiając, że ten postawny, poważny mężczyzna przez moment przypominał figlarza. Louisa skupiła wzrok na ustach sir Josepha, aby nie patrzeć na jego dłoń masującą udo.

I wtedy uśmiech zgasł jak świeca na silnym wietrze.

– Gdybym interesował się finansami Lionela, nie wątpiłbym, że można by go skłonić do złożenia ci poważnej propozycji.

– Finansami... – Louisa poczuła coś w rodzaju zimnego dreszczu pomimo ciepła bijącego z kominka. – Chciałby pan kupić mi męża? – Czyżby naprawdę było aż tak źle?

– Lionel był ulubieńcem mojej żony. Nazwijmy to nieco opóźnionym poczuciem rodzinnej lojalności z mej strony.

Louisa, choć z całych sił się starała, nie potrafiła wzbudzić w sobie poczucia, że została urażona. Gdyby plan ten został jej przedstawiony przez kogokolwiek innego, zareagowałaby na to pogardą lub wściekłością albo – jeśliby miała akurat dobry dzień – protekcjonalnym rozbawieniem. Jednak uczynił to sir Joseph i był to uczynek człowieka honoru, człowieka, którego, co mogła przyznać w zaufaniu, uważała za przyjaciela.

A może problem tkwił w tym, że zaczęła – w skrytości serca, które niechętnie ulegało wnioskom podsuwanym przez mózg – uważać go nie tylko za przyjaciela.

– Czy mam wyjść za Lionela, czy tylko pozostać z nim zaręczona, dopóki moje siostry nie znajdą mężów?

Jego dłoń znieruchomiała.

– Nie chcesz go poślubić, Louiso? Jest przystojny, niegłupi i nie ma szczególnych nałogów. Zalicza się do odpowiednich...

Louisa odsunęła rękę sir Josepha na bok i zaczęła masować nasadą lewej dłoni brzusiec mięśnia na jego udzie. Robienie czegoś – czegokolwiek – pozwalało jej skupić myśli na najdziwaczniejszym poczuciu zawodu.

Oto nadarzała jej się okazja wyjścia za mąż za przystojnego, odpowiedniego mężczyznę, który dobrze tańczył i świetnie się ubierał, mężczyznę, którego inni uznaliby za gratkę dla kobiety takiej jak ona, ale ów ktoś nie był dla niej.

Wiedziała to w głębi duszy, wiedział to jej umysł, wiedziało i serce. Nie potrafiła stwierdzić, w której chwili świadomość tego spłynęła na nią, lecz wiedzy takiej nie mógł zignorować mózg – albo serce – kogoś takiego jak ona.

Lionel to zły kandydat. Sir Joseph nie był... złym kandydatem, choć teraz małżeństwo z nim również nie wydawało się stosownym krokiem. Obraz małej czerwonej książeczki nawiedzał myśli Louisy niczym licho, które nie śpi.

Kiedy sir Joseph próbował odsunąć jej dłoń, Louisa przysunęła się do niego jeszcze bliżej.

– Mam lepszy punkt widzenia na te sprawy niż pan. Nie wyjdę za Lionela, gdyż nie zamierzam zyskać reputacji kobiety odrzucanej, która ugania się za mężczyznami.

– Ale twoje siostry... Louiso, nie powinnaś... Boże, ależ to przyjemne.

– Moje siostry nie mają ochoty na zamążpójście. – A Louisa nie miała ochoty być traktowana przez swego rozmówcę jak podlotek, więc nie puszczała jego nogi. Na litość boską, napatrzyła się latami, jak jej brat Victor powoli umierał... – Proszę przekazać moim rodzicom, że Jenny i Eve wyznały mi to, a ja wleję coś trunkowego do twojej piersiówki, Josephie Carrington. O, tutaj, nad kolanem, jest skurcz. – Przesuwała kciuk po napiętym mięśniu czworogłowym na całej jego długości. – W kilku punktach.

– Louiso, skoro twoje siostry nie są skłonne wychodzić za mąż, to możesz zaręczyć się z Lionelem na tak długo, jak będzie trzeba, żeby uciszyć plotki. Zaręczyny uchronią cię przed skandalem, uspokoją twoich rodziców, a mnie pozwolą zająć się krewnym w potrzebie.

Ucisnęła nieco mocniej mięsień przez materiał bryczesów.

– Moim siostrom się zdaje, że nie chcą małżeństwa, ale one wyjdą za mąż.

– Czyżbyś znała przyszłość?

Jego głos zabrzmiał tak, jakby wydobył się ze ściśniętego gardła. Louisa doszła do wniosku, że go zabolało, więc zmniejszyła nacisk.

– Obie pragną dzieci, brakuje im naszych szczęśliwie pożenionych braci i rozmyślają o życiu poświęconym opiece nad starzejącymi się rodzicami i rozpieszczaniu bratanic i bratanków. Zasługują na coś lepszego.

– A ty nie? – Wspaniale zabrzmiało to oburzenie z jej powodu.

– Mam książki, sir Josephie. I teleskopy. Koresponduję z towarzystwami literackimi i sama próbuję pisać. Kiedy jestem bardzo znudzona, studiuję zagadnienia analizy matematycznej. Z natury jestem samotnicą... O co chodzi?

Nakrył jej dłoń swoją.

– Nie jesteś do końca szczera, Louiso. Jaki jest prawdziwy powód twojego sprzeciwu?

Louisa nie cofnęła ręki i nie zdjęła jej z nogi sir Josepha. Nie spojrzała mu też w oczy, żeby nie dostrzegł jej sfrustrowania. Ogień z kominka ogrzewał jej plecy, dłoń Josepha na jej dłoni przekazywała zupełnie inne ciepło, a on sam, przeklęty, próbował ją wyswatać z Lionelem Honitonem.

To było nie do zniesienia.

– Ktoś powiedział Lionelowi, że lubię poezję. Czy tym kimś był pan?

– Niewykluczone. – Poruszył się, tak że ich ręce się splotły. Czyżby sądził, że Louisa chce wstać, by się przejść po pokoju? – Wiele osób lubi poezję.

– Lionel do nich nie należy. Zaczepił mnie w zeszłym tygodniu, jeszcze przed całą tą nieszczęsną historią, na dziedzińcu u Hirtschorna i zaczął recytować frywolny wiersz Marvella.

– *Do cnotliwej damy*. – Sir Joseph wydawał się zaskoczony.

– Mam nadzieję, że nie pan mu go podsunął.

– Oczywiście, że nie, to nieprzyzwoity wiersz, choć uroczy, przekonujący i sensowny. „Gdyby się na tej ziemi czas mógł zatrzymywać, nie można by twej cnoty występkiem nazywać...” – Zmarszczył czoło i spojrzał na nią przenikliwie. – Przekonujący?

Louisa pozwoliła sobie na westchnienie, ponieważ gdyby to Joseph wyrecytował cały ten wiersz, na pewno byłby przekonujący.

– Deklamacja podobna królewskim fanfarom raczej nie robi większego wrażenia. To wiersz napisany dla namiętnego kochanka z sielanek, a nie dla zdeterminowanego łowcy posagów.

– A więc odrzucasz drogiego Lionela, bo brakuje mu talentu oratorskiego? To nie fair. Kunszt oratorski przydaje się lordom,

Louiso, ale nie zapobiega skandalom i z pewnością nie zapewnia dostatku.

Strofując ją, mocno ściskał jej dłoń. Mimo urazy Louisa musiała przyznać, że podobał jej się sposób, w jaki sir Joseph trzymał jej rękę. Mocno i zdecydowanie. Gdyby dowiedział się o jej niefortunnych poczynaniach jako autorki opublikowanych utworów literackich, całkiem możliwe, że i tak trzymałby ją w taki sposób.

Jej serce zabiło mocniej, a potem przyspieszyło rytm, gdy wykrystalizowała się myśl: a może więcej niż możliwe. Modliła się w duchu, aby tak właśnie było.

– Sir Josephie, mój posag zapewnia mi dostatek. Jestem pewna, że za recytacjami Lionela kryła się chęć zapewnienia dostatku samemu sobie.

– Wyciągasz poważny wniosek na podstawie strzępu informacji, Louiso Windham. Jeden wiersz nie powinien rujnować widoków na małżeństwo.

Jedno zaś pytanie nie powinno otwierać widoków na małżeństwo, ale wobec tego, że w grę wchodziła cała jej przyszłość, Louisa mimo wszystko je zadała:

– A jeden pocałunek?

– Sir Joseph zamierza powiadomić Louisę o staraniach Honitona o jej rękę? – Jej Wysokość, Esther, księżna Moreland, nie zmarszczyła czoła, choć uważny obserwator mógłby rzec, że nieznacznie ściągnęła brwi.

– To właśnie dał mi do zrozumienia. Jeszcze herbaty, moja droga? – Jego Wysokość zaproponował to automatycznie. Księżna uwielbiała mocną, gorącą herbatę.

– Pół filiżanki, proszę. Nie wiedziałam, że chodzi o coś więcej niż flirt Louisy z lordem Lionelem. Jego rodzina jest bez wątpienia na poziomie, ale jemu samemu brakuje pewnych... – Urwała, przyjmując pełną filiżankę herbaty z rąk męża. – Dziękuję, Percivalu.

Książę usiadł obok żony, obejmując ją ramieniem.

– Co ci tak naprawdę nie odpowiada w Honitonie, Esther? Sir Joseph ma także awaryjny plan, jeżeli z Honitonem nie wyjdzie.

Odstawiła filiżankę i oparła głowę na barku męża.

– Moje obiekcje raczej się nie liczą, prawda? Jeśli Louisa zechce lorda Lionela, to nie stanę im na drodze i nie uczynisz tego i ty. Ale nie tak chciałam świętować Boże Narodzenie, Percy.

– Uważasz, że ona go nie zechce. – Jeszcze bardziej prawdopodobne, że księżna już znała zdanie Louisy na ten temat, choć pytanie, jak jej się udawało uzyskiwać tego rodzaju informacje, nie było zbyt często zadawane przez roztropnego małżonka.

– Nie jestem pewna, ale w ubiegłym tygodniu zobaczyłam coś, co każe mi powątpiewać, że ofiarne wstawiennictwo sir Josepha w imieniu Lionela odniesie skutek.

Książę zjadł wszystkie ciastka z wyjątkiem dwóch, które postanowił zostawić na talerzu, aby nie rozdrażniać księżnej swoim nieopanowaniem w jedzeniu.

– A co takiego zobaczyłaś, kochana?

– Pewnie będziesz sądzić, że powinnam była powiedzieć ci o tym wcześniej, Percy, ale wcześniej nie przykładałam większej wagi do tego zdarzenia.

– Jesteś pewna, że nie chcesz tych ostatnich ciasteczek, Esther?

– Jak możesz myśleć o... Proszę, zjedz je, Percivalu. W przeciwnym razie posprzeczają się o nie służący.

Książę wepchnął sobie oba ciastka do ust. Smakowały przepysznie, tym bardziej że jego małżonka nakazała mu je zjeść.

– Percivalu, widziałam, jak Louisa całowała sir Josepha.

– Widziałaś, jak...? Dobry Boże! – Zanim Jego Wysokość zdążył się zająknąć i udławić, małżonka kilka razy pacnęła go solidnie w książęce plecy. – Widziałaś, jak Louisa całowała sir Josepha? Może się starzeję, moja droga, ale o ile pamiętam z własnej młodości, zwykle bywało na odwrót. To adorator całuje wybrankę.

Zerknęła na niego z ukosa.

– Nie zawsze.

Cóż. Różne wspomnienia z ich dawnych zalotów nawiedziły nagle zbitego z tropu papę, który chciał sobie wyobrazić – a właściwie już sobie wyobraził – jak jego córka inicjuje coś podobnie niestosownego.

– Esther, niegrzeczna z ciebie księżna. Uwielbiam to w tobie, ale co jeden pocałunek sprzed kilku dni ma wspólnego z naszymi obecnymi kłopotami?

– Widziałam jej minę, Percy. Chciała cmoknąć go w policzek, jak sądzę, ale całus przeobraził się w pocałunek. To znaczy, sir Joseph jej nie wykorzystał. A jednak przyciągnął jej uwagę. Myślę, że ją zaskoczył, a ona od tamtej pory nie może o nim zapomnieć.

– Chociaż sir Joseph hoduje świnie, jest bardzo porządnym człowiekiem. Louisa mogła trafić dużo gorzej. Wspomniałem o nim regentowi, skoro teraz szykuje następną listę z nadaniami tytułów.

Jej Wysokość milczała przez chwilę. Nie było już ciastek do herbaty i książę zadowalał się przyjemnością obejmowania ukochanej małżonki i dzieleniem z nią rodzicielskich trosk, co przewyższało nawet rozkosze jedzenia ciasteczek.

– Jaki jest ten awaryjny plan sir Josepha? Sam oświadczy się Louisie?

– Nie spodziewa się, żeby przyjęła jego oświadczyny. Sądzi, że będą to tymczasowe zaręczyny, ale ja w to powątpiewam.

Nastała kolejna chwila ciszy, w trakcie której tym razem Jego Wysokość wystawił na próbę cierpliwość swojej drogiej małżonki.

– Percivalu, czemu nic nie mówisz?

– Kiedy widziałaś ten pocałunek Louisy i Josepha?

– Tańczyli uroczego walca na opustoszałym tarasie. Spostrzegłam, jak tańczą, z balkonu na piętrze, gdzie szukałam chwili samotności.

– A ja byłem po drugiej stronie tarasu, też zażywając chwili samotności przy przeszklonych drzwiach do galerii. Widziałem tylko kilka pierwszych odtańczonych taktów tego walca. Ale Esther? Czy przypominasz sobie salę balową w rezydencji Heathgate'a?

– Jest tam ściana cała w lustrach. Ostentacja, ale wiem, co chcesz powiedzieć. Louisa i Joseph pasują do siebie, kiedy ze sobą tańczą. Nie sądzę, aby Louisa zdawała sobie sprawę z tego, w co może się to przerodzić.

– Z miejsca, w którym stałem, mogłem dostrzec też wyraz twarzy Carringtona, Esther. Był oczarowany, zadurzony, zakochany na zabój, zwij to, jak chcesz. Louisa mogła niezupełnie rozumieć, co się kroi, lecz sir Joseph to pojmował. Wyglądał na kogoś, kto obudził się w bożonarodzeniowy poranek, i stwierdził, że spełniają się wszystkie jego marzenia.

– W takim razie musimy ufać, że nie tylko rozumie, o co idzie gra, ale także ma odwagę i umiejętności, żeby do niej przystąpić.

– Właśnie, kochana.

Jej Wysokość złożyła pocałunek na skroni męża i w milczeniu skierowała życzenie do Wszechmogącego, by, jeśli odwaga i umiejętności nie doprowadzą do połączenia się tych dwojga w parę, coś pewniejszego, choćby ślepa żądza, zawieszona w dobrym miejscu jemioła lub też odpowiednia dawka świątecznego ponczu naprowadzą ich na właściwą drogę.

Joseph próbował odwołać się do instynktu, który niejeden raz ocalił mu życie w Hiszpanii – do dokonywanej przez umysł chłodnej analizy, w której nie zważa się na podniecenie wzbudzone przez dłoń Louisy dotykającą jego nogi w bryczesach.

Ta sama część jego umysłu chciała wierzyć, że przytrzymał jej rękę tylko po to, by nie masowała mu uda.

Twoim celem jest ustrzeżenie lady Louisy przed skandalem, na który wcale nie zasłużyła. Najlepszy plan polega na zaręczeniu jej z Honitonem, co, jak właśnie jej wyjaśniłeś, rozwiąże wiele narosłych problemów, przekonywał w duchu sam siebie.

A to, że wplątanie lady Louisy w wyzute z miłości małżeństwo złamałoby Josephowi serce, nie miało teraz znaczenia.

– Wspomniałaś o pocałunku, Louiso. Jeżeli brak umiejętności Honitona w tej mierze stanowi o twoich obiekcjach wobec zaślubin z nim, tedy pozwolę sobie przypomnieć, że dziesięciolecia szczęśliwego pożycia małżeńskiego dostarczą wielu okazji do wyuczenia go tych umiejętności.

Spojrzała na niego rozzłoszczona.

– Mam poświęcić dziesiątki lat na uczenie tego, w końcu niegłupiego, człowieka, jak należy się całować?

– Mówisz teraz nieprzeniknionym szyfrem, zastrzeżonym dla kobiet, którym zależy na skonfundowaniu mężczyzn, Louiso. Czy chcesz mi powiedzieć, że zamierzasz sprawdzić, jak Honiton całuje, zanim uznasz go za kandydata na męża?

Joseph nie podniósł głosu, ale był niebezpiecznie bliski posprzeczania się z damą. Znowu. Nawet u prostych szlachciców hodujących świnie było to niedopuszczalne. Chęć zdystansowania się od goździkowo-cytrusowego zapachu tej niemądrej kobiety obok niego powściągała tylko myśl o widowisku, jaki zrobiłby z siebie, usiłując nieporadnie wstać.

Skurcz nad kolanem, święta prawda.

– Z pewnością chciałabym sprawdzić, jak całuje mężczyzna, którego traktowałabym jako kandydata na męża, i nie mów mi, Josephie, że to głupi pomysł. Nie o pana pocałunek mi chodzi, uprzedzam.

Rzuciła tę uwagę bez ogródek, usuwając wspomnienia jej wspaniałych krągłości, miękkich, zaciekawionych ust i walca przetańczonego na osobności tam, gdzie w jej najlepszym interesie powinni się znaleźć.

– Wielkie dzięki za uprzejmą odpowiedź. – Pochylił się naprzód, wspierając się obiema rękami o kamienną obudowę kominka. – Czas już na mnie, zatem pozostawiam cię, żebyś rozważyła, czy możesz zaszczycić Honitona swoim towarzystwem, o ile zasługuje na taki zaszczyt.

Mocny chwyt kobiecej ręki pomógł mu się unieść i wstać.

– Jesteś tak wymowny jak Westhaven i tak dumny jak Jego Wysokość, a także tak uparty jak obaj pospołu, a pewnie też i taki tępy jak wszyscy żyjący i zmarli Windhamowie razem wzięci. Dlaczego nie używasz laski?

Joseph złapał równowagę, wytrzymując wściekłe spojrzenie kobiety obok niego.

– Laski? Sądzisz, że uchroniłaby mnie przed utratą godności? Mam niewiele ponad trzydzieści lat, milady, a gdyby nie ta piep... przepraszam, piekielna pogoda, skakałbym jak pchła.

A więc jednak posprzeczał się z damą, a ponieważ była to właśnie ta dama, musiał przeprosić ją przed wyjściem:

– Najmocniej przepraszam. Laska to znakomity pomysł.

– Ale nie mój ożenek z Honitonem.

Opuścił ją zły humor i wpatrywała się teraz w Josepha intensywnie zielonymi oczami. Nadal trzymała jego rękę i Joseph nie mógł się odsunąć, aby ratować własną duszę.

– Moja droga, spędzenie reszty życia wśród książek i bratanków to okropny pomysł, podobnie jak skazywanie sióstr na taki sam los. Socjeta lubi, kiedy możni upadają, a wraz z twoim upadkiem szanse na małżeństwo sióstr wyraźnie się zmniejszą, o ile w ogóle nie przepadną. Jestem wdowcem, Louiso. I uważam, że małżonek, którego się nie znosi, ale z którym można poplotkować, jest lepszy od wybranego przez ciebie losu. Masz w sobie namiętność...

Przypatrywała się jego ustom, ustom tego głupca, które niemal wyszeptały ostatnie, boleśnie szczere słowa.

– A więc już mnie obgadują?

Pewnie z radością nie pozostawili na niej suchej nitki, przy czym kobiety uczyniły to jeszcze chętniej od mężczyzn. Joseph kiwnął głową i nie odpowiedział.

– Papa dał mi do zrozumienia, że masz mi przedstawić jakiś wybór. Cóż więc chcesz mi zaoferować poza szaloną propozycją, żebym związała się z człowiekiem, który nie ma specjalnych nałogów ani wad i wcale nie lubi ukradkowych pocałunków?

Teraz on obserwował jej usta.

– Jedyną inną możliwością, którą widzę, Louiso Windham, jest to, żebyś wyszła za mnie. – Oczekiwał, że ona wybuchnie gniewem, roześmieje się albo skrzywi, słysząc taką niedorzeczność. – Powiedz coś, Louiso. Nie miałem zamiaru cię obrazić, mam nadzieję, że to wiesz.

– Sądzisz, że się obrażę, bo hodujesz świnie, a ja jestem córką księcia?

Nadal się nie odsuwała, a oszałamiająca i łaskocząca nozdrza woń goździków i cytrusów wnikała do świadomości Josepha.

– To pierwsza rzecz, ale chodzi też o to, Louiso, że muszę mieć dzieci, gdyż to kwestia tego piep... przeklętego tytułu. Nie mógłbym zaproponować ci związku serc, na którym być może ci zależy.

– Mówiąc o związku serc, masz na myśli związek platoniczny.

Zmusił się do kolejnego potakującego ruchu głową. Samo stanie przy niej, ze złączonymi rękami, ze splecionymi palcami – kiedyż one się splotły? – mąciło mu w głowie.

Wpatrywała się ze ściągniętymi brwiami w przestrzeń za nim i w ogień płonący w kominku.

– Lubię dzieci. Są szczere. Mogą skłamać, gdy podkradną ciasto, ale nie będą oszukiwać, że im ono nie smakuje. Dzieci kochają ciekawe historie. Nie kręcą nosami na barwne opowieści, jeśli te „nie rozwijają umysłowo". Eve i Jenny uwielbiają dzieci.

Co ona chciała przez to powiedzieć?

– Louiso, proponuję prawdziwe małżeństwo, chociaż nie najlepsza ze mnie partia.

Z bliska mógł dostrzec złote plamki w jej zielonych oczach. Ogień rzucał czerwony blask na jej ciemne włosy, a Joseph starał się, jak tylko mógł, powstrzymać przed zanurzeniem w nich palców, by poczuć ich miękkość i ciepło.

– Całowaliśmy się raz – powiedziała cicho i opuściła wzrok. – Bardzo cię cenię, Josephie Carrington, choć zastanawiam się, czy moje starania włożone w tamten pocałunek nie były na tyle niegodne zapamiętania, żebyś pożałował tamtego zdarzenia.

Był tak zajęty przymuszaniem się do tego, by puścić jej rękę i odejść, że jej słowa nie od razu dotarły do jego oszołomionego umysłu.

Ona bardzo go ceni?

– Louiso, twoje starania wcale nie były... niegodne zapamiętania.

Dostrzegł za maską grzecznego chłodu cień urazy w jej oczach, poczuł, że lekko zesztywniała, i zrozumiał, że powiedział coś niewłaściwego. Nie był w stanie znieść tych oznak niechęci, choćby nawet subtelnych.

– Od tamtego pocałunku nie myślałem prawie o niczym innym i również bardzo cię cenię. Ogromnie.

Gdy patrzył na nią, rumieniec, piękny i różowy, oblał jej powabną szyję.

– Też myślałam o nim raz czy dwa – stwierdziła. Wydało mu się, że jej głos stał się nieco chrapliwy.

Nadzieja – całe święta wypełnione nadzieją – rozpierała mu pierś.

– Może chciałabyś teraz przypomnieć sobie, jak się całuje?

On marzył o tym. Przypominanie trwałoby do końca popołudnia, a ich ubrania rozrzucone byłyby po całej komnacie. Dwanaście dni takiego przypominania byłoby wspaniałą sprawą, a pewna część ciała Josepha wiodłaby prym w zabawach, jakie by oboje urządzali w czasie świąt.

Nie wspierałby się na Louisie, tylko użyłby laski, aby mieć solidniejsze oparcie, gdyby w przyszłości w pewnej sytuacji kolana odmówiły mu posłuszeństwa.

Louisa spojrzała na niego, jakby chciała zapamiętać jego rysy. Po wytrzymaniu tak badawczego wzroku przez, jak mu się zdawało, wieczność, odetchnął, kiedy powoli oplotła ramionami jego szyję. Nie będzie jej dręczyć. To ma być niewinny pocałunek, pocałunek podnoszący na duchu…

Louisa Windham nie musiała sobie przypominać, jak się całuje mężczyznę. Delikatnie wzięła w posiadanie usta Josepha i odebrała rozsądek wbrew jego najszczerszym chęciom. Objął ją ramionami i przycisnął mocno do siebie. Po ścieżce szczerej dżentelmeńskiej troski żądza galopowała na wielkim, rączym koniu, tratując jego powściągliwość.

Nie stratowała jednak niczego innego. Gdy Joseph odsunął się nieco, aby nie wprawić damy w zmieszanie, ona wtuliła się w niego, przywarła piersiami i biodrami, nie pozostawiając już niczego wyobraźni.

– Louiso…

Ta niemądra kobieta wykorzystała jego próbę przemówienia jej do rozsądku, by wsunąć mu język w usta. Wielki Boże, nawet smakowała goździkami i pomarańczami.

– Całuj mnie, Josephie Carrington… – szeptała rozkazy tuż przy jego ustach, a on je wykonywał. Podporządkowywał się im całym sobą, choć z wielką delikatnością.

Drażniąc językiem kąciki jej ust, sunął dłońmi w dół, coraz niżej, ku jej biodrom. W odpowiedzi wczepiła się palcami we włosy z tyłu jego głowy i je silnie ścisnęła, a on przycisnął ją do siebie jeszcze bardziej. Uwielbiał poznawanie dłońmi zarysu jej bioder, uwielbiał jej cudowne kobiece kształty, uwielbiał to, co czuł, gdy ich ciała mocno przytulały się do siebie.

Jednak zależało mu na niej, więc przerwał pocałunek i oparł policzek na jej skroni. Oddychała tak szybko jak on. Sprawiło mu to przyjemność nie mniejszą niż sam pocałunek.

– Wyjdziesz za mnie, Louiso Windham? Czuję się zmuszony zwrócić uwagę, że nie powinnaś się na to zgodzić, jeśli masz lepszy wybór.

8

Wyraz twarzy Louisy stał się nieco chłodniejszy, co upodobniło ją do jej matki, choć Joseph miał nadzieję, że to nie wstęp do grzecznego odrzucenia jego oświadczyn albo, co gorsza, wyrażenia chęci „przemyślenia sprawy".

– To bardzo rycerskie z twojej strony, że mnie przestrzegasz, Josephie Carrington, ale zbytecznie. Jesteś dość przystojny, niegłupi, nie masz zbytnich przywar i nie będę musiała poświęcać całych dekad na uczenie cię całowania. A podobno takie zalety wystarczają, żeby mężczyzna wstąpił w związek małżeński.

Czy więc przyjęła jego oświadczyny, czy naprawdę wysoko go ceni, czy naprawdę uważa go za dość przystojnego?

Jakby dla zaprzeczenia, że zdobycz już należy do Josepha, Louisa spojrzała na niego z dumą godną księżniczki.

– Nie dopuść, żeby Grattingly wyrządził ci krzywdę, Josephie. Ale pozwalam ci dać mu nauczkę.

– W takim razie jesteś litościwa. Dobrze to wiedzieć. – Wciąż ją obejmował, skłonny wysłuchać wielu napomnień i połajanek, jeśli tylko wypowiadała je w jego objęciach.

– Jestem praktyczna. – Musnęła nosem jego szyję, co raczej nie wydawało się gestem kobiety praktycznej. – Och, popatrz, Josephie, znowu pada śnieg.

W jej głosie pobrzmiewały zadziwienie i rozkosz, co jeszcze bardziej umiliło tę chwilę. Joseph spojrzał ponad jej głową na okno, za którym rzeczywiście duże płatki śniegu spadały leniwie na mokry ogród.

– W takim razie lepiej, jak już pójdę. – Jeszcze raz posmakował jej ust, po czym pozwolił jej cofnąć się o krok.

Puść ją. Tak jakby mógł to zrobić.

– Będziesz na siebie uważał? – Louisa odgarnęła mu włosy z czoła gestem typowym dla żony.

– Niestraszny mi śnieg, Louiso, a mój koń jest niezawodny.

Jej usta drgnęły.

– Mówiłam o Grattinglym. Z oczywistych względów nie wierzę, żeby ten człowiek przestrzegał honorowych zasad.

– Nie będę ryzykował.

– Poza tym nie chcę, żebyś wychodził na zewnątrz podczas takiej pogody, Josephie. Dasz się namówić do pozostania na wieczornym posiłku?

Na dłużącej się w nieskończoność kolacji, przy której miałby siedzieć koło niej, starając się podtrzymywać rozmowę i nie dotykać jej?

– Może w przyszłym tygodniu. Postaram się zapowiedzieć swoje odwiedziny.

Nie wyglądała na zadowoloną, ale się udobruchała.

– Ustalimy datę?

Do czego ona zmierza?

– To zwykle przywilej damy. Jestem do twojej dyspozycji w tym względzie – powiedział, choć rozważał przez chwilę, czy nie paść przed nią na kolana i nie błagać, by ślub odbył się od razu po uzyskaniu przez niego nakazanej prawem licencji na małżeństwo. Powstanie z klęczek stanowiłoby problem, z którym jednak by sobie mimo wszystko poradził, gdyby sądził, że Louisa się zgodzi.

Przypatrywała mu się z nieodgadnionym, typowo kobiecym błyskiem w oczach.

– Najlepiej będzie zaczekać do wiosny i otworzyć sezon nie balem, tylko wystawnym weselnym śniadaniem.

– W ciągu tych kilku miesięcy dużo się może wydarzyć, Louiso.

– Ślub dopiero na wiosnę da twoim córkom czas na przywyknięcie do myśli o zmianie w ich życiu, sir Josephie.

Gdzieś głęboko w głowie Josepha zrodziło się podejrzenie, że jego wybranka jest jeszcze mądrzejsza, niż mu się wydawało.

– Zmuszasz mnie do przyznania, że wolałbym, aby ślub odbył się niezwłocznie. – Myśl o przebywaniu z Louisą pod własnym dachem w porze świąt wypędzała przygnębienie z serca Josepha i nie miała nic wspólnego z nauką jego córek jazdy konnej u schyłku zimy.

– Jeszcze się waham, Josephie.

To, że taka wspaniała, dzielna i droga mu kobieta zdobyła się na podobne wyznanie, było dla niego o wiele bardziej komplementem niż zniewagą. W jej głosie brzmiały żałość i niepewność.

– Zdrowy rozsądek dyktuje pewien pośpiech, Louiso. Mogę zginąć, a jako wdowie po mnie będzie ci okazywany pełny szacunek.

Zamrugała. Po chwili odezwała się, znów pełna godności.

– Nie zginiesz. Nie dopuszczę do tego. Pobierzemy się pod koniec tego tygodnia, jeśli zdołasz uzyskać licencję i wpasować ślub w rozkład swoich zajęć.

Poczucie ulgi zmagało się w nim z wrażeniem zmącenia czaru tej chwili.

– A gdzie się pobierzemy? Chyba oboje należymy do parafii w Kent.

– Wolałabym św. Jerzego.

– Doskonale. – Niech śmietanka towarzyska jeszcze przed świątecznym exodusem przekona się na własne oczy o przywróceniu Louisie honoru. – Pozostawię tobie zaplanowanie szczegółów. I, jak ufam, wiesz, że moje gusta skłaniają się ku prostocie i sprawności w działaniu.

Pocałowała go – z prostotą i sprawnością, owiewając zapachem goździków i rozkosznie przyciskając na moment piersi do jego torsu.

– Ruszaj więc w drogę. Ja muszę znieść powinszowania sióstr i nie chcę, żeby ktoś to oglądał.

Nie żartowała. Stoicki wyraz jej oczu dorównywał wyrazowi oczu męczennicy z modlitewną książeczką w dłoni.

Ucałował niespiesznie jej policzek – nie był męczennikiem – i wyszedł. Kiedy kilka chwil później wskakiwał na konia – co uczynił bez wysiłku – zauważył z pewnym zdziwieniem, że w ciągu minionej pół godziny zupełnie przestała go boleć noga.

– Za udane małżeństwo. – Westhaven trącił się kieliszkiem ze swoim gościem i upił łyk wybornego trunku. – Chociaż muszę przyznać, że nie podobają mi się okoliczności, które doprowadziły do pańskich zaręczyn z moją siostrą.

– Ja nie chcę małżeństwa udanego – odpowiedział sir Joseph, odstępując o krok, by rzucić okiem na półkę z książkami w bibliotece Westhavena. – Chcę małżeństwa szczęśliwego, na które zasługuje pańska siostra. Z pewnością życzy pan tego samego swojej hrabinie.

Tak właśnie było. Westhaven odstawił kieliszek i zastanowił się nad słowami tego człowieka, który niewinnie zerkał na tomiki poezji.

– Czy wątpi pan, że Louisa będzie dążyła do stworzenia szczęśliwego związku?

Sir Joseph zmarszczył czoło, wpatrzony w mały tom oprawiony w czerwoną skórę. Kiedy i on odstawił drinka, Westhaven oparł się o przeciwległą półkę z książkami.

– Nie mam wątpliwości co do swojej wybranki. Lady Louisa ma szczodre serce, choć podobnie jak jej matka potrafi patrzeć na świat chłodnym okiem.

Wielkie nieba, pomyślał Westhaven. Niewiele osób spoza najbliższej rodziny wiedziało o praktycznej naturze księżnej Moreland.

– Widzę, że poznał pan dobrze kobiety z rodziny Windhamów.

– Jeśli Louisa wyjdzie za mnie za mąż, to wkrótce będą one kobietami także z mojej rodziny, nieprawdaż?

Ta rozmowa wcale nie miała się potoczyć w takim kierunku. W dodatku sir Joseph wziął na chybił trafił czerwony tomik z półki.

– Piękny.

To była też katastrofa oprawiona w czerwoną skórę.

– To tylko książka, sir Josephie.

– Ale ta poezja jest piękna: „Siada koło niej jak zadurzony bóg, patrząc i chłonąc ten śmiech, który delikatnie rozrywa mnie na strzępy..."

– Wiersz na następnej stronie jest utrzymany w zupełnie innym tonie. – Westhaven wziął tomik z ręki gościa, czyniąc to ostrożnie, aby nie naderwać kartki. Tak, to piękna poezja, ale i skandalizująca jak diabli. Czytywał ją czasem Annie na osobności, w ich sypialni.

Carrington patrzył, jak Westhaven wkłada książkę między inne na półce.

– Czy to przekłady?

– Może parafrazy, wszystko jedno. Nie wydaje mi się, żeby celem naszego spotkania było recytowanie sobie nawzajem poezji. – Westhaven przyprawił tę uwagę szczyptą książęcej protekcjonalności, w czym, jak sam uważał, stawał się całkiem dobry.

Carrington się skrzywił.

– Ma pan rację. Spotkaliśmy się po to, żeby uzgodnić warunki umowy, i muszę panu podziękować za oszczędzenie mi omawiania tego tematu z Jego Książęcą Wysokością.

– Dlaczego? – Faktycznie książę także był rad, że nie musiał się tym zajmować.

– Nie jestem z pańskiej sfery, Westhaven, i rozumiem to. Jego Książęca Wysokość również to pojmuje, a skoro w waszych kręgach małżeństwo jest czymś na kształt umowy handlowej, negocjacje bywają zapewne trudne i delikatne. Nie potrzebuję ani nie chcę nawet pensa z waszego majątku, żeby pojąć Louisę za żonę.

Och, oczywiście. Najpierw poezja, a teraz to nieznośne poczucie dumy kupieckiej klasy musi stanąć na drodze szczęściu Louisy.

– Usiądziemy?

Sir Joseph spojrzał na rozpalony kominek i na jego twarzy pojawił się wyraz tęsknoty. Westhaven poczuł się zakłopotany.

– W pańskim domu panuje wspaniałe ciepło, milordzie.

– Hrabina nie pozwoli narażać mnie na domowe niewygody. Spodziewam się, że Louisa będzie równie troskliwie zajmować się takim nieszczęśnikiem jak pan. Radzę panu zdać się na nią.

– W takim razie jakoś to zniosę.

Wymienili uśmiechy, a kiedy sadowili się w wygodnych fotelach, Westhavenowi zaświtała nadzieja, że Louisa mimo wszystko nie dokonała takiego złego wyboru.

– Nie dopuszczę, żeby moja siostra wyszła za pana bez posagu.

– Och, oczywiście, że nie. – Sir Joseph osunął się nieco w fotelu. – Byłaby to ujma dla damy. Proszę poczynić w tej mierze stosowne ustalenia, jednak chcę, aby pan wiedział, że po ślubie przekażę taką samą kwotę instytucji dobroczynnej wskazanej przez Louisę.

Sprawy się komplikowały, ponieważ człowiek tak skromnego pochodzenia jak sir Joseph raczej nie rozumiał, o jakie sumy tu chodzi.

– Jest pan bardzo hojny, Carrington, ale czy nie nasunie to Louisie myśli, że nie ceni pan jej posagu, a przez to i jej samej?

Sir Joseph popatrzył na swojego drinka.

– Chciałbym wyjaśnić, że jest na odwrót: Tak bardzo ją cenię, że poślubię ją z radością nawet bez żadnego posagu.

Westhaven obrzucił spojrzeniem drzwi, a następnie udawał, że przygląda się zamieci za oknem. W rzeczywistości chciał naradzić się z hrabiną, lecz ta akurat zajmowała się doglądaniem wypieków na święta w kuchni, jeśli nie mylił go nos, wyczuwający dobiegające stamtąd aromaty. Anna wiedziałaby, czy rozumowanie sir Josepha idzie w parze z tymi zmiennymi kaprysami, zwanymi kobiecą logiką.

Choć w gruncie rzeczy nie miało to znaczenia, ponieważ dżentelmen farmer, nawet uszlachcony, nie byłby w stanie spełnić obietnicy sir Josepha.

Lata studiów prawniczych dają pewną umiejętność posługiwania się dwuznacznościami, co Westhaven bezwstydnie wykorzystywał.

– Sporządzę wstępną propozycję i prześlę ją pańskim prawnikom, sir Josephie. – Za sprawą majątków powierniczych, zarządzania częścią wiana oraz innych prawnych sztuczek duma sir Josepha nie powinna zostać aż tak bardzo urażona.

Westhaven nie zobowiązał się do żadnego terminu, gdyż kiedy już małżeństwo stanie się faktem, targowanie się można sprowadzić na tory wewnątrzrodzinnych sporów.

– Proszę bardzo, Westhaven, ale niech pan prześle ten dokument mnie. Zwykły szlachcic nie musi angażować prawników do swoich osobistych spraw. Chcę jasno rzec panu i całemu światu, że pojmę Louisę za żonę, nawet jeśli jej rodzina nie da jej ani grosza.

– Byłem w pańskim domu, sir Josephie.

Sir Joseph rozprostował prawą nogę i przyjął dość swobodną pozę jak na charakter tego spotkania.

– Podobnie jak chyba połowa mieszkańców hrabstwa, zważywszy na wścibstwo większości sąsiadów.

– Jesteśmy przyjaźni – powiedział Westhaven. – Serdeczni.

– Zgraja utytułowanych plotkarzy, by nazwać inaczej. Nie możecie rozmawiać o cudzych sprawach pod czujnym okiem pastora w kościele, więc odwiedzacie, kogo tylko się da. Do czego pan zmierza?

Istotnie, byli zgrają utytułowanych plotkarzy i z tego powodu Westhaven mieszkał w hrabstwie Surrey, a nie Kent.

– Rzecz w tym, sir Josephie, że gdybym nie stwierdził na własne oczy, iż pańskie domostwo jest dość przestronne dla książęcej córki, kwestia tego małżeństwa napawałaby mnie troską.

Sir Joseph powoli obrócił głowę, by spojrzeć na gospodarza.

– Każdy człowiek, który nie podchodzi z troską do małżeństwa, a tym bardziej małżeństwa swojej siostry, jest idiotą. Czy mogę prosić o jeszcze?

Podsunął opróżniony kieliszek.

– Oczywiście. Zaniedbuję się jako gospodarz, proszę mi wybaczyć. – Westhaven, napełniając przy kredensie kieliszek sir Josepha, oraz swój, zrewidował swoją wcześniejszą opinię o rozmówcy. Jego Książęca Wysokość miał rację: sir Joseph będzie świetnym dodatkiem do rodziny. Ten człowiek nie dawał się zastraszyć czymś tak nieistotnym jak książęca ranga. A twardy charakter był nieodzowny komuś, kto miał poślubić jedną z kobiet z rodu Windhamów.

Sir Joseph prezentował tę cechę w stopniu nie mniejszym niż hrabina Westhaven.

– Zaproponuję więc nieco inny toast – stwierdził Westhaven, niosąc kieliszki przez pokój. – Za długotrwały, szczęśliwy i kochający związek, taki sam, jakim zamierzam cieszyć się z moją drogą żoną.

Sir Joseph przyjął kieliszek, ale z lekkim wahaniem. Określenie „kochający" trąciło nieco nutą ojcowskiej jowialności, lecz „owocny", zdaniem Westhavena, mogło być nieco krępujące. Carrington upił nieco drinka i między gospodarzem a gościem zapanowało milczenie.

Mając do czynienia z rodzeństwem, rodzicami, kupcami oraz innymi kłopotliwymi osobami, Westhaven doceniał wartość milczenia. Być może hodowla żywca nauczyła Josepha tego samego.

– Sir Josephie, czy jest coś jeszcze, co powinniśmy omówić?

– Tak. – Sir Joseph ściągnął usta, wpatrując się spod zmarszczonego czoła w śnieg, który rozpadał się na dobre. – Chyba lepiej będzie, jak przyniesie pan tu tę karafkę.

Dziedzic książęcego tytułu nie przynosi niczego, może z wyjątkiem szala żony, jej haftów, ulubionej książki, szczotki do włosów czy domowych pantofelków.

Albo jej porannej czekolady.

– Niech pan może mnie najpierw oświeci, w czym rzecz.

Uśmieszek, który zatańczył na ustach sir Josepha, był prawie szelmowski, co nasunęło Westhavenowi podejrzenie, że jego gość celowo narusza obowiązujące zasady zachowania. Takie postępowanie godne było... samej Louisy. Gdy Westhaven ponownie popatrzył na swojego gościa – z trochę większym respektem – ten już się nie uśmiechał.

– Chciałbym porozmawiać o swoich córkach i synach oraz o tym, że potrzebuję dla nich opiekuna na wypadek mojej śmierci.

Westhaven założył nogę na nogę i wygładził zagniecenie na spodniach.

– Nie wiedziałem, że jest pan szczęśliwym ojcem nie tylko dwóch córek.

– Louisa też tego nie wie i wolałbym, żeby na razie tak pozostało.

Za niewzruszoną zasadę zachowania spokoju w interesach, polityce i w domu Westhaven przyjął, że to, co wydawało się za piękne, żeby było prawdziwe – powiedzmy, idealny małżonek dla jego błyskotliwej, oczytanej, elokwentnej i pięknej siostry – zawsze się takie okazywało.

– A ileż to razy poszczęściło się panu spłodzić syna, Carrington?

– Osiem... są jeszcze cztery ich siostry. Poza dwiema córkami, które mieszkają ze mną w Kent.

Ósemka. Tyle było łącznie rodzeństwa Windhamów, ślubnych i nieślubnych. Dwanaścioro dzieci z nieprawego łoża... Król Karol II spłodził dwunastkę bękartów. Człowiek odczuwał niechętny podziw dla męskiego wigoru niezbędnego do spłodzenia tylu dzieci. A Carrington, podobnie jak Jego Królewska Mość, najwyraźniej dbał o dobro swojego nieprawego potomstwa.

Westhaven przyniósł karafkę.

– Poczta do ciebie. – Jenny rzuciła dwa listy na kolana Louisy.

Louisa nie odpowiadała, póki nie odszedł lokaj, który wjechał wcześniej wózkiem z herbatą.

– I potrzeba było całego dnia, żeby do mnie dotarła?

– Byłaś zajęta – powiedziała Eve z miejsca przy kominku. – Choć muszę przyznać, że poradziłaś sobie wspaniale, mimo napięcia.

– Związanego z zakupami? – Siostry towarzyszyły jej podczas tychże, powściągając też rozrzutne zapędy Jej Wysokości.

Jenny ustawiła tacę z herbatą na niskim stoliczku koło sofy.

– Napięcia związanego z pojedynkiem, który twój wybranek ma stoczyć jutro o świcie.

Niepokój, który nie miał nic wspólnego ze zbliżającym się ślubem, wzmógł jeszcze bardziej ucisk w brzuchu Louisy.

– Tak to już jest.

– Przeczytaj te listy, kochana. – Jenny miała pogodną minę, nalewając herbatę dla wszystkich trzech sióstr. – Sir Joseph udowodni, że jest człowiekiem honoru, a tylko to się liczy.

Eve wykrzywiła usta, zupełnie jak nie dama.

– Ta cała kwestia honoru powoduje więcej problemów, niż ich rozwiązuje. Kobiety nigdy o czymś takim nie wspominają i jakoś nie rozbijamy sobie wzajemnie głów o tak śmiesznie wczesnej porze za jakąś wydumaną obrazę.

– Eve. – Zabrzmiał ostro ganiący głos Jenny.

Louisa przebiegła wzrokiem listy, czując się zarówno wdzięczna za troskę okazywaną przez siostry, jak i nią poirytowana.

– Ona ma rację... A ja mam list od Valentine'a.

– Czy to wiadomość, czy też przysłał ci swoją następną kompozycję? – Jenny uniosła filiżankę z herbatą, a Louisa pokręciła głową i pobieżnie przeczytała list od brata, napisany eleganckim, zgrabnym charakterem pisma.

– Wiadomość. Winszuje mi wyboru małżonka... zupełnie jakbym miała jakiś wybór.

Eve zerknęła na nią, zaskoczona.

– Przecież miałaś.

– Racja. – Choć myśl o poślubieniu kogokolwiek poza Josephem z jakiegokolwiek powodu poza ocaleniem honoru rodziny, i jego honoru, była absurdalna i taka pozostała. – Ellen cieszy się wspaniałym zdrowiem, podobnie jak dziecko, a Val przesyła wam obu najgorętsze życz... – Porcelana zadźwięczała, z ognia wystrzelił snop iskier, a Louisa przeczytała po cichu kilka następnych linijek, czując mdłości i chłód.

– Najdroższa, co się stało?

Eve i Jenny wymieniły niespokojne spojrzenia. Do chwili swojego ślubu Valentine był ich ulubionym towarzyszem, bratem, któremu się zwierzały, kimś, kto wydawał się okazywać najwięcej zrozumienia dla kobiecej wrażliwości.

– Muszę odwiedzić sir Josepha. – Louisa starannie złożyła list i wstała. Zamierzała zrobić coś prawie nie do pomyślenia: złożyć wizytę mężczyźnie, który dopiero miał zostać jej mężem.

– Dziś wieczorem? Kochana, już ciemno, a jeśli nie wrócisz, zanim zasiądziemy do kolacji…

– Powiemy mamie, że boli cię głowa albo masz kobiece dolegliwości – wtrąciła Eve. – I jedno, i drugie jest całkiem możliwe. Chętnie wybiorę się z tobą.

Jenny się skrzywiła.

– A więc obie dostałyście bólu głowy.

– Pójdę sama – powiedziała Louisa. – Pieszo. To tylko kilka przecznic, włożę czepek z woalką i wezmę jednego z lokajów. Przez ten śnieg na ulicach prawie nie ma ludzi, a sir Joseph odprowadzi mnie z powrotem.

Jej plan był niewątpliwie niestosowny, a przy okazji także ryzykowny.

Nie powstrzymały jej. Nawet nie próbowały.

Zakładając, że przeżyje Pan pojedynek, ile byłby Pan skłonny zapłacić za to, by Pańska nowa żona nie dowiedziała się o Twoich wyuzdanych rozpustach w Hiszpanii?

Sir Joseph wpatrywał się w list, w słowa napisane pewną i nieznaną mu ręką. Ten liścik dostarczono mu tego dnia wraz z inną korespondencją, niezaadresowany, bez znaczka, a jego treść zadręczała Josepha przez cały zimny, słotny dzień.

Ktoś był zdecydowany zatruć jego małżeństwo, zanim doszło do zaślubin.

A jednak nie był to szantaż – jeszcze nie. Wyjście było oczywiście proste. Joseph musiał wyjawić Louisie, że wychodzi ona za mąż za mężczyznę, który ma więcej nieślubnych dzieci niż większość ludzi miewa dzieci prawowitych, i patrzeć, jak kobieta, którą tak ceni, zrywa z nim, by prowadzić życie w staropanieństwie, na jakie nie zasłużyła.

– Jakaś młoda dama do pana, sir.

Joseph spojrzał znad ksiąg handlowych, które przeglądał. Jego lokaj, przypominający w sposobie bycia, a po trosze i z wyglądu, wiernego starego psa, miał minę, która niczego nie zdradzała.

– Czy podała swoje nazwisko, Sylvester?

– Nie, sir. Służący, który ją przyprowadził, ma na sobie liberię Morelandów.

– Wprowadź ją i poleć w kuchni, żeby przygotowali dwie zastawy na kolację.

– Tak jest, sir. – Sylvester skłonił się i wyszedł, by już po chwili wprowadzić Louisę Windham. Joseph był przez moment strapiony, że zastała go w stroju bez rękawów, ale jeśli się pobiorą, to widywać go będzie w jeszcze bardziej nieformalnych sytuacjach.

Gdy się pobiorą.

– Młoda dama, o której mówiłem, sir.

– Dziękuję, Sylvester. To wszystko i zamknij za sobą drzwi.

Joseph wstał zza biurka i schował do kieszeni okulary używane do czytania. Louisa stała przy drzwiach, ubrana w suknię z czerwonego aksamitu. Policzki miała zaróżowione od zimna albo z zakłopotania.

– Witaj, Josephie. Powinniśmy zostawić drzwi otwarte.

– W takim razie ulotni się całe ciepło, a poświęciłem dwie godziny na rozpalenie w kominku. – Joseph przeszedł przez pokój i ujął ją za ręce; jej palce wydawały się bardzo zimne w jego dłoni. – Jeśli niepokoi cię sprawa przyzwoitości, to czy wolno mi przypomnieć, Louiso, że jesteśmy zaręczeni? Mokre rąbki twojej sukni świadczą o tym, że dotarłaś tu pieszo, a ponieważ przyszłaś tylko z lokajem, ktoś już mógł cię zauważyć.

– Szliśmy głównie bocznymi uliczkami.

– Naprawdę? – Chciał wezwać jej lokaja z kuchni i udzielić mu surowego pouczenia na temat przeprowadzania młodej damy londyńskimi zaułkami po zmroku. Ale Louisa była zmarznięta, cicha, a wokół jej oczu widniało napięcie, które zaniepokoiło Josepha. – Podejdź tu, do kominka. Jedzenie już przynoszą.

Nadal trzymał ją za rękę i usiadł koło niej na sofie przed kominkiem.

– Jeżeli chciałaś wszystko odwołać, Louiso, to wystarczyło przysłać liścik.

Uniosła ciemne brwi.

– Sądzisz, że w noc przed pojedynkiem przysłałabym list zrywający nasze zaręczyny?

Joseph przez chwilę w milczeniu wpatrywał się w swoją wybrankę. Choć policzki miała zarumienione z zimna, była blada, a cienie pod oczami wskazywały, że źle spała.

– Nie winiłbym cię, gdybyś przysłała taki liścik, Louiso. Odwołujesz ślub?

Zdołał zadać to pytanie zwyczajnym tonem, jednak nie potrafił sobie wyobrazić, co innego mogło ją tu przygnać w taką paskudną pogodę, prawie samą, po ciemku. Myśl o tym, że ją utraci...

Powinien odczuć ulgę. Małżeństwo z Louisą byłoby wyzwaniem, delikatnie mówiąc, a mimo to sir Joseph nie puszczał jej dłoni.

– A chcesz, żebym odwołała? – zapytała ostrożnie; nie przypominała teraz namiętnej kobiety, z którą dopiero co się zaręczył.

– Nie i nie wciskam ci uprzejmych frazesów, Louiso. – Wyjawienie tej prostej prawdy okazało się zaskakująco łatwe. Życzyłby sobie, żeby wszystkie prawdy były tak nieskomplikowane.

Odrobinę się rozluźniła.

– Cóż, nie odwołuję, to znaczy, nie zamierzam.

Wniesienie zastawy z kolacją oszczędziło mu konieczności odpowiadania na tak stanowcze zapewnienie. Louisa popatrzyła na swój posiłek z powątpiewaniem.

– Jedz, Louiso. Pewnie ominęła cię kolacja z rodziną, a jeśli zamierzasz przedzierać się przez zadymkę w nocy, musisz mieć siłę.

– Jem za dużo. – Usiadła na sofie, a sir Joseph obok niej.

Nawet czkawka nie wprawiłaby jej w większe zmieszanie niż słowa, które właśnie wypowiedziała. Joseph zajął się nalewaniem wina, aby nie patrzeć, jak Louisa spąsowiała.

– Jeśli twoja kobieca sylwetka ma na cokolwiek wskazywać, to na to, że jesz dokładnie tyle, ile trzeba, by mieć wspaniałą figurę. Zjemy?

Zgodnie z jego upodobaniami w kuchni przygotowano prosty posiłek, złożony z pieczeni wołowej, chleba i masła, ziemniaków rozgniecionych z cheddarem i gruszek na parze. Powinien się wstydzić przed nią podaniem tak niewyszukanych potraw, ale jeśli się pobiorą – gdy się pobiorą – to i tak nieraz taca z jedzeniem będzie wnoszona do domowej biblioteki.

– Wołowina dobrze przyrządzona – powiedziała kilka minut później. – Twoja służba dba o ciebie.

– Ostatnio spisują się świetnie. Krążą pogłoski, że niebawem książęca córka obejmie w posiadanie moją skromną osobę wraz ze służbą.

Dostrzegł, że spodobał jej się ten komplement, choć usiłowała ukryć uśmiech, upijając łyk wina.

– Louiso, choć bardzo się cieszę z twojego towarzystwa i jestem zaszczycony twoją obecnością, wyjaśnij mi, proszę, dlaczego przyszłaś.

Nie odpowiedziała od razu, dziobiąc widelcem gruszki na talerzu.

– Dostałam list od Valentine'a.

Joseph wyjął widelec z jej dłoni, wbił go w kawałek gruszki i podniósł do ust Louisy.

– No i?

Odgryzła kęs z widelca, wytrzymując spojrzenie Josepha.

– Gruszki też dobre. – Przeżuwała powoli, a Joseph silił się na cierpliwość. – Valentine studiował na uniwersytecie z Lionelem, Grattinglym i innymi, z którymi wspólnie się zabawiają.

– Ponieważ – podjął Joseph, karmiąc ją następnym kawałeczkiem gruszki – jednym z celów studiów w Oksfordzie jest zapewnienie synom arystokracji zadzierzgania w swoim pokoleniu więzów solidarności.

Gdy wypowiadał te słowa o uczelni, Louisa wyjęła mu widelec z ręki i wbiła go w kolejny kawałek gruszki.

– Ponieważ – powiedziała, unosząc widelec do ust Josepha – są w tym samym wieku. Valentine przesyła ci ostrzeżenie.

Joseph zajął się przeżuwaniem deseru, a smak gruszek, cynamonu i brandy rozlał słodycz na jego języku.

– Przed czym ostrzega?

Tym razem nie odebrał jej widelca.

– Grattingly pojedynkował się kilka razy na studiach. Valentine sekundował dwóm jego przeciwnikom.

Gdy Joseph przełknął nowy kęs niebiańsko smakowitej gruszki, omiótł spojrzeniem ręce Louisy. Piękne dłonie i pomimo tego, co czekało go jutro – a może właśnie dlatego – chciał poczuć te ręce na swoim ciele.

– Sam bywałem sekundantem. Wojaczka na Półwyspie Iberyjskim podsycała w nas brawurę, tak jak żołnierskie posłanie syci pchły.

Nie odzywała się przez chwilę, zjadając kawałątek gruszki ze wspólnego widelca. Usta też miała piękne.

– Opowiesz mi o tym kiedyś?

– O pchłach?

– O kampanii pod dowództwem Wellingtona. W listach Barta wyglądało to wszystko na dobrą zabawę, tylko że nie tłumaczyło, dlaczego Devlin wrócił z tej zabawy w tak żałosnym stanie.

– St. Just ma się już teraz dużo lepiej. Tak, Louiso, opowiem ci wszystko, co zechcesz wiedzieć o żołnierskim życiu. Przed czym to ostrzega mnie lord Valentine?

Pomiędzy napawaniem wzroku jej urodą i pozwalaniem na karmienie go nieco rozmiękłym deserem a uświadamianiem sobie tego, co czekało go rano, dotarło do Josepha, nim gruszki zostały zjedzone, że Louisa Windham – niebawem Louisa Carrington – się bała.

O niego. Strach przydał bladości jej cerze, wywołał cienie pod oczami i napięcie wokół ust. Na widok tego wzburzenie z powodu zachowania Grattingly'ego zamieniło się w Josephie w kipiącą wściekłość.

Z jej powodu. Z powodu damy, która zamykała oczy, ilekroć podsuwał jej kęs gruszki.

– Valentine wyjawił, że w obu pojedynkach Grattingly wybierał pistolety, a obaj przyjaciele Valentine'a stwierdzili, że broń była niecelna. Kule zniosło w lewo, obydwaj przeciwnicy Grattingly'ego zostali ranni, w tym jeden poważnie, a Grattingly nie odniósł żadnych obrażeń.

– Interesujące.

Jakby już byli małżeństwem, Joseph objął Louisę ramieniem i przyciągnął do swego boku.

– A więc, jeżeli będziemy się strzelać z pistoletów Grattingly'ego, mam celować trochę w prawo. Spodziewam się, że skończy się na strzelaniu w powietrze, moja droga. Nie zamartwiaj się z tego powodu.

– Nie mogę się nie martwić. – Nadal była sztywna, tak jakby stale próbowała narzucić sobie coś w rodzaju dyscypliny, mimo że pozwalała mu się obejmować.

– Pochlebia mi to.

Jego wybranka obróciła się, żeby na niego spojrzeć.

– Jutro o tej porze możesz już nie żyć i pochlebia ci, że kobieta, która zgodziła się wyjść za ciebie za mąż, się martwi. Josephie, nie możesz dopuścić, żeby ten człowiek wyrządził ci krzywdę.

Pocałował ją, aby nie wpadała w panikę z powodu czegoś, na co żadne z nich nie miało wpływu. Zamiast pocałunku, który byłby wyrazem bagatelizowania jej obaw, zaoferował pocałunek pocieszenia, uspokojenia, a nawet wdzięczności za troskę.

– Josephie... – Dłonią, która nie była już zimna, ujęła jego policzki. – To niczego nie rozwiąże.

Odgarnął za ucho kosmyk jej włosów.

– Ukoi moje nerwy i odciągnie myśli od zbliżającej się ciężkiej próby.

– A więc będzie to ciężka próba? – Zatroskanie sprawiło, że jej zielone oczy zalśniły. Joseph zwrócił policzek ku jej dłoni, aby jego dżentelmeńska powściągliwość nie utonęła w tych oczach.

– Oczywiście, że nie. To tylko drobne utrapienie, ale ujmuje mnie twoje dobre serce.

– Nie kłamiesz? Nie próbujesz ukoić moich nerwów wykrętami? Nie wolno ci mnie okłamywać, Josephie. Nigdy.

– Louiso, byłem strzelcem wyborowym w armii Wellingtona. – Ucałował jej dłoń. – Potrafię strzelać z każdej broni palnej, kuszy, łuku i ciskać wszelkimi rzutkami, jakie wpadną mi w ręce, i radzę sobie nieźle w walce na noże, pałasze oraz na gołe pięści.

Omiotła wzrokiem jego twarz.

– Jesteś bardzo waleczny. Nikt by się tego nie domyślił, widując cię z córkami w kościele.

– To wymaga zupełnie innego rodzaju waleczności. – A także zdolności do znoszenia napadów tęsknoty za domem, w tym również za Lady Ophelią.

– Polubię twoje córki, Josephie.

– A one będą uwielbiały ciebie.

Posłała mu nieznaczny, lecz szczery uśmiech.

– Byłam na herbatce u Jej Wysokości.

On chciał znów się z nią całować, a ona mówiła mu o trywialnych zdarzeniach z życia domowego.

– To była zapewne ciężka próba?

– Myślę, że Jej Wysokość udzieliła mi rad albo swojego błogosławieństwa.

Joseph pocałował narzeczoną w policzek, czując świąteczną woń goździków, która bynajmniej nie sprzyjała okiełznaniu jego niesfornej wyobraźni. Zamiast opamiętać się trochę, Joseph pozostał na tyle blisko, by muskać nosem policzek Louisy.

– Rad jakiego rodzaju?

– Całuj mnie, Josephie Carrington.

Z rozkoszą. Pocałował ją słodko i delikatnie, aż stała się ciepłą, miękką, cicho pojękującą kobiecością u jego boku, a wtedy i ona zaczęła go całować, słodko, lecz wcale nie delikatnie.

W chwili, gdy ułożyła się na sofie na plecach pod Josephem, on nie tęsknił już do swojej ulubionej świni ani też nie myślał o żadnych pojedynkach. Jednak w ostatnim zaułku swojego umysłu zdolnym do racjonalnej myślenia był wielce zaniepokojony prośbą Louisy, aby jej nie okłamywał – nigdy – i tym, że nie mógł odpowiedzieć jej na to obietnicą, którą pragnął jej złożyć.

9

Gdzie ona mogła pójść?

Tylko przejawy gniewu bożego skłaniały Esther Windham do wyrażania zaniepokojenia na głos, a Jego Wysokość wiedział już, kiedy dochodziło do takich kataklizmów. Na szczęście niczego podobnego nie zaplanowano na ten wieczór.

– Wypij swoją herbatę, moja droga. Świetny gatunek i ukoi twoje nerwy. – Podniósł filiżankę i podał jej ze swoim najbardziej mężowskim uśmiechem, chociaż za nic nie potrafił zrozumieć, jak można wypijać tyle tej lury.

– Percivalu Windham – odpowiedziała lodowatym tonem – traktujesz mnie protekcjonalnie na swoją zgubę.

O, już lepiej, pomyślał książę, choć przybrał minę osoby skarconej.

– Powiadasz, że Louisa zabrała lokaja i skierowała się na północ Londynu?

Księżna wzięła tamborek z haftem i przeciągnęła igłę przez materiał.

– O tej porze sklepy już zamknięte, a Louisa nie jest z tych, co zostawiają przedświąteczne zakupy na ostatnią chwilę. Po co wybrała się na Oxford Street?

– Kochana, a czy nie skierowała się przypadkiem do miejskiego domu sir Josepha? Jutro rano może mu się coś przydarzyć.

– Dobry Boże. – Księżna odrzuciła na bok tamborek. – Sądzisz, że ona uprzedza tok wypadków? Uwikła się w melodramat, który ściągnie na nią większy skandal od tego, jaki się szykuje, jeśli sir Joseph zginie.

– Nie, nie sądzę. Uważam, że poszła po prostu spędzić trochę czasu z narzeczonym, człowiekiem, którego coraz bardziej lubi. Sir Josephowi za bardzo na niej zależy, żeby jej zaszkodzić. Zawołajmy Eve i Jenny i zasiądźmy do miłej wieczerzy.

Jej Wysokość wstała z kanapy z błyskiem zdecydowania w oku.

– Siostry Louisy wiedzą, dokąd poszła, i nie zatają tego przed nami.

Książę podał jej łokieć i poklepał dłoń żony, gdy pozwoliła mu się poprowadzić. Księżna niepokoiła się o Louisę bardziej niż o inne dzieci, wyznając pewnego razu, że Louisa to jej dziecko, którego nie rozumie.

Być może matki rzadko rozumieją to swoje potomstwo, które tak bardzo przypomina je same.

Książę przystanął przed ulubionym salonikiem córek i zapukał do drzwi.

– Chodźcie, moje piękne. Pora na ucztowanie.

Jenny otworzyła drzwi.

– Już pora na posiłek? – Zaprezentowała uśmiech, który pewnie nie zwiódłby nikogo na świecie poza jej rodzicami.

– Umieram z głodu – oznajmiła Eve, ukazując się u boku Jenny z podobnie nieszczerze wesołą miną. – Zawsze chce mi się jeść, kiedy na dworze zimno.

– Gdzie Louisa? – zapytała Jej Wysokość. Ucho męża wyłowiło znamienną, władczą nutę w głosie księżnej.

– Boli ją głowa.

– Ma lekki ból brzucha.

Siostry Louisy wypowiedziały to równocześnie, a potem odwróciły spojrzenia.

– Co za pech – powiedział cicho książę. – Żeby tak ulec obu tym nieszczęściom naraz. Zostawimy jej kawałek ciasta w nadziei na jej szybkie ozdrowienie. Chodźcie, moje drogie.

Nie zwrócił uwagi na konsternację, która przez chwilę zamigotała w oczach jego żony, wiedząc, że Jej Wysokość nigdy nie zbeształaby go przy dzieciach. Z młodszymi córkami, które ruszyły potulnie z tyłu, księżna udała się na kolację, wsparta na ramieniu księcia i, zgodnie z przewidywaniami Jego Wysokości, posiłek okazał się całkiem przyjemny.

Książę poczuł nawet lekką dumę z siebie, kiedy księżna, po tym, jak podano deser, przypomniała o odesłaniu porcji czekoladowego tortu do pokoju Louisy.

– Nie to planowałem na deser, Louiso Windham.

Sir Joseph wymamrotał te słowa przy uchu Louisy, a ona była zbyt oczarowana odczuwaniem ciężaru przygniatającego ją ciała, aby zaoponować.

– Nigdy dotąd nie uprawiałam zapasów z dorosłym mężczyzną.

– Sprzyja ci element zaskoczenia. Kiedy zostaniesz moją żoną, nie będzie tak łatwo mnie zniewolić na dywaniku przed kominkiem, choćby wiązało się to ze zdumiewającymi rozkoszami.

Louisa doszła do wniosku, że zniewoliła go zupełnie, bo nie odsuwał się od niej, kiedy leżeli na dywaniku.

– Josephie, czy posłużyłeś się językiem, żeby...?

– Żeby cię posmakować, przekonać się, czy smakujesz świąteczną wonią, która łaskotała moje nozdrza przy tak wielu okazjach.

Jego głos przypominał trochę mruczenie, a odgłos ten słodko przenikał wprost do brzucha Louisy.

– Myślę, że spodoba mi się bycie twoją żoną, sir.

– Ciii... – Musnął nosem płatek jej ucha, co wywołało w niej rozkoszne dreszcze. – Zmagam się z własnym sumieniem i, madame, zamierzam wyjść zwycięsko z przynajmniej jednej walki tego wieczoru, ale bądź pewna, że w małżeństwie ze mną coś ci się spodoba, i to bardzo.

– Liczę, że będzie to... Och, Josephie...

Przesunął się i jeszcze mocniej wtulił w nią, tak że poczuła jego podniecenie.

– Zamilkłaś. Na pewno czeka nas sezon cudów.

Louisa zamknęła oczy, by intensywniej odczuwać cudowne doznania, wzbudzane przez jego dłoń na jej piersi. Wiedział, co robi, dotykając jej delikatnie, lecz pewnie, co wzniecało rozpływające się w niej na wszystkie strony fale żaru.

– Chcę się rozebrać – stwierdziła, wijąc się pod nim. – Chcę, żebyś i ty się rozebrał. – Nagle pomysł małżeństwa, małżeństwa z Josephem, nabrał nieodpartej atrakcyjności.

Joseph uniósł się nieznacznie, wspierając się na przedramionach i kolanach, a Louisa miała ochotę krzyknąć, gdy tak się od niej odsunął.

– Przerażasz mnie, Louiso Windham. Przypomnij mi, żebym wyniósł wszystkie sznury, noże, szpicruty, kneble i opaski na oczy z naszej sypialni w noc poślubną.

Dosłyszała nutę śmiechu w jego głosie, gdy otworzyła oczy, żeby mu się przyjrzeć.

– Uważasz to za zabawne? Czuję namiętność do mężczyzny po raz pierwszy w życiu, a ciebie to bawi?

Uśmiech zgasł, lecz ciepło w jego oczach się nie rozwiało.

– Po raz pierwszy, Louiso?

Wtuliła twarz w jego bark.

– Nie przesłyszałeś się.

Ujął swoją dużą dłonią tył jej głowy i uniósł się nad nią, krzepki, podniecający okaz męskiego zdrowia, który przyćmił Louisie wszystko inne.

– Mogę dać ci rozkosz, Louiso, ale sumienie nie pozwala mi do końca wypełnić obowiązków przynależnych mężowi.

Spodziewała się, że Joseph okaże się przyzwoity. Chciała wyrzucić to jego przeklęte sumienie aż do samej Szkocji.

– Czemu nie?

– Bo Grattingly używa krzywych pistoletów i zbytnio cię cenię. – Oświadczył tak łagodnie, że zabrzmiało to dla Louisy jak końcowy wiersz poematu, choć same słowa, słowa prawdy, nie spodobały jej się. Ostatnią rzeczą, jaką chcieliby jej rodzice, byłby nieślubny wnuk, owoc nocy namiętności.

Owoc chwili namiętności.

– O jakich rozkoszach wspominałeś?

Usłyszała, jak zachichotał.

– Jesteś podejrzliwa, Louiso. Napomknąłem o intymnych przyjemnościach, jakie mężczyzna daje kobiecie, na której mu zależy, o rozkoszy, jaką możesz dać sama, jeśli wystarczająco tego zechcesz, o rozkoszy, którą będę dawał ci często, kiedy się już pobierzemy.

Gdy wypowiadał te słodkie groźby, Louisa gładziła dłonią jego włosy. Nawiedziła ją osobliwa myśl – była rada, że on, tak jak ona, ma smagłą karnację i ciemne włosy, a nie jest doskonałym, jasnowłosym bóstwem, i choć nawet ton jego głosu był mroczny, jego włosy pod jej palcami były miękkie.

– Nie rób mi wykładów, Josephie. Całuj mnie.

Umilkł, a Louisa przymknęła oczy, wyczekując rozkosznego zetknięcia jego ust z jej ustami. Lecz on dotknął wargami miejsca, gdzie ramię przechodziło w szyję, czułego, wrażliwego punktu, które rozkwitło pod ciepłym muśnięciem jego ust.

– Nie bądź niecierpliwa, Louiso.

Była niecierpliwa od urodzenia i od urodzenia musiała czekać, by ci, których umysły pracowały z trudem i nieporadnie, nadążali za nią, lecz kiedy usta Josepha znów dotknęły szyi Louisy, i jej umysł pracował nieporadnie.

– Bardzo mi się to podoba.

– Świetnie. I mnie się to dosyć podoba.

Powiedział to bardzo zadowolony z siebie. Nie dbała o to. Gdy słodkie ciepło powoli rozchodziło się po jej plecach, wyszarpnęła koszulę Josepha zza pasa.

– Spieszno ci, Louiso?

Czy kiedykolwiek jakiś mężczyzna włożył tyle leniwego ciepła w tak proste pytanie?

– Jeśli nie chcesz, żebym cię rozebrała, to sam zrzuć ubranie.

Podniósł się, ściągnął koszulę przez głowę, i znowu zajął się muskaniem jej karku, nim zdążyła złapać oddech.

– Teraz lepiej. – Dużo, dużo lepiej. Czucie ciepła jego skóry, zarysu mięśni i kości pod palcami sprawiało jej prawdziwą przyjemność.

– W takim razie chyba nie będziesz miała nic przeciwko małej zmianie. – Poruszył się znowu, tym razem przyciągając ją do swego boku. – Mam zdmuchnąć świece, Louiso?

Ułożył się obok niej, podpierając głowę dłonią i przyglądając się jej z osobliwym blaskiem w oczach. Chciała zobaczyć go całego, ale zrozumiała, że to on chce ją widzieć całą. Jej śmiałe słowa o zdjęciu ubrania wyrwały się za sprawą pożądania, które znacznie wyprzedziło jej odwagę.

– Tak, proszę, zgaś świece.

Przeszedł przez pokój w samych bryczesach i butach, a ona przez chwilę mogła po prostu na niego popatrzeć. Ujrzała mocne muskuły, ukryty wdzięk, mimo że lekko utykał. Zobaczyła też świadectwo jego podniecenia prężące się pod fałdami bryczesów.

A może tylko jej się zdawało. Były pewne zwroty i słowa, których niegdyś nie umiała przetłumaczyć z łaciny, a jej beznadziejni, durni, głupkowaci bracia zarykiwali się ze śmiechu, gdy prosiła ich w tym o pomoc.

– Wciąż jeszcze możesz zmienić zdanie, Louiso – powiedział, siadając na dywanie i zzuwając buty. – Za kilka dni weźmiemy ślub, a wtedy nie będzie niczego zakazanego w jeszcze większej intymności.

Patrzyła, jak cienie rzucane przez ogień igrają na jego ciele.

– Zawsze wydawało mi się to niedorzeczne. Ten sam akt, grzeszny o poranku, jest uświęcony sakramentem w nocy, pod warunkiem że wypowie się magiczne słowa i włoży odpowiedni strój.

– Widzę, że biorę za żonę osobę o radykalnych poglądach i bluźnierczynię. – Joseph zrzucił poduszki z sofy i wyciągnął się obok Louisy. – Czekają nas bardzo ożywione rozmowy.

Zaczął rozpinać jej suknię, która, na całe szczęście, miała guziki z przodu. Jego dłonie były bardzo duże, proporcjonalne do reszty ciała, a u nasady prawej dłoni dostrzegła plamę od atramentu.

– Podoba mi się, że nie tak łatwo cię zrazić, Josephie. Rzeczywiście, będziemy żywo dyskutować.

– Możemy się nawet kłócić, Louiso. – Uśmiechnął się, a potem nachylił nad jej mostkiem i wciągnął powietrze nosem. – Od dłuższego czasu zamierzałem cię poślubić, ale nie mam tak znakomitych, dżentelmeńskich manier, jak większość ludzi, z którymi się stykasz.

– Czy będziemy na siebie krzyczeć?

Powoli przeciągnął palcem po wypukłości piersi Louisy.

– Nigdy nie podniosę na ciebie głosu, Louiso Windham, a już niebawem Louiso Carrington.

Westchnęła, przymknęła oczy i poczuła ucisk w gardle. Gdy Joseph powoli, niemal z szacunkiem zsuwał z niej suknię, Louisa wyobraziła sobie ich oboje, starszych już, w domu pełnym dzieci, pełnym żywych dyskusji przy kolacji, poprzedzającej czułe miłosne chwile w intymnym zaciszu ich sypialni. Wcześniej nie myślała, że będzie to jej udziałem, lecz teraz leżąc, gdy delikatnie poznawał jej wrażliwe na dotyk miejsca, poczuła, obok pożądania, coś słodko poruszającego.

Poczuła nadzieję. Nadzieję dla siebie, nadzieję dla tego niezwykłego małżeństwa.

– Louiso, moja droga, nosisz wspaniałą bieliznę.

Przypatrywał się jej halce z czerwonego jedwabiu, wyszywanego na obrzeżach zieloną, złocistą i białą nicią, tworzącą wzorki na kształt liści ostrokrzewu.

– Jenny szyje je dla nas, a to sznurowanie to też jej pomysł.

Gorset był sznurowany z przodu, co stanowiło nowatorski i śmiały pomysł, a przy pewnej wprawie można było go włożyć i zdjąć bez pomocy pokojówki... Albo z pomocą narzeczonego.

Joseph zaczął rozplatać sznurówki gorsetu, lekko pociągając je i szarpiąc. Dobrze to znała, ale nigdy dotąd zdejmowaniu gorsetu nie towarzyszyły takie doznania, jak teraz.

– Zastanawiam się, czy książę wie, że ma w swoim domu takie nowatorki. Lady Jenny mogłaby zrobić na tym majątek.

Louisa powiodła dłonią po jego włosach.

– Mówisz to, żeby mnie uspokoić?

Rozchylił na boki poły gorsetu, a potem zajął się kokardkami halki.

– A udaje mi się?

– Nie denerwuję się, Josephie. Jestem... poruszona. W środku.

Pocałował ją w usta.

– Przez to, co chcę z tobą robić...

Nie kłamała, była poruszona, ale także niepewna, co ona ma robić dalej, a taka sytuacja stawała się nieznośna. Joseph skończył rozwiązywać kokardki halki i po raz pierwszy w życiu Louisa poczuła ciężar spojrzenia dorosłego mężczyzny na swoich nagich piersiach.

– Gapisz się, Josephie. To niegrzecznie z twojej strony.

– Ty przyglądałaś mi się, jak byłem bez koszuli.

– To co innego. – Próbowała zasłonić biust skrzyżowanymi ramionami, ale Joseph zapobiegł temu z łagodną stanowczością.

– Teraz lady Jenny musi zrobić dla ciebie nowy gorset, Louiso. Taki, który nie da się tak łatwo zasznurować. Będzie to moje pierwsze życzenie, które wyrażę wobec ciebie jako oddany mąż.

Nie odrywał wzroku od jej piersi, a Louisa czuła to spojrzenie wręcz namacalnie.

– Moje suknie przestałyby na mnie pasować, gdybym nosiła luźniejsze gorsety.

– Ale, moja najdroższa oblubienico, będziesz mogła przynajmniej oddychać. – Usiadł i skrzyżował nogi, by znaleźć się jak najbliżej bioder Louisy. – Stwórca obdarzył cię hojnie kobiecymi atrybutami i, jeśli zechcesz, zamówimy dla ciebie całą nową garderobę, bo wolałbym, żeby moja żona była w stanie oddychać... zwłaszcza jeżeli czasami ma na mnie pokrzyczeć.

Położył rękę na jej mostku, jego dotyk był ciepły, a dłoń miała niewielkie odciski. Wrażenie tym wywołane, bezpośrednie dotknięcie tak intymnej części ciała sprawiło, że Louisa przymknęła powieki. Przez długie, ciche chwile skupiała uwagę tylko na jego ręce, która badała kształt i formę jej piersi; Louisa poznawała rozkosze nowe i dziwne.

– Czy powinnam to polubić?

Nie przestawał jej dotykać.

– Mam nadzieję, że tak. Mnie na pewno się podoba. – Ton jego głosu brzmiał kontemplacyjnie, niemal chłodno. Przez mgiełkę narastającego podniecenia Louisa poczuła iskrę zdecydowania, aby wytrącić go z tego nastroju.

Bez uprzedzenia wyciągnęła rękę i zaczęła badać jego pierś swoją dłonią. Palce Josepha nadal leniwie okrążały jej lewy sutek i zaczęły posuwać się dalej.

On także miał sutki. Jeśli były podatne choćby w połowie na doznania wzniecane w tej samej części jej ciała...

– Żenię się ze śmiałą kobietą. – Joseph chwycił jej dłoń, ucałował kostki, a następnie ułożył jej rękę na swoim sercu. – Podziwiam śmiałe kobiety.

Łapiąc go za słowo, Louisa uniosła się i pocałowała go. Czegoś już ją nauczył – wstrzymywanie się, choćby przelotnie, od pocałunku sprawiało, że rozkosz stawała się jeszcze większa.

Ale wstrzymywanie stało się już niemożliwe. Czuła, jak Joseph ułożył ją na dywanie, gdy ich usta nadal pozostawały złączone, czuła, jak jego dłoń podąża w dół jej brzucha, i czuła, jak obejmuje mocno jego ramiona, mimo że znajdowała oparcie w dywaniku na podłodze pod plecami.

– Rozsuń nogi, Louiso.

Słowa te zabrzmiały jak pomruk, a Louisa poczuła wilgotną, gorącą rozkosz sprawianą przez usta Josepha zaciskające się na jej sutku. Jego ręka na jej kolanie łagodnie wymusiła podporządkowanie się wydanemu poleceniu, a potem jego palce zanurzyły się w kędziorkach na jej wzgórku łonowym.

Kiedyż to halka owinęła się wokół jej talii?

Louisa wczepiła się dłońmi w jego włosy, zastanawiając się, czy to właśnie rzeczywisty powód, dla którego pospieszyła tego wieczoru do narzeczonego, zamiast posłać mu liścik. Była go spragniona, przeczuwając, że może zaznać z nim intymnej pieszczoty, jeśli nawet jutro wydarzy się najgorsze.

Myśl, że Joseph może nie przeżyć pojedynku, przeplatała się z ogniem wzmagającym się w jej ciele i rozniecającym pożądanie.

– Josephie, chcę więcej. Chcę być z tobą bliżej.

Nie odpowiedział, tylko musnął palcami intymną część jej anatomii. Zalała ją fala szokujących doznań, rozchodząca się z jej kobiecości. Jego dotyk sprawiał rozkosz, ale i wzmagał niespokojne oczekiwanie.

– Jeszcze... proszę...

Pocałował ją.

– Do usług.

Ten nieznośny mężczyzna, wydawało się, był wszędzie – jego pierś napierała na jej piersi, jego usta pochłaniały jej usta, jego ręka... Przycisnął nogą udo Louisy, unieruchamiając ją, gdy jej biodra falowały pod wpływem pieszczot jego dłoni.

Traciła oddech od tych pieszczot, ciężko dyszała.

– Nie mogę... Nie wiem...

– Ale ja wiem. Cierpliwości. Jesteś już blisko.

Wzmógł nacisk w cudowny sposób i dosłownie wszystko w Louisie się poruszyło. To, co w niej starało się oddalić od tego mężczyzny, teraz przyciągało ją do niego, a to, co próbowało się rozproszyć, rozlecieć na kawałki, skupiało się coraz bardziej w niemal bolesnych spazmach rozkoszy. Miotała się, wbijając paznokcie w muskularne męskie ciało i słysząc, jak sama wydaje z siebie ni to westchnienia, ni to jęki, a przez cały ten czas Joseph dawał jej rozkosz tak silną, że prawie nie do zniesienia.

Kiedy fala tych doznań odpłynęła, Louisa leżała na boku pośród skłębionych, porozrzucanych części ubrań, przytulona do piersi Josepha, z twarzą tuż przy jego szyi, a jej nogi oplatały jego biodra. Sens różnych fragmentów łacińskich sentencji w końcu stał się dla niej jasny, ale jej emocje – jej własne ciało – wydały się nie mieć żadnego sensu.

– Czy to część życia małżeńskiego?

Dłoń Josepha powoli gładziła jej włosy, a Louisa myślała przez moment, że nie usłyszał pytania albo że może zadała je za cicho.

– To część życia małżeńskiego ze mną.

Słowa te miały jakieś ukryte znaczenie, a Louisa była zbyt oszołomiona, żeby je analizować. Wyobrażenia – wizje fragmentów dawnych wierszy, małżeńskiego oddania jej rodzeństwa, jej rodziców – przemykały we mgle przepływającej przez myśli.

– Czy można to robić nieustannie? Raz za razem? Dziewięć razy z rzędu?

– Można, jeśli jest się kobietą i ma się trochę wolnego czasu. Nam, mężczyznom, trudno byłoby utrzymać takie tempo... Choć takie próby mogłyby na pewno być przyjemne we właściwym towarzystwie.

Jego ton wskazywał, że Louisa była dla niego właściwą towarzyszką, co jednak wcale nie przywróciło jej spokoju.

– Dlaczego nikt nie powie młodej damie o takich sprawach?

– Młodzieńcy w całej Anglii szepczą o tym swoim ukochanym, a pewnie i starsi mężczyźni, jeśli się im poszczęści.

Poruszył się, biorąc w dłonie pośladki Louisy i unosząc ją nad sobą tak, by usiadła na nim okrakiem.

– Wychodzę za mąż za brutala. – Wtuliła się w ciepło jego piersi i poczuła, jak mocno oplata ją ramionami.

– Wydajesz się zadowolona z takiej myśli.

Skromność wymagała większej samodyscypliny i pełniejszego odzienia od tego, które Louisa miała na sobie w tej chwili, gdy usadowiła się wygodnie na narzeczonym. Przez materiał bryczesów jego podniecona męskość wywierała intrygujący nacisk na jej intymne miejsce, co przywołało wspomnienie wrażeń, których właśnie zaznała.

– Na ogół nie lubię niespodzianek, Josephie Carrington.

– Przyjmuję do wiadomości tę przestrogę.

– Ale ta mi się spodobała. Jestem senna.

Poczuła jego pocałunek na szczycie głowy.

– Należy ci się odpoczynek. Kiedy wystarczająco odetchniesz, odprowadzę cię do domu.

Louisa westchnęła głośno i przymknęła oczy, napawając się poczuciem zadowolenia oraz przyszłym mężem. Sądziła wcześniej, że honor i dobrze prosperujący majątek to największe atuty wnoszone do małżeństwa przez sir Josepha, ale zrozumiała, że się myliła.

Wniósł dobroć, inteligencję i szczodrość w namiętności, która zdumiała Louisę. Liczyła na to, że właśnie Josephowi Carringtonowi, tylko jemu, uda się pewnego dnia ją zrozumieć.

Zapadając w sen, modliła się też o to, by dopisały mu szczęście, pewna ręka i celne oko. Gdyby nie zawiodło go to wszystko – i jeśliby jej młodzieńcze nierozważne czyny pozostały sprawą przeszłości – ich małżeństwo mogło się okazać wspanialsze od wszelkich wyobrażeń.

– Wasza Wysokość, czy muszę panu przypominać, że ten pojedynek jest nielegalny?

Joseph mówił cicho, choć Grattingly jeszcze nie przybył, a zaułek w Hyde Parku, do którego dotarł książę Moreland, był bardzo ustronny.

– Nielegalny, powiadasz? Szkoda. To żadna przyjemność opuszczać księżną i ciepłe łoże ciemną nocą oraz marznąć na dworze. Wygląda pan na całkiem wypoczętego, Carrington.

– Jestem wypoczęty. – Joseph zszedł z konia, rad, że nie czuje sztywności w nodze nawet mimo chłodu w ten wietrzny poranek. Postanowił sobie, że jeśli przeżyje dzisiejszy dzień, to będzie się wylegiwał półnagi ze swoją damą na dywaniku przed kominkiem, często i długo.

– Słuchajże, Carrington. – Ze zręcznością człowieka dwukrotnie młodszego od siebie Moreland zsunął się z błyszczącego siodła na grzbiecie swojego wałacha. – Nie chciałbym się wtrącać i, jeśli będziesz nalegał, zaraz się stąd ulotnię, ale wczoraj dostałem liścik od mego najmłodszego syna.

– Od lorda Valentine'a?

Książę skinął głową i pogładził dłonią w rękawicy koński grzbiet.

– Zdaje się, że zbliża się pański sekundant.

Joseph podążył oczami za wzrokiem księcia i ujrzał elegancką karetę toczącą się błotnistą dróżką.

– Harrison. Kazałem mu przyjechać zwykłą dorożką.

– Na Boga, człowieku, moja kareta stoi tuż za tymi drzewami.

– A jeśli zabrudzę krwią pański wspaniały powóz, Wasza Wysokość?

– Nie bądź głupkiem. Valentine przysłał panu ostrzeżenie. Posłał je gołębiem i pocztą, więc weź pod rozwagę: pistolety Grattingly'ego, przynajmniej te, których używał przed laty, znoszą w lewo. To pamiątka rodowa, więc Valentine utrzymuje, że on nadal ich używa.

– Przestroga lorda Valentine'a dotarła do mnie wczoraj, Wasza Wysokość. Dziękuję, że postarał się pan o to, aby tak się stało.

– Na litość boską, jesteś pan równie niemożliwy jak Louisa.

Joseph przeniósł spojrzenie z karety Harrisona – skąd u zwykłego portrecisty tak drogi powóz – i spojrzał badawczo w twarz Morelanda.

– Nie rozumiem.

– Pańska przyszła żona, Louisa. Jest niepoprawna. Ta dziewczyna może we wszystkim liczyć na swoją rodzinę, we wszystkim, a jednak zawsze musi stawiać na swoim. Zawsze musi robić po swojemu i podejrzewam, że znalazła w panu, by tak rzec, bratnią duszę.

Książę starał się mu coś przekazać, natomiast Joseph próbował rozpoznać herb na powozie Harrisona.

– Lepiej, żeby pana tu nie widziano, Wasza Wysokość. Może dojść do popełnienia ciężkiego przestępstwa, za które wieszają.

Moreland pacnął szpicrutą swoje lśniące buty do konnej jazdy.

– Posłuchaj mnie, młody człowieku. Nie masz ojca, braci, wujów, nawet jakiegoś przeklętego dalekiego kuzyna, który mógłby się o ciebie zatroszczyć. Jeśli więc możesz liczyć tylko na przyszłego teścia, to, na Boga, nie wybrzydzaj.

Było coś pokrzepiającego i znajomego w tym, jak Moreland wygłosił to kazanie. Ciepło, nieoczekiwane i miłe, rozlało się w piersi Josepha.

– Wasza Wysokość, proszę mi najpierw pozwolić podziękować sobie, a po wtóre stwierdzić, że pan sam jest równie niemożliwy jak Louisa.

– A w kogo niby miała się wrodzić? Ciekawe, co będzie pan miał do powiedzenia Arthurowi, jeśli ruszy swoje gnaty i wysiądzie z powozu.

Elegancki powóz zatrzymał się, a na wzmiankę o „Arthurze" Joseph zrozumiał, czyj herb podziwiał na karocy.

– Posłał pan po niego?

– Ja? – Niewinna mina księcia świadczyła o jego wybornych zdolnościach aktorskich. – Szpiegom Wellingtona dorównuje tylko wywiad mojej księżnej. Ja z pewnością nigdy nie próbowałbym wmieszać para w takie ciemne sprawki.

– Oczywiście.

Wellington wyłonił się z powozu, dostrzegł Morelanda i uśmiechnął się szeroko.

– Książę! Piękny dzień na wyjście z domu, choć cel naszej wizyty tutaj raczej nie idzie w parze z nastrojem nadchodzącego świątecznego sezonu. Witaj, Carrington.

Moreland i Wellington wdali się w wymianę książęcych uprzejmości, a Joseph dojrzał z ulgą, że nadjechała dorożka, z której wysiadł Elijah Harrison w swoim zwykłym przyodziewku. Drugi człowiek, który się za nim pojawił, był ubrany bardziej elegancko od Harrisona.

– Świetnie – powiedział Moreland. – Lord Fairly dołączy do nas, aby w razie potrzeby udzielić pomocy medycznej. – Fairly był wysokim blondynem i niósł czarną torbę, na którą Joseph nie ważył się patrzeć dłużej.

– Milordzie. Panie Harrison. – Joseph skłonił się nieznajomemu, choć zapewne przy okazji również złowieszczej niewielkiej torbie. – Dziękuję za przyłączenie się do nas. Wasza Wysokość, czy wolno mi powiadomić pana...

– Nie ma potrzeby – przerwał mu Moreland. – Z Fairlym łączą nas poniekąd rodzinne koligacje. Wellington, miło mi przedstawić Davida, wicehrabiego Fairly, a Harrisona, jak sądzę, wszyscy znamy jako stałego bywalca mrocznych kątów w różnych klubach. Sir Josephie, jeżeli pański przeciwnik uzna za stosowne... Ach! Ten łotr już się zjawił.

To, że dwóch książąt wprosiło się na pierwszy pojedynek Josepha od wielu lat, miało swoje dobre strony. Moreland zajął się nie tylko prezentacją obecnych, ale i wyborem pola walki i ustalaniem, ile jeszcze minut należy zaczekać, nim słońce wzejdzie nad horyzontem. Wellington co chwila przygadywał sekundantom Grattingly'ego, a Fairly zabawiał Josepha rozmową.

– Zdenerwowany? – Fairly zadał to pytanie cicho, gdyż wiatr niósł słowa w stronę Grattingly'ego, co wskazywało, że lekarz nie jest głupcem.

– Czy przyznałbym się do czegoś takiego przed obcym?

– Nie musi pan. Widać oznaki napięcia wokół pańskich ust i oczu, oddycha pan płytko i rozkopuje pan śnieg czubkiem buta do jazdy konnej, który zasługuje na lepsze traktowanie.

Joseph obrócił się, by się przyjrzeć rozmówcy.

– Jeżeli pańskie zdolności medyczne dorównują pańskiemu zmysłowi obserwacji, to pewnie niepotrzebnie się denerwuję.

– Mogę też dodać, że oddech Grattingly'ego cuchnie jak dżin, którym raczą się dziwki, kiedy flota zawija do portu. Pewnie wciąż jeszcze jest pijany, a przy tym mocno skacowany.

– Co czyni z niego człowieka nieobliczalnego.

Fairly przytaknął ruchem głowy i umilkł.

Moreland przeszedł po zaśnieżonym gruncie.

– Uważam, że wszystko gotowe, chyba że sekundanci tego bufona nakłonią go w ostatniej chwili do złożenia przeprosin.

Wellington stanął przy drugim boku Josepha.

– Konferowałem z rodziną, Josephie. Pański przeciwnik to drań, niegodny miana szczura. Niech pan czyni, co wymaga honor, a inne dranie nawet nie będą go opłakiwały, jeśli coś mu się stanie.

Joseph rozejrzał się wokoło i zobaczył co najmniej trzech arystokratów, czterech nawet, jeśli uwierzyć w wątpliwą genealogię Harrisona, którzy przybyli o zimnym brzasku, wystawiając na szwank swoją reputację.

– Panowie, nigdy z większą radością nie broniłem honoru damy. Kto będzie odliczał?

– Ten zaszczyt przypadł mnie – oznajmił Harrison. – Sekundant Grattingly'ego ma pistolety.

Mężczyźni wokół Josepha wymienili spojrzenia. Joseph zadał drażliwe pytanie:

– Czy ktoś je obejrzał?

Harrison odpowiedział ponuro:

– Ja to zrobiłem.

– Cóż – stwierdził Moreland – ja tego nie uczyniłem. Arthurze, pozwól – zwrócił się do Wellingtona.

Ruszyli książęcym krokiem i podeszli do składanego stolika, gdzie identycznie wyglądające pistolety Grattingly'ego leżały w otwartej skrzynce wyściełanej atłasem.

– Na oko wyglądają porządnie – wymamrotał Harrison. – Nie widziałem powodu, aby korzystać z innej pary, co wymagałoby od nas ponownego zebrania się.

– Mowa o innej parze pistoletów czy książąt?

Kiedy Joseph rzucił to pytanie, Moreland potknął się, wpadł na drugiego księcia i obaj się zachwiali. Składany stolik się przewrócił, a pistolety wypadły z eleganckiego futerału i znalazły się na śniegu.

– I dobrze – zauważył cicho Fairly. Gdy Joseph posłał mu zdziwione spojrzenie, tamten wzruszył ramionami. – Nie jestem za używaniem takiej staroświeckiej broni do załatwiania poważnych spraw. To, co ładne z wyglądu, pasuje jako ozdoba kominka w bawialni, ale tu nie chodzi o sprawy salonowe.

Sekundanci naradzili się, a kiedy Grattingly miotał przekleństwa i rzucał miażdżące spojrzenia, obaj książęta odeszli ku swoim powozom i przynieśli z nich zapakowane w skrzynki komplety pojedynkowych pistoletów.

Wtedy wydarzenia nabrały tempa. Grattingly wybrał przyniesiony przez Morelanda zestaw mantonów, Joseph stanął plecami do przeciwnika, a Harrison zaczął odliczanie.

Śnieg, jak Joseph doszedł później do wniosku, ocalił mu życie, jeżeli Ich Książęce Wysokości nie potknęli się naumyślnie. Głos Harrisona dźwięczał donośnie jak dzwon, gdy sekundant liczył kroki, ale na jeden krok przed ustalonym zwrotem Joseph dosłyszał chrzęst śniegu niezgodny z miarowym rytmem kroków; Grattingly zrobił dwa kroki w tempie jednego.

Postrzał w plecy był prawie tak zabójczy jak postrzał w pierś, więc Joseph nie czekał i odwrócił się wcześniej. Pistolet Grattingly'ego wypalił, zanim skończyło się liczenie, a Joseph usłyszał gwizd pocisku koło ucha.

Kiedy Joseph się obrócił, Grattingly przyklękał na kolanie, z wyciągniętą prawą ręką; drżący w jego dłoni pistolet jeszcze dymił.

– Faul! – zawołał Harrison od strony powozów. – Pan Grattingly oszukał, strzelając za wcześnie.

– On się poślizgnął! – krzyknął jeden z sekundantów Grattingly'ego, ale jego słowa nie zabrzmiały przekonująco.

Ostry głos Wellingtona przeciął lodowatą ciszę.

– Pańska kolej na oddanie strzału, sir Josephie.

Joseph wymierzył, zaczerpnął powietrza, potem częściowo wypuścił je z płuc, a kiedy powinien był wystrzelić – by kula przeszyła złe serce Grattingly'ego – w jego wyobraźni zagościł obraz Louisy Windham skulonej przy jego piersi w sennym zapomnieniu. Dała

Josephowi przyzwolenie na to, by udzielił Grattingly'emu nauczki – ale tylko tyle. Joseph ponownie wycelował i strzelił.
Kilka jardów dalej pistolet wypadł z ręki Grattingly'ego, a Moreland przyjął od Wellingtona dziesięć funtów.

– Winien jestem Waszej Wysokości nowy komplet pistoletów. – Joseph nie odrywał wzroku od ręki Grattingly'ego bandażowanej właśnie przez lekarza. Grattingly nie stracił krwi, ale jego palec wskazujący został pogruchotany, kiedy pocisk wytrącił mu broń z dłoni.
– Proszę to potraktować jako prezent ślubny – powiedział Moreland. – Wpadnie pan do nas na małe śniadanie, prawda?
Śniadanie. Joseph wyobraził samego siebie przy biurku w swojej wystawionej na przeciągi bibliotece, herbatę stygnącą koło łokcia, zimne jajka na talerzu i grzankę z zimnym masłem dopełniającą obrazu.
– Śniadanie byłoby miłe. Czy zaproszenie obejmuje sekundantów i czy jest jakaś szansa na śniadanie wraz z książętami po pojedynku?
Moreland uniósł siwe brwi.
– Arthur zabierze Harrisona i Fairly'ego do klubu na befsztyk. Niech wysłuchają wspaniałych opowieści o Indiach i Hiszpanii. Jestem pewien, że słyszał pan jego opowieści tyle razy, ile ja miałem ku temu okazję.
Wellington nie przejawiał szczególnej ochoty na snucie opowieści, lecz Joseph nie chciał przeciwstawiać się swojemu przyszłemu teściowi. Rad był zabrać się już stąd, zanim zimno sprawi, że jego chroma noga stanie się bezużyteczna.
Moreland skinął na stangreta.
– Spieszno mi do usłużenia księżnej. Pan niech lepiej coś łyknie. Wyglądasz pan trochę blado, a nie powinniśmy niepokoić dam niepotrzebnym przedstawieniem.
Joseph wydobył z wewnętrznej kieszeni piersiówkę i usłuchał znakomitej rady księcia. Moreland odszedł, żeby powiedzieć coś

lekarzowi, a w tym czasie u boku Josepha zjawił się Wellington... jak na sygnał.

– A więc będzie miał pan żonę na Boże Narodzenie, Carrington.

– Wasza Wysokość bez wątpienia został zaproszony na ślub. Nie poczuję się jednak urażony, jeśli zechce pan odrzucić zaproszenie.

Wellington pokręcił przecząco głową na widok podsuniętej piersiówki.

– Odrzucić? I pozostawić naszego drogiego Percivala na łasce jednej z jego legendarnych ulubienic? Nic z tego, do licha. Poza tym pewnie uda mi się wpisać na listę tańców z Esther Windham na balu weselnym, a takich okazji łatwo się nie odpuszcza. Czy młoda dama aprobuje pański importowy interes?

Było to pytanie zadane przez człowieka, który potrafił być obcesowy, bezpośredni i szczery do bólu, a Joseph lubił w Wellingtonie wszystkie te cechy. Było też przejawem dociekliwości księcia dowódcy, któremu na sercu leżało dobro jego oficerów.

– Tej kwestii jeszcze nie poruszaliśmy, Wasza Wysokość.

– Hm. – Wellington obrzucił Josepha spojrzeniem od stóp po czubek głowy. – Damy nie lubią niespodzianek, Carrington. Moja małżonka poinformowała mnie o tym przy kilku okazjach.

– Niewątpliwie tak właśnie na ogół bywa, sir. – Ale nie odnosiło się to jednak do pewnych dam i pewnych niespodzianek.

– Kiedy moja księżna zdobywa się na wypowiedzenie jakiegoś zdania, to rzadko się myli. Ach, jakże tam Percy zerka gniewnie na Grattingly'ego. Nie popisał się ten chłopak. Spił się jak początkujący rekrut, tak mi się zdaje, bo inaczej nie szłoby mu tak trudno zapinanie surduta. Do zobaczenia na weselu, Carrington!

Wellington odszedł żwawo, a Joseph wziął następny łyk i czekał, aż Moreland powróci do roli usłużnego pokojowego swojej księżnej.

– Ruszajmy – powiedział Moreland, dosiadając gniadosza. – Księżna wstrzymuje się z mego powodu ze śniadaniem, a dostaje mi się, kiedy ona musi na mnie czekać.

Kiedy dotarli do miejskiej siedziby Morelandów i stajenny przejął lejce Soneta, książę wskazał gestem furtę w wysokim ceglanym murze.

– Tędy, chyba że woli pan dreptać chodnikiem do frontowego wejścia o tej porze. Wieść o rezultacie pojedynku rozejdzie się do południa w klubach, jeśli jakaś dzielna dusza bezpośrednio zagadnie o to Arthura. Fairly też się postara o rozgłoszenie nowiny, jeśli Wellington postanowi wykazać się akurat dyskrecją, a i Harrison, jak uważam, w razie potrzeby zrobi, co trzeba.

A więc w taki sposób książę zamierzał wynagrodzić sobie rezygnację z befsztyka na śniadanie. Zniechęcające spostrzeżenie.

Joseph podążył za Morelandem ośnieżonym ogrodem i weszli przez boczne drzwi do słabo oświetlonego holu na tyłach domu. Aromat pieczonego chleba wniknął do nosa Josepha jak wonne błogosławieństwo.

– Moreland. – Księżna Moreland, Esther, przystanęła, wychodząc zza rogu do holu. – I sir Josephie. Mam nadzieję, że poranna przejażdżka była przyjemna?

Poranna przejażdżka?

Służący zdjął Josephowi płaszcz z ramion, księżna zaś pomogła rozdziać się z płaszcza księciu. Podała okrycie lokajowi i przyglądała się Jego Wysokości, wyraźnie czekając na odpowiedź.

– Zupełnie nic się nie wydarzyło, moja droga.

Kiedy służący odszedł, Moreland musnął ustami policzek żony.

– Wpadliśmy w parku na Arthura. Masz mu zarezerwować walca na balu weselnym albo nigdy nie da mi spokoju. Spodziewam się, że panna młoda postąpi podobnie, żeby Joseph nie stał się jedną z ofiar narzekań i publicznych pomówień Jego Wysokości księcia Wellingtona. Fairy przekazuje ci pozdrowienia, a sir Joseph wprost umiera z głodu.

Zielone oczy księżnej spoczęły na Josephie. Był w stroju do konnej jazdy.

– Poranna wycieczka potrafi pobudzić apetyt, zwłaszcza przy tak rześkim powietrzu. Sir Josephie, jeśli zechce się pan odświeżyć, Hans zaprowadzi pana do pokoju gościnnego.

Hans, następny lokaj, który wziął się nie wiadomo skąd, wskazywał Josephowi drogę na schodach, choć przyglądanie się książęcej parze było pouczającą lekcją... małżeńskich układów, jak uznał.

Księżna wiedziała bardzo dobrze, co się działo tego poranka, wiedziała, że Wellingtona ściągnięto na miejsce pojedynku...

Do licha, to pewnie za sprawą księżnej przybyły tam „posiłki".

Na lewo od Josepha otwarły się drzwi. Lokaj Hans dalej kroczył statecznie korytarzem.

– Josephie.

Odwrócił się i zobaczył w drzwiach zarys sylwetki Louisy. Miała na sobie zwyczajną dzienną suknię z zielonego aksamitu, ciemne włosy upięła w prosty kok nad karkiem. Widoczne na jej twarzy zaskoczenie zamieniło się w uśmiech – piękny, wspaniały uśmiech.

– Dzień dobry, milady. – Nie mógł nie odpowiedzieć uśmiechem.

Zastanawiał się, ile zniesie jego biodro i kolano, jeśli ona rzuci się na niego.

– Proszę, powiedz, że nic ci nie jest. Powiedz, że wszystko załatwione, a ty nie zostałeś ranny.

Lokaj się ulotnił. Joseph wziął wybrankę w ramiona.

– Nic złego mi się nie stało. – Teraz groziło mu wprawdzie uduszenie i przewrócenie na plecy, ale to nie miało znaczenia. Nie miało najmniejszego znaczenia.

– I wszystko dobrze?

Pytała o coś więcej, o coś, co odgadł, kiedy pozwolił sobie na radowanie się ciepłem i bujną kobiecością Louisy Windham w jego objęciach. Jej goździkowy zapach wnikał do jego mózgu, a jej uśmiech mieszał mu w głowie myśli.

– Wszystko...

– I nie będziesz musiał uciekać na kontynent? My nie będziemy musieli?

– Grattingly ma uszkodzony palec i dostał za swoje. Nie będzie pospiesznego wyjazdu do Francji. – A zatem zakładała, że jeśli trzeba będzie uciekać przed prawem, to ona wyjedzie razem z nim. Intrygujące spostrzeżenie.

– Uszkodzony palec? – Louisa wsunęła rękę w zagłębienie w zgiętej w łokciu ręce Josepha i ruszyli korytarzem. – Jak to możliwe?

Joseph nie miał zamiaru kłamać.

– Strzelił za wcześnie, a kiedy ja wystrzeliłem, wybiłem mu broń z dłoni. Twój ojciec dał mi zestaw pistoletów w prezencie ślubnym.

Louisa zatrzymała się, a jej uśmiech stał się jeszcze bardziej olśniewający.

– Wybiłeś mu broń z ręki? To... to wspaniale. Świetnie. St. Just będzie ci zazdrościł. Wszyscy moi bracia będą ci zazdrościli. Nawet ja ci zazdroszczę. Wybiłeś mu broń z dłoni. Jestem z ciebie dumna, Josephie. Dobrze się spisałeś. Wprost znakomicie.

Ruszyli dalej, tam, gdzie leżały mydło, woda i ręczniki – ciepła woda, pachnące mydło i ciepłe ręczniki, jak się okazało – a Louisa dalej zasypywała Josepha lawiną komplementów. Pozostawała też blisko niego, choć się nie dotykali, podczas pożywnego śniadania na gorąco i nalegała, że odprowadzi go na dziedziniec po zakończeniu posiłku.

– Chciałam cię pocałować – powiedziała, kiedy czekali, aż służba wyprowadzi Soneta – jak zobaczyłam cię tego ranka, całego i zdrowego. A ty nie chciałeś mnie pocałować?

W jasnym słońcu poranka zielone oczy Louisy lśniły jak wiosenna trawa wilgotna od rosy, a ona sama wprost iskrzyła energią.

I ta wspaniała, cudowna kobieta – która miała zostać jego żoną – przyznawała się do powściąganego pragnienia pocałowania go. Stajenni krzątali się w stajni, a boczna ulica była na tyle pusta, że Joseph zdobył się na szczerość:

– Odkrywam, Louiso Windham, a już niebawem Louiso Carrington, że jestem nieustannie gotów na twoje pocałunki. To wrażenie przypomina mi święta bożonarodzeniowe z czasów dzieciństwa, przywołuje tamto uczucie podniecenia i... radości. Takie właśnie będą moje tegoroczne święta. Tak, jakby już zawsze czekało mnie coś wspaniałego.

W jego uszach słowa nie zabrzmiały radośnie, ale na widok uśmiechu narzeczonej i kiedy czuł jej dłoń blisko swojej pod śniadaniowym stołem, ogarniała go radość. Radość, ulga, ciepło...

I pożądanie, rzecz jasna.

Louisa pogładziła klapę na jego ubraniu.

– Gdybyśmy nie stali na widoku tuzina sąsiadów, Josephie, sama zachowywałabym się teraz bardzo radośnie. Czy wiesz, że po naszym weselnym śniadaniu odbędzie się bal?

Wcześniej liczył na to, że go pocałuje. Ujął jej palce w dłoń i uniósł do ust.

– Jeśli nie chcesz balu, Louiso, to pewnie mógłbym coś zrobić, żeby go nie organizowano. Gdzie twoje rękawiczki?

– A gdzie twoje? – Nie próbowała cofnąć dłoni. – Myślę, że ten bal jest dla Jej Wysokości, rozrzutny gest w celu uciszenia plotek i pogłosek. Poza tym mama i papa nie urządzali balu, a nawet przyjęcia, już od jakiegoś czasu.

Usiłował zgadnąć, co miała na myśli.

– A więc chcesz mieć bal weselny?

Jej uśmiech nieco przygasł.

– Masz coś przeciwko temu?

– Chodź ze mną. – Poprowadził ją za rękę na ławkę koło stajni; dłonie miała ciepłe, nawet w porannym chłodzie. Zajął miejsce obok niej, poskramiając przedziwną chęć usadzenia jej sobie na kolanach. – Rzecz nie w tym, czy ja mam coś przeciwko balowi, Louiso, tylko w tym, czy ty go chcesz.

– Jeżeli mama i tato tego chcą, to jakie ma to znaczenie?

– Dla mnie ma. Skoro ma się odbyć bal tylko dla uciszenia plotek, bal wystawny, choć pospiesznie urządzony po równie wystawnym weselnym śniadaniu i ceremonii w kościele Świętego Jerzego z udziałem wielu gości, to tak, jakbyśmy potwierdzali wszelkie pogłoski, przyznasz?

Niespokojnie przygryzła dolną wargę. Wyglądała teraz dziewczęco i, co rzadko się zdarzało, niepewnie.

– Żadne wyjście nie będzie dobre, prawda? Jeśli wydamy bal, ryzykujemy narażenie się na skandal. Jeśli balu nie będzie, tylko zwykłe przyjęcie, to skandal wręcz gotowy.

Widząc, jak Louisa się martwi, widząc, że dręczy ją perspektywa kolejnych plotek i skandalu, Joseph uświadomił sobie coś. Nie wyznał tego Louisie, choć zatrzymanie do własnej wiadomości owego spostrzeżenia nie było, jak sądził, jej okłamywaniem.

Wychodziła za niego za mąż, żeby uniknąć skandalu. On jednak miał szczęście poślubić ją na takich honorowych warunkach, jakie mógł jej zapewnić. Dlatego właśnie, kiedy znajdował się blisko niej, ogarniał go bożonarodzeniowy nastrój, ponieważ była jego spełnionym marzeniem, urzeczywistnionym nieosiągalnym pragnieniem, odzyskaną nadzieją.

Pocałował ją w policzek, tylko po to, aby poczuć jej zapach.

– Wyprawimy ten bal. Wellington już stara się o miejsce na liście twoich partnerów do tańca.

Louisa oparła czoło na ramieniu Josepha, wyraźnie uspokojona.

– Dobry z niego tancerz i niezły żartowniś.

Nie wstawali z twardej, zimnej ławki, póki nie wyprowadzono Soneta. Joseph wskoczył na siodło i pożegnał się z narzeczoną, myśląc, że zobaczy ją ponownie dopiero w dzień ich ślubu.

Jadąc konno w ten mroźny poranek, musiał uśmiechnąć się na myśl o tym, że największy bohater w kraju został nazwany „dobrym tancerzem i niezłym żartownisiem".

Ale zaraz potem przestał się uśmiechać. Złożona przez Wellingtona propozycja tańca z Louisą była zapewne manewrem taktycznym mającym na celu zapobieżenie plotkom i skandalowi. Cóż, u licha, pomyślałaby sobie nowa lady Carrington, gdyby się dowiedziała, że jej rycerz w lśniącej zbroi jest ojcem aż dwunastki nieślubnych dzieci?

10

To katastrofa.

– Nie zaciskaj zębów, kochana. – Ołówek trzymany przez Jenny stanął w miejscu nad kartą szkicownika. – Jaka katastrofa?

Louisa wpadła do saloniku Jenny – pokoju, w którym ludzie mieli się zbierać, a nie ukrywać – i rzuciła się na sofę obok siostry.

– Jutro mam wyjść za mąż. Jaka jest najgorsza, najbardziej krępująca, niedogodna rzecz, która może spotkać kobietę, gdy zbliża się noc poślubna?

Maggie, która zjechała do Londynu na ślub siostry, zdjęła okulary do czytania ze swojego zgrabnego noska.

– Ktoś umieścił gotowane na parze suszone śliwki w menu na weselne śniadanie?

Louisa nie mogła się nie uśmiechnąć na ten żart starszej siostry. Już od dzieciństwa suszone śliwki działały na układ trawienny Louisy w łatwy do przewidzenia sposób.

– Eve już się postarała, żeby do tego nie doszło.

– Będzie czekolada – powiedziała Eve – całe mnóstwo czekolady. Umieściłam w spisie dań ulubione przysmaki wszystkich, a Jej Wysokość je zaakceptowała. – Siedziała na pufie koło okna, wyszywając haft na białym jedwabiu. Maggie zajmowała fotel bujany obok kominka, w którym czerwonawe płomienie rzucały tyle żaru, by w pokoju było ciepło i miło.

– Dostałaś miesiączkę, prawda? – Sophie nachyliła się na dywaniku przed kominkiem i sięgnęła po imbryczek z herbatą. – To samo przydarzyło się mnie po urodzeniu dziecka. Sindal o mało się nie rozpłakał, kiedy mu o tym powiedziałam. W końcu doszłam do siebie po porodzie, a mój najdroższy miał już plany na tamten wieczór.

Podobne wyznanie z ust kogoś tak pruderyjnego i porządnego jak Sophie musiało zrobić wrażenie.

– Powiedziałaś mu? – Louisa przyjęła filiżankę herbaty i przypatrywała się uśmieszkowi siostry.

– Zjedz ostatni kawałek ciasta. – Maggie podsunęła Louisie tacę. – Jeśli sama mu nie powiesz, to twoja pokojówka będzie musiała wyjaśnić służącemu twojego męża, że jesteś niedysponowana, a wtedy twój mąż będzie sam chciał się przekonać, czy nie jesteś chora, i w końcu i tak będziesz musiała mu powiedzieć.

Louisa spoglądała to na Maggie, to znów na Sophie. Maggie była najwyższa i najstarsza z pięciu sióstr, miała ognistorude włosy i cechowało ją dostojeństwo, które pasowało do hrabiny Hazelton. Z kolei Sophie była atrakcyjną brunetką, zawsze zachowującą się z pewną rezerwą, jak przystało na baronową Sindal.

Obie były zamężne i rozmawiały z mężami o... tym.

– Dlaczego mąż nie może po prostu zrozumieć, że niedyspozycja to jedno, a choroba to co innego? – Louisa uznała swoje pytanie za zupełnie logiczne.

Sophie i Maggie wymieniły spojrzenia, ale ich wzrok nie wyrażał pobłażliwego „my jesteśmy mężatkami i znamy się na takich sprawach"; nie wyrażały tego nawet oczy starszej siostry. Było to nieme pytanie: „Jak to jej wyjaśnić?"

– Sindal i ja sypiamy razem – powiedziała Sophie. – Zdziwisz się, jak łatwo rozmawiać o pewnych sprawach, kiedy zgasną świece, a mąż bierze cię w ramiona.

Sypiali razem, co znaczyło, że dzielili łoże co noc. Jenny pochyliła głowę nad szkicownikiem i wyjrzała za okno, a Eve prawie wcisnęła nos w tamborek do haftowania.

– Ja też śpię w jednym łóżku z Hazeltonem. Zawsze – powiedziała Maggie. – Kwestii miesiączek jeszcze nie poruszaliśmy, ale poczęcie dziecka ma swoiste niedelikatne konsekwencje.

– I rozmawiasz z nim o takich sprawach?

– Nasi rodzice dzielą łoże. – Eve odezwała się cicho, ze ściągniętymi ustami, jakby zastanawiała się nad bardzo skomplikowanym ściegiem. – Wiem, że mają sąsiadujące ze sobą sypialnie, ale czy zauważyłyście, że pokojówki prawie nigdy nie zmieniają pościeli w sypialni księżnej?

– Tak samo jest w Morelands – stwierdziła Jenny, zerkając znad szkicownika. – Nie można nie zauważyć, że w innych sypialniach pościel bywa zmieniana regularnie, a w tej jednej nie.

Louisa nie zwróciła na to uwagi, jednak odnotowała, że kiedy jej rodzice udawali się na spoczynek, wychodzili drzwiami prowadzącymi do saloniku księcia, a nigdy do saloniku księżnej. Spostrzegła też pewnego ranka należącą do księżnej szczotkę do włosów przy łóżku księcia oraz zauważyła, że okulary jej matki często zabierano z nocnego stolika jej ojca.

– Mają nas ósemkę – rzuciła Louisa. – Mama i papa raczej nie mogliby się dorobić tylu dzieci, nie spędzając czasu we wspólnym łożu.

– Łożu – prychnęła Maggie i pogładziła swój zaokrąglony brzuch. – Nasze pierwsze dziecko zostało poczęte na piknikowym kocu. Benjamin cudownie często miewa dość niezwykłe pomysły.

– Robicie to w powozach? – zapytała Sophie, jakby chodziło o drobne grzeszki męża.

Maggie machnęła dłonią.

– W powozach, stajniach, altankach... Nie odważam się zamykać drzwi sali bilardowej ani pozostawać sam na sam z hrabią w spiżarni. Jego spontaniczna pomysłowość bywa naprawdę zdumiewająca.

W sali bilardowej?

– My mamy fortepian idealny na wysokość – odezwała się Sophie z zadumą. – Valentine byłby tym zgorszony. A Sindal twierdzi, że określenie „małe szaleństwo" najlepiej pasuje do tego, co się wyczynia w małych budynkach stojących na osobności.

Valentine byłby zgorszony? Louisa też była zgorszona, ale także zaintrygowana.

– A więc nie próbujecie opierać się mężom, kiedy stają się... pomysłowi?

Maggie zaczęła powoli bujać się na fotelu.

– Znaczy kochliwi? Och, najwyżej w pierwszych tygodniach po ślubie. Miałam pewne niemądre wyobrażenia dotyczące przyzwoitości w tych sprawach.

– To nieważne – rzuciła Sophie krótko i stanowczo. – Jeżeli sir Joseph nie wniesie trochę wyobraźni do tego aspektu małżeństwa, to od ciebie będzie zależało, żeby go zainspirować. Sindal dosłownie zjada mnie wzrokiem, zachwycony, kiedy jestem w nastroju, by pobudzić jego wyobraźnię. I uwielbiam, kiedy tak na mnie spogląda.

Louisa wytrzeszczyła oczy ze zdumienia. Znała swoje siostry od zawsze, kochała je i uważała za swe najlepsze przyjaciółki.

Ale w trakcie tej rozmowy wydały jej się osobami zupełnie obcymi.

– Jeśli stosowność się nie liczy w tych sprawach, to skąd wiecie, jak się zachować? – Jenny zadała pytanie, które i Louisa miała na końcu języka.

Maggie przestała się kołysać.

– Jeśli kochasz męża, to on kocha ciebie. Rozwiązujecie ten problem razem i na tym polega zabawa.

– I połowa przyjemności – dodała cicho Sophie.

Uśmiechały się tajemniczo, marzycielsko, bardzo po kobiecemu, jak mężatki, a Louisa zastanawiała się na ten widok nad dwiema sprawami.

Jak to wszystko się odbywa, gdy mąż albo żona nie są w sobie zakochani, i jak, u licha, miała wyjaśnić swoją niedyspozycję sir Josephowi?

– Twój brat powinien się najmować jako mistrz ceremonii – oznajmił Joseph, odsuwając połę sukni ślubnej Louisy, aby zmieścić się koło niej na przednim siedzeniu powozu. – Ma dar lekkiego i pogodnego wyrażania swoich myśli.

Louisa wstała i przeszła na prawo od Josepha, co wymagało nowego układania sukni w kolorze bujnej leśnej zieleni.

– Potrafi też ujmować rzeczy zwięźle, choć jestem pewna, że Valentine i St. Just też chcieli powiedzieć coś do zebranych na ślubie.

– Podobnie jak Sindal i Hazelton, twój papa książę, jego ekscelencja mój były dowódca oraz Quimbey.

Uśmiechnęła się, kiedy Joseph zastukał mocno w dach powozu.

– Mamy szczęście, że udało nam się umknąć z weselnego śniadania przed nadejściem wiosny. Powinniśmy złożyć wizytę moim rodzicom, zanim jutro rano wyjedziemy do Kentu.

– Czy twoja mama musi się upewnić, że przeżyjesz noc poślubną?

Przestała się uśmiechać, ale się nie odsunęła.

– Może bardziej się obawiają, czy ty przetrwasz tę noc, sir Josephie.

Było coś odmiennego w tonie, w jakim zwracała się do niego „sir Josephie" teraz, gdy byli już małżonkami. Tak jakby był jej sir Josephem, uszlachconym przez żonę, a nie przez regenta. Zdjęła bez pośpiechu rękawiczki i odwróciła się nieco w jego stronę.

– Noga cię boli.

Zanim zdołał przygotować się na przyjemność i zarazem lekki dyskomfort wywołany jej dotykiem, zaczęła mu pewnie i miarowo rozmasowywać całe udo.

– Louiso, nie musisz... Tylko dlatego, że masz cztery siostry, które uwielbiają tańczyć... Boże w niebiosach... – westchnął. – I matkę.

– Która jest święta, ale jeszcze nie w niebie. – Louisa nacisnęła nieco mocniej, a pod wpływem rozkoszy, bolesnej rozkoszy, Joseph przymknął oczy.

– Nie zapominaj o mojej ciotce Gladys. Czy myślałeś o użyciu laudanum na ból w nodze, Josephie?

– Nie, a właściwie podano mi tyle laudanum, kiedy odniosłem ranę, że znam jego skutki. Myślę, że lepiej wypróbuję małżeństwo z tobą jako lek.

Wtedy był przecież żonaty, a myśl o tym ściągnęła teraz cień na twarz Josepha jadącego w powozie.

– Nie szastaj zanadto komplementami, mój mężu. Jestem twoją żoną bez względu na pochlebstwa z tym związane.

Objął ramieniem swoją dopiero co poślubioną małżonkę.

– A ty nie bój się szczerych słów podziwu. Moja pierwsza żona nie zniosłaby widoku mojej rany. – Ręce Louisy zatrzymały się, ale nie oderwała ich od jego nogi. – Przepraszam, Louiso. Nie powinienem był o niej wspominać. Nie miałem zamiaru mówić o niej akurat teraz.

Rozkoszny masaż uda przez jej dłonie został wznowiony.

– Ona jest matką naszych dzieci, więc oczywiście będziesz o niej wspominał. Lionel powiedział, że byłaby zadowolona na wieść, że szczęśliwie ożeniłeś się ponownie, ale doszłam do wniosku, że chodziło mu raczej o okazanie dobrych manier w dniu naszego ślubu.

W rzeczywistości Lionel znał się za blisko z pierwszą żoną Josepha, ale nie miało sensu przechwalanie się tym w kręgach socjety. Zresztą brat Louisy, Valentine, dotrzymywał jej towarzystwa, nim Joseph zdążyłby przykuśtykać w jej pobliże.

– Lionel był ulubieńcem Cynthii. I pewnie powiedział to szczerze.

Joseph, gdy tylko to rzekł, pożałował, że wymienił imię zmarłej żony, w dodatku w połączeniu z imieniem Lionela.

– Brakuje ci jej?

Miła aura weselnego dnia wyparowała po tych trzech słowach, a na jej miejscu pojawił się cały ciężar i złożoność nowego małżeństwa, zawartego, przynajmniej ze strony Louisy, z powodów nie do końca uczuciowych.

– Mam być szczery, Louiso? To nie najweselszy temat do rozmowy dla dwojga nowo poślubionych małżonków.

– Zawsze masz być ze mną szczery, a wtedy ja zdobędę się na odwagę, żeby być szczera wobec ciebie.

Nie zapalił lamp w powozie, gdyż droga do przejechania była krótka, tylko kilka przecznic. Mrok pozwolił mu nie tylko skupić się na kojącym dotyku rąk żony na jego nodze, ale także na pięknie jej głosu rozbrzmiewającego w ciemności.

Louisa śpiewałaby altem. Brzmiałaby wyjątkowo dobrze w niższych, cieplejszych w brzmieniu, rejestrach kobiecego głosu, a głos miała zarówno mocny, jak i wdzięczny, tak jak ciało, gdy poruszała się na parkiecie tanecznym.

Gdyby czytała poezję, ten sam głos byłby boski w swoim pięknie i brzmieniu.

Joseph nie chciał, aby kiedykolwiek go oszukiwała, więc – na tyle, na ile mógł – przyjął warunek, który właśnie postawiła.

– Moja... Cynthia... i ja pobraliśmy się w przypływie patriotycznego uniesienia, tak to można nazwać, jak sądzę. Ja byłem młody i dość bogaty, ona też młoda i przynajmniej z pozoru urzeczona moimi szerokimi barami w pięknym pułkowym mundurze. Jej rodzina z chęcią przekazała ją w moje otwarte ramiona, co zrozumiałem dopiero po ślubnej ceremonii.

– Nie pasowaliście do siebie?

Prozaiczny charakter tego pytania i sama jego otwartość bardzo mu się spodobały.

– Jak to młodzi ludzie. Pasowaliśmy na tyle, żeby skonsumować związek, a potem odpłynąłem na Półwysep Iberyjski.

Louisa była bystrą kobietą. To, w jaki sposób nachyliła się i pocałowała Josepha w policzek, przekonało go, że zrozumiała. Po powrocie on i jego pierwsza żona wcale do siebie nie pasowali.

– Przykro mi. Moja rodzina też pewnie chętnie przekaże mnie w twoje otwarte ramiona, ale nie jestem już taka młoda i nie chcę być dla ciebie ciężarem.

– Ani ja dla ciebie.

Cóż za skromność w wyznawaniu sobie wzajemnych zamiarów przez parę nowożeńców. Jednak Josephowi przypadło to do gustu. Podniosło go na duchu.

To było coś realnego i szczerego.

Powóz skręcił w boczną uliczkę, wiodącą do miejskiego domu Josepha, a on sam zdał sobie sprawę, że mógłby spędzić dużo więcej czasu na przytulaniu się do swojej żony w ciemnym i wygodnym wnętrzu swojego powozu.

– Ja też muszę być z tobą szczera, mężu.

– Wolałbym, żeby tak było.

– Dzisiaj nie możemy skonsumować naszego związku.

Poczuł się zaskoczony i rozczarowany i przez krótką chwilę wydawało mu się, że mimo całej swej uczuciowości i pragmatyzmu, namiętności, okazanej na dywaniku przed jego kominkiem kilka wieczorów wcześniej, Louisa postanowiła zawrzeć z nim białe małżeństwo.

Tyle że… jej namiętność była autentyczna. Jej radość z powodu tego, że nie ucierpiał wcale w pojedynku, była prawdziwa. Uśmiechy, jakie posyłała mu przez tłum weselnych gości w sali balowej Morelandów, były bez wątpienia szczere.

– Dlaczego nie możemy, Louiso?

Teraz zdjęła dłoń z jego nogi, w której nie dokuczał już pulsujący ból. Konie nieco zwolniły.

– Louiso?

Wtuliła twarz w jego szyję, a jej policzek wydał mu się w zetknięciu z jego skórą nienaturalnie rozpalony.

– Te przeklęte... cholerne... kobiece sprawy... Przełóżmy to na przyszły tydzień.

Joseph zamrugał w ciemności. Był już wcześniej żonaty. Nawet przez kilka długich, nieszczęśliwych lat, ale w tej osobliwej chwili, gdy Louisa przytulała się do niego w mroku, tamte lata małżeństwa pozwoliły mu zrozumieć, o czym mówiła i co ją trapiło.

Przyciągnął ją bliżej i pocałował w policzek, choć miał ochotę się zaśmiać – z kaprysów losu, z własnych najczarniejszych wyobrażeń, a nawet ze wzburzenia jego nowej żony z powodu pory, którą wybrała sobie natura.

– Do następnego tygodnia niedaleko, Louiso Carrington, i obiecuję, że umilę ci to oczekiwanie.

Uniosła głowę, a w jej zielonych lśniło wyzwanie.

– Ja tobie również, sir Josephie. Daję ci słowo.

I wtedy się roześmiali – razem.

Poezja powinna opiewać poślubny poranek.

Louisa przyglądała się, jak jej mąż się goli. Robił to ostrożnie, metodycznie i sprawnie, usuwając z twarzy czarny zarost. W trakcie całego tego męskiego rytuału miał pod rękę kubek z herbatą – a nie filiżankę – i najpierw ogolił okolice ust, aby móc popijać herbatę.

– Zostawiłeś trochę nieogolonych włosów na szczęce, mężu.

Mąż. Jej własny małżonek.

Odwrócił się z resztką piany na twarzy i wyciągnął w stronę Louisy rękę z brzytwą. Nie było to wyzwanie, bardziej rodzaj zaproszenia. Chwila taka zasługiwała na sonet o goleniu.

Louisa odstawiła swoją herbatę – którą Joseph wcześniej dla niej zaparzył – i wstała z łóżka. Wzięła od Josepha brzytwę i przyjrzała się jego szczęce.

– Czy ostatniej nocy nie chciałeś mnie zgorszyć?

– Przecież byłaś niedysponowana.

Oboje umilkli, gdy Louisa zgoliła ostatnie włoski z policzka Josepha. Wzięła ręcznik, który przerzucił sobie przez ramię, i otarła mu twarz do czysta.

– Wiem, że byłam niedysponowana, ale zdmuchnąłeś wszystkie świece, zanim się rozebrałeś. Już widziałam nagiego mężczyznę. – Choć wcześniej nigdy nie spała wtulona w mężczyznę. Było to... miłe i zachęcało do rozmowności.

– Widziałaś nagiego mężczyznę?

W tym pytaniu Josepha było coś nazbyt swobodnego. Louisa odłożyła brzytwę i cofnęła się o krok.

– Dorastając, podglądałam braci i myślę, że oni nie mieli nic przeciwko podglądaniu, bo nie zachowywaliby się tak głośno, kiedy szli popływać. Chodziłam też na wszystkiego wystawy Towarzystwa Królewskiego, a poza tym księgozbiór Morelandów jest bardzo bogaty.

Pocałował ją, a gdy ich usta się stykały, Louisa odgadła, że jej mąż uśmiechnął się na takie oświadczenie. Jednak obdarował ją diablo rzeczowym pocałunkiem, który potrwał tylko chwilę.

Gdy tak stała w ramionach męża, napawając się wonią lawendowego mydła, jakim pachnęła jego skóra, zastanawiała się, czy małżeńskie pocałunki różnią się od tych z okresu zalotów.

– Poślubiłem nieustraszenie niegrzeczną kobietę – powiedział, gładząc jej warkocz. – I pomyśleć tylko: obawiałem się, że ci się narzucam, kiedy pytałem ostatniej nocy, czy będziemy spać razem.

– Nie musiałeś być taki szarmancki. Zagadałam cię na amen.

A on słuchał. Nie zasnął, nie poklepał jej po ramieniu i nie obrócił się na drugi bok, nie dał jej do zrozumienia w mało subtelny sposób, że dzień był męczący i trzeba dać mu spokój.

– Ciekawie cię wychowywano. Niewiele kobiet studiuje astronomię, historię starożytną i ekonomię.

– Analiza matematyczna ułatwia liczenie gwiazd na niebie. Mam teleskop, przysłany mi z Morelands... Nasze córki będą miały świetną zabawę, nie śpiąc do późnej nocy i poznając nazwy gwiezdnych konstelacji. Sama nie wiem, komu bardziej podobały się pikniki o północy, Jego Wysokości, moim braciom czy mnie.

Dłoń Josepha na jej włosach znieruchomiała, obejmując tył głowy.

– Chcesz je nazywać naszymi córkami?

Za sprawą tego jedynego pytania wstąpili na grząski grunt. Nie na grunt poezji, ale na podłoże możliwej małżeńskiej niezgody.

– Nie miałam zamiaru niczego zakładać z góry. Mogę nazywać je Amandą i Fleur... to takie piękne imiona.

Odsunął się na tyle, aby ująć jej twarz w swoje ciepłe dłonie.

– Skoro mówisz, że tak będzie, Louiso, to będą naszymi córkami. To coś więcej od ślubnego prezentu, bo dajesz go nie tylko mnie, ale i dwóm małym dziewczynkom, którym bardzo potrzebna matka.

Ten pocałunek był już inny, pełen szacunku, czuły, uroczy... bardziej niż poetycki.

Louisa oparła czoło na obnażonej piersi męża i po raz któryś z kolei przeklęła w milczeniu swoją kobiecą przypadłość za to, że źle wybrała sobie porę.

– Nigdy nie dotrzemy do Kentu, jeśli wkrótce nie wyruszymy w drogę.

Joseph poklepał ją po pośladku i zrobił krok w tył.

– Nie dopuścimy, żeby twoi rodzice podawali nam śniadanie ani żeby twoje siostry zaciągnęły cię do swoich prywatnych pokojów. Przypuszczam jednak, że najtrudniej pójdzie nam z twoimi braćmi. Jeszcze nigdy nie spotkałem tak troskliwych o siostry ludzi.

Spryskał się swoją cedrowo-korzenną wodą toaletową, a potem zaczął wyjmować ubranie, chodząc od szafy do łóżka odziany tylko w spodnie do konnej jazdy. W ogóle się nie krępował.

Ani Louisa. Jej mąż był dobrze umięśniony i po męsku urodziwy. I uważał jej braci za nadopiekuńczych. Wysłuchiwał w ciemności sypialni tego, co mówiła, obejmował ją i rozcierał jej plecy, gdy nie miała pewności, czy można go poprosić o taką przysługę.

Może w miłości nie chodziło o górnolotne słowa i rymowane wersy. Może nie chodziło o krwawoczerwone róże i dramatyczne uczucia. Być może miłość polegała na poklepywaniu w pośladki i czułym pocałunku, wspólnie przespanej nocy i takcie, który nakazywał mężczyźnie wpaść na krótko do książęcej posiadłości teściów na początku podróży poślubnej.

– Masz ją na resztę życia, Carrington. Daj nam przynajmniej przyzwoicie się z nią pożegnać.

Muzykalny brat Louisy, czyli lord Valentine, wypowiedział tę uwagę niezbyt wesoło, gdy Joseph patrzył, jak Louisa ściska się ponownie z St. Justem, Westhavenem i wszystkimi siostrami po kolei. W osobliwym przejawie dyplomatycznej powściągliwości książę i księżna wrócili do wnętrza rezydencji po złożeniu Josephowi i Louisie życzeń bezpiecznej podróży.

– Miałeś siostrę przez pierwszych dwadzieścia pięć lat, milordzie, i zaczynam się zastanawiać, czy nie czekałeś aż do czasu, kiedy cię opuści, aby to docenić.

Ciemne brwi uniosły się bardzo po książęcemu.

– A cóż ma znaczyć ta niegrzeczność?

– Uczyła się prawie wszystkich współczesnych języków europejskich, ale jedyną okazję posłużenia się nimi miała wtedy, gdy twoi rodzice zabawiali dyplomatów. Potrafi rozwiązywać w pamięci zadania matematyczne, których ja nie rozumiem nawet zapisanych na papierze, a uważała za szczęście, gdy Westhaven pozwalał jej czasami przychodzić na wykłady z ekonomii. Podsumowała pół tysiąclecia rzymskiej strategii wojskowej dla St. Justa, zna na pamięć dzieła Cezara w oryginale i w przekładach, a jednak St. Just odpisuje jej z Półwyspu Iberyjskiego na listy, rozwodząc się nad tematem damskich kapeluszy. Pan komponuje dla niej drobne bagatele, podczas gdy ona chce pracować nad tłumaczeniem *Boskiej komedii*.

Lord Valentine zamrugał, a potem wykrzywił usta w smutnym uśmiechu.

– Przypuszczam, że gdyby się tak porządnie zastanowić, nie wiedzieliśmy, co począć z Lou. Wcześnie zrozumiałem, że choć uwielbiam muzykę, ona kocha ją także, ale potrafi też zgłębić prawie każdą dziedzinę życia intelektualnego. Gdyby nie ona, wyrzuciliby mnie z pierwszego semestru na studiach.

Umilkł, kiedy Louisa przyjęła mały pakunek od St. Justa i wcisnęła go do swojej torebki. Wcześniej lord Valentine dał jej podobny prezent, tak jakby te drobne podarki miały zadośćuczynić ćwierć wieku zaniedbywania przez rodzinę.

– I powinni byli pana wyrzucić; to ona zasługiwała na studia uniwersyteckie.

– Przerobiła większość programu studiów, korespondując ze mną. Miałem kłopoty na każdym roku, bo spędzałem za dużo czasu przy fortepianie. Najgorzej było z łaciną. Louisa przygotowywała tłumaczenia dla mnie i kilku moich kolegów. To było nieuczciwe. Kiedy zrozumiała, co kombinujemy, przerwała to, ale do tego czasu…

Lord Valentine znowu zamilkł i już się nie uśmiechał.

– Do tego czasu nauczyła was już tyle łaciny, greki czy matematyki, że jakoś radziliście sobie na studiach, podczas gdy ona tkwiła na wsi w Kent, wpatrując się w gwiazdy, a jej siostry haftowały i szkicowały akty.

– Wielkie nieba. Akty?

– Miniatury, jak sądzę, bo jedynymi modelami, jakie miały, byli ich podglądani bracia.

Dla podkreślania tych pożegnalnych słów Joseph zrobił krok naprzód, czekając tak długo, aż Louisa wsunie trzeci pakunek – tym razem od Westhavena – do torebki. Lady Jenny podała niewielki pakiecik dokumentów przewiązany sznurkiem, który także znalazł się w torebce, i w końcu Joseph pomógł żonie wsiąść do dyliżansu.

– Ilekroć człowiek żegna się z twoją rodziną, Louiso, ma wrażenie, jakby uciekał.

Zmieniła zajmowane miejsce i znowu znalazła się przy jego prawym boku.

– Mężu, powiadasz bardzo pocieszającą rzecz. Kiedy Sophie w ostatnie Boże Narodzenie wykradła dla siebie kilka dni samotności, wtedy wreszcie zdałam sobie sprawę, że nie ja jedna z rodzeństwa Windhamów tęsknię za spokojem i prywatnością. Kocham swoją rodzinę, ale ona jest taka…

Obróciła głowę i spojrzała przez okno. Joseph podał jej chusteczkę, sądząc, że pomacha im na pożegnanie.

– Robię się śmieszna. – Rzeczywiście pomachała chusteczką, ale potem otarła nią kącik oka. – Zobaczę się z nimi ponownie już za kilka dni na bożonarodzeniowym spotkaniu i z ich dziećmi też. Myślę, że można mi darować nadmierny sentymentalizm. Nie widziałam się z St. Justem od miesięcy, Maggie spodziewa się dziecka, ale będę się często widywała z Sophie...

Przyciągnął ją do boku i łagodnie przysunął jej głowę do swego ramienia.

– Będziemy odwiedzali, kogo tylko zechcesz, na całym świecie, nawet podupadający West Riding, jeśli twoi bracia zechcą zażyć tam świeżego wiejskiego powietrza. Ale wiosną chciałbym cię zabrać do Paryża i mogłoby ci też spodobać się w Lizbonie, choć dosyć tam gorąco. Nie przepadam za Rzymem, ale na Sycylii są rozmaite ruiny, które mogą cię zainteresować.

Uniosła głowę nad jego ramieniem.

– Możemy zabrać ze sobą dziewczęta? Jak wiesz, dzieciom trzeba pokazać szeroki świat. Nie można nauczyć się wszystkiego, siedząc w zakurzonej szkolnej sali.

Nie, nie można.

Gdy Louisa zajęła się snuciem planów letnich wojaży, Joseph zastanawiał się, jak jej wyjaśnić, że zbyt długie podróże byłyby dla niego trudne. W Surrey przebywał tuzin dzieci, których nie chciał opuszczać na dłużej. Jego dzieci.

Nie naszych, pomyślał, jeszcze nie. I pewnie nigdy nie naszych.

– I jak człek ma się porządnie napić z taką obandażowaną ręką? – Grattingly machnął obwiązaną prawą dłonią. Lionel ledwie rzucił na niego okiem znad marnego ognia toczącego walkę z zimnem w najmniejszym saloniku Grattingly'ego.

– A jak człowiek ma myśleć, kiedy ty jęczysz z powodu przetrąconego palca, na litość boską? Ciesz się, że sir Joseph nie podziurawił ci skóry, co powinien był zrobić.

Niczym pies, który posłyszał dziwny dźwięk, Grattingly przekrzywił głowę, patrząc na Lionela.

– Nie powiedziałeś mi, że ten kulawy małpiszon był przybocznym strzelcem wyborowym Wellingtona. Nieładnie, Honiton. Przyjaciel ryzykuje dla ciebie życie, wystawia się na szwank, a ty…

– To ty zmieniłeś plan. Wellington nie miał w swoim sztabie przybocznego strzelca wyborowego, choć zapewniam cię, że sir Joseph świetnie strzela. Usiłowałem uchronić się przed szaleństwem pojedynkowania się z nim, lecz ty nalegałeś, żeby się z nim zmierzyć.

– I to ma być podzięka? Żadna dziewczyna, która stała się powodem pojedynku, nie znajdzie przyzwoitego męża. Podałem ci Louisę Windham na tacy, a tobie nawet nie udało się przyłapać jej na skandalicznym zachowaniu. Podsuwałem tłusty posag pod twój nos, a ty nawet nie zadasz sobie trudu, żeby mi podziękować.

Lionel milczał, gdyż nie mógł się zdobyć na podziękowania dla Grattingly'ego. Pierwotny plan był prosty: Lionel miał wybawić Louisę z kompromitującej sytuacji i zaraz potem przyjąć udzieloną z wdzięczności zgodę na ślub z nią – póki Lionel zupełnie nie pokpił sprawy.

– Powinienem był posiąść piękną Louisę – mruknął Grattingly. – Lubię, jak kobieta się opiera.

Lionel upił kolejny łyk marnego wina.

– Lubisz kobiety, które udają, że się opierają. Jeszcze chwila, a Louisa Windham pozbawiłaby cię męskości.

Fotel Grattingly'ego zaskrzypiał.

– Matko boska, co się z tobą dzieje? Potrzebujesz pieniędzy. Za pewną skromną sumkę umożliwiłem ci zdobycie tych pieniędzy i na dodatek dobrze urodzonej żony, a kiedy nie udało ci się wziąć tego, co ci podsuwano, zrobiłeś się wobec mnie złośliwy.

– Daruj. Widmo nędzy mocno popsuło mi humor, to wino też nie pomaga i bynajmniej nie uważam odsetka od posagu lady Louisy za skromną sumkę. Swoją drogą, kiedy wreszcie się zaopatrzysz w przyzwoite trunki?

I gdzie podziało się tych kilku młodzianów, którzy zazwyczaj zaszywali się późnymi wieczorami w miejskim domu Grattingly'ego?

Grattingly podszedł do kredensu.

– Wiedz, że moja madera nie jest tania.

Nie była tania, zwłaszcza wzmocniona brandy, niemniej tańsza od importowanych trunków.

– Ostatnio nie widuję też u ciebie tej ładnej małej pokojówki. Próbujesz oszczędzać, Grattingly? Oszczędzanie na tym, co niezbędne, to zajęcie plebejuszy.

Lionel dopił wino i nie podszedł do swojego rozmówcy, stojącego przy kredensie. Po pijanemu Grattingly bywał skąpy oraz głupi – o czym świadczyło wyzwanie rzucone Carringtonowi – a rozsierdzony Grattingly mógł tylko chwilowo odciągnąć myśli Lionela od jego problemów.

– Straciłem dostawców – rzucił Grattingly. – Tamta ładna służąca znikła w zeszłym tygodniu, a następną kwartalną wypłatę dostanę dopiero po Nowym Roku. Adwokaci mego drogiego papy zafundowali mi parszywą niespodziankę na święta.

– Zwykle w grudniu handel kwitnie – powiedział Lionel przeciągle – przynajmniej towarami dobrej jakości.

– Mój dziadek jest urodzony równie dobrze jak twój, Honiton, a przecież sam nie masz więcej gotówki ode mnie.

Lionel wiedział, że nie ma potrzeby dawać się prowokować, wiedział, a jednak podjął wyzwanie:

– Tu się mylisz.

– A cóż to niby ma znaczyć?

– Włożyłeś wszystkie swoje jajka do jednego koszyka, że tak powiem, spodziewając się uszczknąć sutą sumę z posagu Louisy Windham, ale nie zadając sobie trudu, żeby zabiegać o jej względy i się z nią ożenić. Ja nie jestem tak krótkowzroczny jak ty i dlatego mam na podorędziu i inne plany.

Grattingly przerwał czynność nalewania trunku z karafki. Lionel musiał spojrzeć w bok, aby nie zaśmiać się na ten widok.

– Mówisz zagadkami, Honiton, i to zagadkami, które nie są zabawne.

– Jednak krawcy nadal przyjmują moje zlecenia, prawda? A ponieważ jestem bardziej pomysłowy od ciebie, nadal będą mi szli na rękę, podobnie jak podkuwacze koni, węglarze i wszyscy inni maluczcy, którzy zapewniają wygodne, choć nudne życie.

Grattingly beknął; była to przeciągła, lepka erupcja wulgarności, przetykana tylko odgłosem syku ognia w kominku. Gdyby na takie grubiaństwo pozwolił sobie w towarzystwie lekko pijanych młodzieńców, pewnie wywołałby serię ordynarnych komentarzy – albo i nie. Jednak, ponieważ Lionel był teraz jedynym gościem Grattingly'ego, taki przejaw prostactwa kazał mu bardziej zastanowić się nad samym sobą niż nad gospodarzem.

– Grattingly, robi się późno. Dzięki za gościnność, ale muszę już iść.

Lionel wstał i – skoro nie było pod ręką służącego – włożył rękawiczki, szal, kapelusz i palto, a przez cały ten czas Grattingly nie spuszczał z niego wzroku.

– Czy twoja pokojówka opuściła cię razem ze służącym?

– Całkiem możliwe. Nie przypuszczam, żebyś chciał zajrzeć do Aksamitnej Rękawiczki?

Lionel, owszem, nie miał nic przeciwko temu – lubił się zabawić jak tacy jak on – ale spojrzał na poplamiony fular Grattingly'ego, jego tłuste palce na szyjce karafki, na usta, które obwisły na myśl o wizycie w burdelu.

Te same palce obmacały gorset Louisy, a te obwisłe wargi zmierzały ku jej ustom, mimo że wcześniej Lionel wyjaśnił Grattingly'emu szczegółowo, że miał tylko objąć tę kobietę albo grubiańsko pocałować ją w rękę.

– Obawiam się, że nie mogę. Może innym razem.

Grattingly uniósł karafkę.

– Jak sobie chcesz. I wszystkiego najlepszego z tamtymi innymi planami.

Pomachał na pożegnanie tłustymi paluchami i Lionel wyszedł. Nocne powietrze było mroźne, ale rześkie, mimo niezliczonych londyńskich pieców opalanych węglem. Na którejś z pobliskich ulic sprzedawca zachęcał wesoło do kupienia prażonych kasztanów i świątecznych kart z życzeniami, a na skraju przecznicy jakiś chrześcijanin potrząsał dzwonkiem i nakłaniał przechodniów do pamiętania o tych, którym powodziło się gorzej.

W pewnym sensie nie powiodło się i Lionelowi, choć nie stoczył się jeszcze do poziomu Grattingly'ego, z którym pora była zerwać kontakty.

Haniebny postępek Grattingly'ego – a cóż mogło być bardziej haniebne od skompromitowania dobrze urodzonej młodej damy, a potem wystrzelenia zbyt wcześnie do jej obrońcy w wynikłym z tego pojedynku – przyniósł mu to, że nie mógł już liczyć nawet na towarzystwo tych nieboraków, których nie stać było na wino.

Lionel skierował kroki w stronę rezydencji hrabiego Arlingtona, oddalonej o kilka przecznic od centrum dzielnicy Mayfair. Kobiety z Aksamitnej Rękawiczki były rozkoszne, pomysłowe i nie skąpiły czasu klientom. Były też profesjonalistkami, które oczekiwały godziwej zapłaty za świadczone usługi.

Dopóki inne plany Lionela lub zastawianie tandetnej biżuterii nie zaczęły przynosić więcej pieniędzy, póty darmowe jedzenie i napoje na balu w Mayfair były ważniejsze od innych wieczornych przyjemności. Gdy w ciemności rozpadał się śnieg, a uliczny sprzedawca kasztanów i chrześcijanin ucichli, Lionel zmówił krótką modlitwę o to, by jego plany wydały bogate plony, i to szybko.

11

Przez cały długi dzień podróży Joseph dotrzymywał Louisie towarzystwa we wnętrzu swojego przestronnego powozu. Ilekroć przystawali, żeby zmienić konie, nalegał, by wypiła czarkę gorącego grogu, a w tym czasie podgrzewano cegły na podłodze jego karety.

Trasa nie była zbyt długa – wcześniej Louisa często przebywała ją w jeden dzień – ale wyjechali późno, a zimno i topniejący śnieg sprawiły, że stan dróg był żałosny. Gdy zapadł zmrok, Joseph zapytał Louisę, czy nie wolałaby przenocować w jakimś przyzwoitym zajeździe, zamiast jechać dalej.

– A czy Amanda i Fleur nie będą się denerwowały, jeśli dopiero jutro dotrzemy na miejsce?

– Amanda i Fleur pewnie mocno śpią o tej porze – odpowiedział, gdy służąca postawiła posiłek na małym stole w jadalni. – Jeśli przekonam się, że jest inaczej, ich guwernantka odpowie mi za to.

Odezwał się w nim oficer kawalerii, ten ktoś w mężu Louisy, któremu przypatrywała się chwilami w trakcie podróży. W rozmowie z nią Joseph był grzeczny i pełen szacunku, nigdy nie wymagający. W kontaktach z innymi też był uprzejmy i rozsądny, lecz, podobnie jak ojciec i bracia Louisy, oczekiwał posłuszeństwa od tych, którzy wypełniali posługi. Przed obliczem Boga ona również poprzysięgła mu posłuszeństwo, choć liczyła na to, że nowo poślubionej żonie Wszechmogący pozwoli na to i owo w okresie wzajemnego dopasowywania się młodej pary.

Louisa z pewnością zamierzała się dostosować do oczekiwań męża.

Joseph rozsiadł się po upływie pół godziny, zjadłszy solidny posiłek główny i dwie porcje świątecznego puddingu.

– Czy mam zamówić kąpiel?

– Wykąpałam się bardzo dokładnie wczoraj. Wystarczy trochę ciepłej wody.

– W tam razie może ja wezmę kąpiel... Nie masz nic przeciwko temu?

Louisa zatrzymała filiżankę z herbatą w powietrzu, w połowie drogi do ust, szukając we wzroku męża potwierdzenia subtelnego podtekstu erotycznego, który dosłyszała w tych słowach.

– Oczywiście, weź kąpiel. Ja przesiedziałam cały dzień w powozie z rozgrzanymi cegłami i swoimi ulubionymi książkami, podczas gdy twoje walory marzły w różnych zajazdach.

Kącik jego ust lekko się uniósł.

– Moje walory? Zapewne można je tak określić, skoro mam dostać arystokratyczny tytuł.

– Czy to cię naprawdę niepokoi?

Choć spędzili razem większość tego dnia, rozmawiali ze sobą mało. Joseph zaczytał się w jakiejś handlowej księdze rejestrów, natomiast Louisa czytała po francusku tom o filozofii społecznej i radowała się nowością, jaką było podróżowanie bez przyzwoitki u boku.

Joseph przykucnął, aby poruszyć pogrzebaczem w kominku.

– Dręczy mnie perspektywa otrzymania tytułu. Z ledwością udaje mi się zapanować nad własnymi sprawami, Louiso. Co mi przyjdzie z zasiadania w Izbie Lordów?

– Gdyby więcej ludzi z Izby Lordów prezentowało taką skromność, mogliby podejmować więcej decyzji, i to lepszych.

Pukanie do drzwi przerwało rozmowę. Pojawili się służący, aby zabrać resztki posiłku, a potem wtoczyli sporą miedzianą balię. Następnie wniesiono parawan, służący i pokojówki nosili po kolei wodę w wiadrach, aż wreszcie Louisa znowu została sama z mężem.

Wstała i zaczęła rozwiązywać mu fular.

– Stój spokojnie. Im szybciej wejdziesz do wody, tym będzie cieplejsza.

Zatrzepotał rzęsami, jakby skrywał rozbawienie, ale nie protestował, kiedy Louisa przystąpiła do rozpinania mu guzików przy rękawach. Rozpięła kamizelkę i koszulę.

Gdy stanął obnażony do pasa, wskazała na jego kolana.

– Teraz buty.

Usiadł i wystawił rozprostowaną lewą nogę, równolegle do podłogi.

– Czy pomyślałaś kiedyś o Ich Wysokościach zajmujących się tak przyziemnymi domowymi czynnościami?

Louisa schyliła się, żeby ściągnąć mu jeden z butów.

– Rzadko. Wiadomo, że moi rodzice są małżeństwem, ale bardzo strzegą swojej prywatności. Pewnie widziałam ze dwa razy, jak księżna zzuwała buty memu papie. Teraz drugi.

A jednak tak przyziemna czynność z Josephem wcale nie wydawała się nieprzyjemna. Może odrobinę dziwna i nieznana, ale nie niemiła. Louisa odstawiła obydwa buty za drzwi, aby zabrał je pucybut, a potem obróciła się w stronę męża już tylko w bryczesach do konnej jazdy.

I nagle sytuacja stała się zupełnie nowa.

– Mogę zdmuchnąć świece, Louiso.

Louisa zakasała rękawy swojej nocnej koszuli i szlafroka.

– Nikt nie kąpie się w ciemnościach, mężu. Wchodź do balii.

Uśmiechnął się, słysząc apodyktyczny ton jej głosu. Na szczęście, gdyż Louisa nie miała zamiaru mu rozkazywać.

– Pomożesz mi ze spodnią częścią garderoby?

Jasne było, widząc jego przebiegły uśmieszek, że nie tyle stawiał pytanie, ile rzucał wyzwanie.

– Oczywiście. – Louisa podeszła do niego i nawet jego oczy przestały się uśmiechać. W blasku ognia nie wydawały się już błękitne; wyglądały na ciemne i intensywnie skupione.

– Moje spodnie, żono?

Nie nazywał jej tak wcześniej – zwrot „najdroższa przyszła żono" był niezupełnie tym samym. To słowo – i ton jego głosu – wywołał w Louisie gwałtowną falę ciepła i czegoś jeszcze. Może zaborczości. Czymkolwiek to było, spodobało się jej. Zamiast trwonić czas na analizowanie własnych odczuć, zajęła się rozpinaniem guzików pod klapą spodni Josepha.

– Tu jest więcej guzików, niż nakazuje zwyczajna przyzwoitość.

– Być może po to, żeby mężczyzna przypadkiem nie pozostał bez spodni, albo na wypadek, gdyby kobieta naprawdę chciała go ich pozbawić.

– Woda stygnie, kiedy my tak…

Jej palce przejechały po wypukłości pod materiałem spodni, twardym, pokaźnym wybrzuszeniu. Kiedy spojrzała mężowi w twarz, znowu opuścił powieki i podbródek, jakby przyglądał się, co ona robi.

Zrzucił bryczesy i odwrócił się jednocześnie, aby wejść do balii plecami do Louisy. Już w wodzie szybko się obmył, ale gdy spłukała mu włosy, okazało się, że nie ma ochoty wychodzić z kąpieli.

– Jeśli pozostaniesz w wodzie jeszcze trochę, zrobi się zimna, i ty też, mężu. Nie mam zamiaru dzielić łoża z bryłą lodu.

Siedział oparty o brzeg balii, z przymkniętymi oczami.

– Może zimna woda to dobry pomysł, Louiso. Następny tydzień jeszcze nie nadszedł.

– Następny tydzień...? – Przerwała układanie jego ubrań w równy stosik. – A co ma przyszły tydzień do...? Ach, rozumiem.

Podniósł się, wyszedł z balii i stanął ociekający wodą na cegłach przed kominkiem.

– W następnym tygodniu posiądę cię tak, że żadne z nas nie będzie w stanie chodzić. – Stał zwrócony bokiem do kominka, więc Louisa miała wspaniałą okazję do podziwiania muskulatury jego pośladków, nóg i, owszem, jego wyprężonej męskości.

Ona nie będzie w stanie chodzić?

– Chyba przesadzasz. – A może jednak nie przesadzał.

Spojrzał przez ramię, jakby chciał się upewnić, że przyciągnął jej uwagę, a potem obrócił się ku niej twarzą.

Nie przesadzał. W blasku ognia z kominka jego wilgotna skóra wydawała się różowozłocista, a on stał przed nią w stanie wyraźnej gotowości do prokreacji. Czytała o tym niegdyś, ale nic, w żadnym języku, nie przygotowało jej na nagły galop serca na widok jej obnażonego, ogarniętego pożądaniem męża.

– Musisz przekonać się naocznie, kogo poślubiłaś, Louiso. Moje ciało jest ochocze, ale dalekie od doskonałości.

Mówił to żarliwie, pozostając tam, gdzie był, z *membrum virile*, członkiem sterczącym w intymnej emfazie jednoznacznych pragnień. Louisa przypatrywała się jego podnieceniu, aż zaczęły ją mrowić palce.

– Powiedz coś, żono.

– Chcę cię dotknąć.

Wyraz jego twarzy zmienił się na mgnienie oka, z nieprzeniknionego na niepewny, a potem znów na nieprzenikniony.

– Moje blizny, Louiso.

Omiotła go wzrokiem, podziwiając mięśnie ud i piersi, piękny kształt dużych, gołych męskich stóp.

– Nie bądź niemądry. – Podeszła nieco bliżej. – Już widywałam blizny. Sama mam kilka, ale jeszcze nigdy nie widziałam... Jak to się nazywa?

Przesunęła palcami po nim całym, zaskoczona, jak krzepkie było jego ciało i jakie rozgrzane.

– To musi mieć jakąś nazwę. – Przykucnęła na posadzce przed piecem, żeby lepiej mu się przyjrzeć. – Znam oczywiście pewne łacińskie określenia, ale mężczyźni są dość pomysłowi, jeśli chodzi o ich własne ciała...

Louisa poczuła dłoń Josepha na swoich włosach, która nie spoczęła na nich ciężko, lecz raczej dotknęła ich w geście błogosławieństwa.

– Jeżeli chcesz, możemy spisać te nazwy, żono. Potem.

– Przed przyszłym tygodniem, jeśli łaska. – Objęła go całego dłonią, a potem przeciągnęła opuszką palca wokół korony penisa. – Jaki delikatny.

– Możemy od razu sporządzić taki spis, po tym, jak odzyskam zdolność myślenia.

Jego głos stał się mroczny i gładki, jakby recytował jej poezję, lecz nie powiedział już nic więcej, co Louisa uznała za przyzwolenie na dalsze poznawanie jego ciała.

– Te włosy są inne, nie takie, jak gdzie indziej na ciele albo na twojej głowie. – Przeczesała je palcami, a potem wymacała miękkie woreczki poniżej. – W to mam podobno kopnąć mężczyznę, jeśli mi zagrozi. Tak się wyraził Devlin... zagrozi.

Kierowana odruchem trąciła nosem te części jego ciała. Joseph głośno westchnął, ale nie drgnął. Z tych miejsc też unosił się zapach lawendy – dzięki Bogu, jej mąż nie oszczędzał mydła – ale, nawet wilgotne i odświeżone po kąpieli, roztaczały nieco inną, intymną woń. Męską, być może, a może po prostu charakterystyczną dla Josepha Carringtona.

– Louiso, nie waż się...

Wiedza, której nie zaczerpnęła z ksiąg, podpowiadała Louisie, że on chciał, aby się poważyła, pragnął tego, choć nigdy, przenigdy nie poprosiłby jej o to, co miała właśnie zamiar zrobić. Zanim odwaga zdążyłaby ją opuścić, Louisa przeciągnęła językiem wzdłuż penisa, powoli poznając wilgotny smak jego męskości.

Drgnął i westchnął, co uznała za rodzaj kapitulacji. Myśl ta była dla niej cenna i... zniewalająca. Fizycznie oszałamiająca.

Zrobiła to ponownie, kocimi muśnięciami języka okrążając obły, aksamitny koniec jego członka w erekcji. Zapoznawała się z nim językiem w sposób, którego jeszcze nie czyniła dłońmi albo oczami.

– Musisz przestać... zaraz.

Jak na niego była to parodia polecenia. Louisa objęła ręką nasadę penisa i wzięła go w usta, żeby jej nie powstrzymał, zanim sobie na to pozwoli. Zwroty z poezji Katullusa i jego frywolność nagle stały się zrozumiałe, mimo że dla Louisy reakcje jej ciała okazały się zagadkowe.

Kiedy przybliżyła się nieco do męża, jej piersi stały się ciężkie i wrażliwe. Impuls, aby się rozpłakać i roześmiać, mieszał się w niej z pragnieniem, przenikającym jej czułe miejsca, których nazw nie znała, nawet łacińskich.

– Louiso... – Teraz Joseph wplótł palce obu dłoni w jej włosy, a jego biodra poruszały się tak, że lekko się kołysał, powoli wsuwając się w jej usta i powoli wysuwając z nich. Przywarła do niego znowu, energiczniej, a on delikatnie się od niej odsunął.

Podniósł ją, oplótł ramieniem i przycisnął usta do jej ust. Wolną ręką pieścił siebie, a intymność tego aktu sprawiała, że pod Louisą niemal ugięły się nogi.

– Josephie... – Jego język wnikał w jej usta w tym samym powolnym rytmie, w jakim dogadzał sobie.

Odwzajemniła pocałunek, objęła go i trzymała mocno przy sobie, aż zadygotał, a jego ręka przestała się poruszać, choć z jego piersi nadal dobywały się powolne, głębokie westchnienia.

– Wielki Boże, Louiso. Wielki...

Nie ganił jej. Tyle zrozumiała przez stłumioną burzę rozpętaną w jej ciele. I nie puszczał jej. Nieśmiałość walczyła w niej z poczuciem spełnienia, poczynienia wielkiego kroku wespół z jej nowym, nagim teraz mężem.

– Wielki... – Pocałował ją znowu, delikatnie. – To było... Jak, u licha... Jezu... – Kolejny pocałunek, jeszcze bardziej czuły. – Muszę cię obejmować. W łóżku, jeśli łaska.

Musiał ją obejmować i powiedział jej to wprost. Przyznał, że jej pragnie, jakby... Jakby nic na to nie mógł poradzić i nie przejmował się, że ona o tym wie.

Louisa usłuchała go, odwróciła się i poczuła, jak jego dłoń gładzi jej pośladek, a potem lekko go poklepuje. W tej pieszczocie była czułość, ale także zaborczość i wyraz męskiego zachwytu.

– Podoba ci się moja pupa.

Przerwał wycieranie ręcznikiem swojego brzucha, co czynił z uśmiechem słodkim i męskim.

– Uwielbiam twój zadeczek. Przepadam za nim.

Zadeczek – dosadne kawaleryjskie określenie. Louisa zrzuciła szlafrok i weszła do łóżka, patrząc, jak jej nagi mąż dorzuca węgla do ognia, zdmuchuje świece i stawia parawan tuż obok paleniska.

– Mężu? Ja też lubię twój zadek.

Podszedł do łóżka i legł na materacu.

– Mogłem to podejrzewać. Mimo wszystko miło mi to słyszeć.

– Nie ukrywałabym tak ważnej informacji.

Spodziewała się, że udzieli jej na to następnej dowcipnej riposty, ale on przytulił się do niej od tyłu, splótł jej palce ze swoimi i pocałował ją w kark.

I była to cała jego odpowiedź.

– W takim razie ile pozostaje? – Valentine przeciągnął dłonią po obudowie kominka w gabinecie Westhavena w jego wiejskim majątku w Surrey. Drewno było gładkie jak aksamit i lśniło od wosku i olejku cytrynowego, co stanowiło miły, symboliczny komentarz na temat szczęśliwego pożycia małżeńskiego człowieka, który był właścicielem tej posiadłości.

Westhaven, siedzący za biurkiem godnym dziedzica tytułu książęcego, zajrzał do księgi rachunkowej, a potem poprawił okulary na nosie.

– Brakuje dwudziestu siedmiu. Nasze postępy na tym polu uległy spowolnieniu, odkąd ta liczba się zmniejszyła.

St. Just sapnął i spojrzał w górę, jakby zwracał się o pomoc do niebios, a następnie wydął usta.

– Twoja hrabina nie próżnowała, Westhaven.

– Anna jest duszą tego przedsięwzięcia – zaczął odpowiadać Westhaven, ale zamiast uraczyć Vala i St. Justa mężowskim peanem na cześć żony, podążył spojrzeniem za palcem St. Justa, który wskazał na lampę wiszącą nad biurkiem.

– To wystarczy, żeby zatrudnić człowieka przy robocie papierkowej na cały sezon świąteczny. – Uśmiech Westhavena przeobraził się w nieco złośliwy grymas.

Z lampy zwisała nie gałązka ani nie gałąź, ale cały pęk jemioły z białymi jagodami.

Valentine popatrzył na brata, który wyglądał na zadowolonego i spokojnego przy wielkim biurku.

– Równie wielka zawisła w twoim wejściowym holu, spora zdobi też bibliotekę, a nie wątpię, że w kuchni nie widać krokwi za rozwieszonymi wszędzie pękami i wiązkami jemioły.

– Anna lubi rozweselać służbę.

– A ja lubię wesołą siostrę – odparł Val, by podjąć na nowo zasadniczy temat spotkania. – Czy Victor mógł zniszczyć niektóre kopie, zanim zajęliśmy się tą sprawą?

Z oblicza St. Justa zniknął uśmiech.

– Powiedziałby nam albo przynajmniej Louisie. Skoro Westhaven twierdzi, że dwadzieścia siedem kopii nadal gdzieś się zapodziewa, musimy je odnaleźć.

– Valentine mówi do rzeczy. – Westhaven wstał zza biurka, aby otworzyć drzwi, do których zapukano, i wpuścił do środka żonę niosącą tacę.

– Zaśpiewajcie kolędy, panowie. Wyglądacie, jakbyście zajmowali się sprawami o wiele za poważnymi jak na święta.

Val i St. Just tylko patrzyli, a Westhaven, wykazując się cierpliwością, o której krążyły legendy, zaczekał, aż Anna postawi tacę na biurku, i rzucił:

– Wesołych świąt, hrabino.

Pocałunek był długi, namiętny i tak niestosowny, że Val i St. Just wymienili spojrzenia, aby się na to nie gapić. W oczach St. Justa był błysk rozbawienia i coś jeszcze – aprobata albo ulga. Valentine podzielał te odczucia: Westhaven zasłużył na szczęście, jeżeli nawet oznaczało to, że jego bracia musieli w rezultacie znosić ostentacyjne tego przejawy.

Choć uśmiech Anny wskazywał, że bynajmniej nie uważała zachowania Westhavena za niestosowne.

– Do Bożego Narodzenia wciąż kilka dni – zauważył Val, nie zwracając się do nikogo w szczególności. – Sądzę, że będziecie musieli zerwać jeszcze trochę jemioły. – Sięgnął ręką i urwał jagodę z wiązanki, a następnie wrzucił ją w ogień.

– Mamy jej mnóstwo – powiedziała Anna z roztańczonymi oczami. – Napijcie się grogu, moi panowie. Niezależnie od tego, czym się zajmujecie, trochę pokrzepienia nie zawadzi. Westhaven, czy jak zwykle odwiedzisz pokój dziecinny?

Westhaven przyjął kubek z tacy żony.

– Panowie, czy któryś ma ochotę na partyjkę kręgli?

– Nadal mogę pokonać was obu – stwierdził Val. – Ktoś musi pokazać chłopakowi, jak to się robi.

Anna podała drinka St. Justowi, a następnego Valowi, wypowiadając ciche „dziękuję" i całując go w policzek.

Kiedy wychodziła, oczy jej męża wlepione były bezwstydnie w jej oddalającą się postać, a St. Just wyznał:

– Twoja hrabina zawsze pachnie jak wiosenny ogród, Westhaven. W jej zapachu jest coś ciepłego.

– Wiciokrzew – odpowiedział Westhaven, nadal oczarowany żoną.

– Uroczy zapach – rzucił Val – ale co zrobimy z dwudziestoma siedmioma brakującymi tomikami? Skoro Louisa ma teraz męża, i to całkiem zaradnego, może on powinien zająć się tą sprawą?

Wyraz oczarowania zniknął z twarzy Westhavena, zastąpiony przez bardziej znajomy wyraz surowości.

– Ona jest naszą siostrą, Victor powierzył nam to zadanie, a zdaje mi się, że Carringtonowi i Louisie nie zabraknie teraz zajęć jako nowożeńcom, nawet jeśli nie dołożymy im tego problemu.

Val i St. Just znowu wymienili spojrzenia, potwierdzające, że obaj dosłyszeli ukrytą aluzję w tonie głosu Westhavena.

– Przyznaj się, Westhaven. – St. Just usadowił się na krześle przy biurku, a Val przysiadł na podpórce kanapy. – Co takiego wiesz, co ukrywasz i jak możemy ci pomóc?

Westhaven wsunął się na fotel za biurkiem i spoglądał to na Vala, to na St. Justa, a potem na jemiołę wisząca nad blatem. Przyjrzał się ozdobionej wstążkami wiązance i powiedział:

– Carrington ma włości niedaleko stąd. Piękne miejsce, doskonale utrzymane i sporo akrów. Złożyłem tam dyskretną wizytę pod nieobecność sir Josepha. I nie uwierzycie, co tam zastałem.

Małżonek, który nie był wstrząśnięty wiedzą swojej damy na temat pewnych francuskich filozofów, mąż, którego usta ułożyły się w najsłodszy uśmiech, kiedy powinien być zaszokowany, to naprawdę cenny mąż.

Jednak jako ojciec małych córek Joseph Carrington wydawał się nieco zagubiony.

Louisa doszła do takiego wniosku w chwili, gdy przedstawił ją swoim córeczkom, albo raczej w momencie, w którym nie powinien był jej im przedstawiać. Dzieci Josepha, Amanda i Fleur, nie powinny były wychodzić na dwór i z twarzyczkami poszczypanymi mrozem razem ze służbą witać nowej pani na włościach.

– Kogóż my tu mamy, sir Josephie? – Louisa wysiadła samodzielnie z powozu na śnieg. – Zdaje się, że dwójkę twoich ślicznych panien?

– Fleur i Amando, dygnijcie, jak wypada. – Joseph powiedział to rozkazującym tonem. – Chyba nie chcecie trzymać waszej macochy tu, na zimnie, podczas tak okropnej pogody?

Obie dygnęły w identyczny sposób, lecz te gesty wydały się Louisie chłodne.

– Przywitajcie ojca. – To polecenie zostało wydane przez nianię o surowym obliczu, której wielki biust przypominał dziób przystrojonego na czarno okrętu.

– Dzień dobry, papo. – Kolejne dwa dygnięcia i dwie pary oczu wpatrzone w Josepha z czymś podobnym do lęku.

– Jakie grzeczne – zachwyciła się Louisa, wyciągając rękę do każdej z dziewczynek z osobna. – Mam na imię Louisa i zdam się na was całkowicie jako na panie w tym domu, które pokażą mi tu wszystko. Chodźcie, z pewnością wasz tato każe wam przygotować trochę gorącej czekolady, żebyście się rozgrzały.

Niania wciągnęła powietrze nosem i rzuciła spojrzenie sir Josephowi. Na szczęście Joseph patrzył na córeczki i nie zauważył tego niemego protestu:

– Czekolada, co? Sądzę, że trochę jej nie zawadzi.

Podał Louisie ramię, ale ona nie wypuszczała z rąk dłoni dziewczynek.

– Czekolada i jakieś ciastka – powiedziała, uśmiechając się do niego. – Uwielbiam ciastka.

– Tak jak ja – stwierdziła młodsza z córek, a jej siostra syknęła ostrzegawczo.

– Nie odzywaj się do dorosłych, póki sami do ciebie nie przemówią – wtrąciła niania, a w tym jej upomnieniu był wielki ładunek dezaprobaty.

Louisa odwróciła się, prezentując uśmiech, który miał być zupełnie innym rodzajem przestrogi.

– Jestem pewna, że to upomnienie było powiedziane w dobrej wierze, ale nasze córki spotykają się po raz pierwszy ze swoją przybraną matką. A to nie jest dobra okazja do wymuszania surowej dyscypliny. – Dla podkreślenia swoich słów Louisa podniosła Fleur, posadziła na swoim biodrze i ponownie ujęła dłoń Amandy. Potem ruszyła, licząc na to, że Joseph podąży za nią, zamiast próbować udobruchać tę przeklętą piastunkę.

Nie oglądając się za siebie, Louisa udała się w stronę domu. Nierówny chrzęst kroków na śniegu podpowiedział jej, że Joseph istotnie podążył za nią i za córkami.

– Co to takiego macocha? – zapytała Fleur głośno, tonem ciekawskiego dziecka. Po chwili wyrwała się z objęć Louisy i schowała za plecami ojca.

– Macocha – odpowiedział Joseph – to nowa żona taty. Lady Louisa zamieszka teraz z nami, chyba że wy dwie wypędzicie ją stąd swoim okropnym zachowaniem.

Rzekł to tak, jakby naprawdę wchodziło to w rachubę. Fleur ściągnęła ledwie zarysowane brwi, a Amanda nadal w milczeniu kurczowo ściskała dłoń Louisy.

– Trochę dokazywania mi nie przeszkadza – poinformowała Louisa towarzystwo. – I nikt, i nic mnie stąd nie wypędzi. Słowo daję.

Joseph nic na to nie rzekł, tylko wykrzywił usta w ledwie zauważalnym uśmiechu. Nie odzywał się, kiedy przeszli do biblioteki, i poza tym, że burknął na córki, aby nie rozlały czekolady, zniósł dwadzieścia minut ich obecności przy posiłku złożonym z herbaty, kanapek i jabłek pokrojonych w plastry.

– Widzę, że szybko rośniecie, poznałem was z waszą nową mamą, więc teraz, proszę, udajcie się do siebie na górę.

Joseph odnosił się do córek uprzejmie, to prawda, ale wyszukaną grzeczność okazywał Louisie.

– Ja je zaprowadzę. – Louisa wstała, a dwie rączki schwyciły jej palce, nim ktoś cokolwiek dodał. – A potem, mężu, zechcesz oprowadzić mnie po domu?

Przytaknął ruchem głowy i nie powiedział nic, gdy Louisa odprowadzała dzieci.

– Cieszę się, że papa wrócił – stwierdziła Amanda. – Czy to ty mu kazałaś, nowa mamo?

– Nikt nie zmusza twojego taty do niczego, czego sam by nie zechciał. To jeden z przywilejów bycia dorosłym.

Teoretycznie.

– Przez nas musi nas karać – zauważyła Fleur. – Jak źle postępujemy.

– Ale nie za często – dodała Amanda. Ciągnęła Louisę za rękę, kiedy podchodziły do schodów. – Wcale nie tak często.

– To nie tak – zaprzeczyła Fleur. – Przez cały czas, kiedy tatusia nie ma, musimy znosić kary. Jeść tylko chleb i pić wodę, Amando. Tak właśnie jest. Musimy klęczeć, znosić zimno, i dlaczego nie wolno mi się odzywać?

Amanda przestała gorączkowo przyciskać palec do ust i spojrzała żałośnie na Louisę.

– Nie jesteśmy takie złe. Wcale nie.

Co, u licha, tu się działo? Louisa zatrzymała się na najwyższym stopniu schodów, obróciła się i usiadła.

– Chodźcie tutaj do mnie, obydwie. Opowiedzcie mi, jak to jest, kiedy papy tu nie ma.

Objęła dzieci ramionami i słuchała. Słuchała długo, a potem zaprowadziła je do ich pokoju. Tam poleciła napalić porządnie w piecu, przysłać sobie za godzinę spis potraw, którymi karmiono dziewczynki, a do dziewiątej następnego ranka przedstawić plan dziecięcych lekcji. Uprzedziła też opiekującą się dziećmi pokojówkę, że co wieczór będzie sama układała córki do snu i często będzie zaglądać do nich w ciągu dnia.

Oznajmiła, że zajmie się przeglądaniem ich garderoby, będzie je zabierać na regularne spacery na świeżym powietrzu i od czasu do czasu zaprosi na dół na podwieczorek. Śniadanie i lunch wspólnie z córkami też nie były wykluczone, a – tu Louisa rozejrzała się po pokoju dziecięcym, w którym cuchnęło trochę dymem węglowym – sir Joseph zacznie się widywać ze swoimi córeczkami w salonie po podwieczorku.

Oczy pokojówki, gdy tego słuchała, niemal wychodziły z orbit, Louisa zaś poczuła ukłucie tęsknoty za swoimi rodzicami i rodzeństwem. Już oni nie pozostawiliby suchej nitki na tej cholernej niani. Ta stara jędza powinna czynić wszystko, żeby córki szanowały sir Josepha, a nie bały się go.

A już Jej Wysokość zareagowałaby na to wszystko najwymowniej. Powiedziałaby coś dystyngowanego i ostrego z dostojną wzgardą.

Louisa postanowiła pójść za jej przykładem i udała się na poszukiwanie męża.

Damska torebka to coś pełnego tajemnic, coś podobnego do baśniowego sezamu Aladyna. Joseph po raz pierwszy zauważył to zjawisko już jako mały chłopiec, który mógł liczyć na to, że jego matka wyciągnie wszystko – od chustki do nosa przez bączek do zabawy po lśniące czerwone jabłko – z którejś ze swoich wielu torebek i kieszeni.

Ciotki, które przejęły jego wychowanie, kontynuowały tę tradycję, choć wyciąganymi przez nie skarbami częściej bywały książki, czekoladki i kwiatowe saszetki zapachowe, rozsiewające równie osobliwe zapachy jak czekolada.

Torebka Louisy okazała się równie fascynująca.

Otworzył ją w poszukiwaniu zwyczajnego ołówka. To, że uległ takiemu impulsowi, nie wydało mu się naruszeniem prywatności Louisy. Zamierzał po prostu wprowadzić korektę w leżącej przed nim na biurku księdze rachunkowej majątku.

I instynkt w odniesieniu do własnej żony go nie zawiódł, bo miała aż dwa ołówki na dnie torebki, ale aby się do nich dostać, musiał się przedrzeć przez szczotkę do włosów i grzebień – po co nosić jedno i drugie? – trzy tomiki bardzo dobrych erotyków – po co nosić trzy egzemplarze tego samego wydania? – dwie chusteczki, w tym jedną bogato wyszywaną, a drugą z prostym monogramem – jedną na pokaz, a drugą do użytku? – paczuszkę listów przewiązanych czerwoną wstążką – czy czerwona kokardka oznaczała, że to listy miłosne? – nieobraną pomarańczę i swoją dawną najlepszą piersiówkę.

Joseph odkręcił tę piersiówkę i na podstawie zapachu stwierdził, że zawierała jego własną mieszankę likieru orzechowego i rumu, która mogła okazać się niezłym dodatkiem do pomarańczy, gdyby dama nagle poczuła się głodna.

A może trunek, który nosiła, wskazywał, że te żelazne zapasy były przeznaczone nie dla niej, tylko dla jej męża.

Joseph włożył to wszystko, wraz z dwoma ołówkami, z powrotem do torebki. Myśl, że Louisa nosiła dla niego zapasy, sprawiła, że grzebanie w jej torebce wydało mu się czymś nieładnym, więc gdy żona dołączyła do niego w bibliotece, siedział przy dużym biurku, strugając własny ołówek, wzięty z biurka.

– Próbowały cię zniewolić, co? – Wstał, wrzucił wiórki z zatemperowanego ołówka za osłonę kominka i popatrzył na żonę. – Przyczepiają się jak rzepy, chcą, żeby im opowiadać bajki i historyjki, i ciągle z nimi rozmawiać. Kiedy trochę podrosną, oddam je do szkoły z internatem.

Pomysł ten wcale mu się nie podobał, ale trzeba było o tym powiedzieć. Louisa wpatrywała się w Josepha intensywnie.

– Szkoła z internatem może się okazać nie taka zła.

Poczuł ucisk w sercu. Poczuł, jakby narząd ten skurczył się w jego piersi o kilka cali, wciskając się gdzieś w płuca, zakłócając jego trawienie i utrudniając oddychanie.

– Kiedy przyjdzie czas, porozmawiamy o tym z panną Hodges.

– Nie, nie zrobimy tego.

Louisa wyprostowała plecy niczym żołnierz na warcie. Niepokój w piersi Josepha przeobraził się w rodzaj fizycznego odczucia, znanego żołnierzom jako gotowość do bitwy – składała się na nie głównie trwoga, ze szczyptą nadziei, że człowiek spisze się honorowo w nadchodzącym boju.

– Nie uważasz, że warto zasięgnąć opinii guwernantki? Louiso, Cynthia wybrała pannę Hodges do zajmowania się dziećmi, a Fleur i Amanda odbierają dzięki niej znakomitą naukę.

Żona odstąpiła od niego, co tylko wzmogło niepokój Josepha. Najwyraźniej oboje mieli na ten temat odmienne zdanie, a on chciał patrzeć jej w oczy, kiedy dyskutowali. Louisa nie okłamałaby go, a jej oczy powiedziałyby mu prawdę, choć usta niekoniecznie.

– Twoje córki są drobne, Josephie.

– Są jeszcze małe – przyznał, choć rzeczywiście zastanawiało go, czy nie są mniejsze od dziewczynek w ich wieku. Z tego powodu traktował je troskliwie. Dlatego też zaglądał do pokoju dziecięcego, żeby się przekonać, czy dobrze śpią.

– Karmi się je chlebem i wodą, wiedziałeś o tym?

– Chlebem i wodą?

– Dostają chleb, wodę i jeszcze trochę czegoś innego dzięki dobremu sercu personelu kuchni, który pewnie dobrze wie o tym, że twoje dzieci muszą wieczorami zakradać się do spiżarni, żeby jakoś pokrzepić ciało i duszę.

– Moje dzieci nie głodują, Louiso Carrington. – Oznajmił to ostrzej, niż zamierzał, lecz uważał, że oskarżenia rzucane przez Louisę są niedorzeczne. – Widziałaś je. Są zdrowe i pełne życia. Nie wątpię, że ich rozbrykanie zmusza sporadycznie do poddania ich dyscyplinie, a chleb i woda to tradycyjny sposób jej narzucania.

– Całymi dniami? Przez dwa tygodnie bez przerwy? Jakież to wykroczenia te dwie małe dziewczynki mogły popełnić, żeby zasłużyć na tak surową karę?

Tygodnie?

– Nie jest tak, że tygodniami muszą jadać tylko chleb i pić wodę. Naopowiadały ci historii, żeby wzbudzić w tobie współczucie, nic ponadto. Można im darować taki podstęp, bo są jeszcze małe, ale na pewno nie należy ich zachęcać do opowiadania takich rzeczy.

Obróciła się raptownie, by stanąć z nim twarzą w twarz. Przez moment miał wrażenie, że ona gotowa jest podnieść na niego głos. Gdyby temat tej rozmowy nie był taki niepokojący, może by i chciał ujrzeć rozeźloną żonę.

Louisa skrzyżowała ramiona.

– Wezwij tu pomoc kuchenną.

Podszedł na tyle blisko, by dostrzec złociste refleksy w jej zielonych oczach.

– Czyż to nie kucharka rządzi na ogół w całej kuchni? Jeżeli zamierzasz pytać o zapasy w spiżarni, nikt nie przedstawi ci ich lepiej od niej.

Jego żona zbliżyła się o krok, patrząc na niego gniewnie.

– Kucharka, lokaj i gospodyni zarządzają tym domostwem, sir Josephie, zwłaszcza pod nieobecność głównego zarządcy. Guwernantka ma podobne uprawnienia, ale nikt jej nie podlega, więc jej władza ogranicza się do pokojów dziecięcych, choć sprzątająca je pokojówka teoretycznie odpowiada przed gospodynią. Niektóre guwernantki stołują się z rodziną właściciela majątku, wyjeżdżają na wakacje z tą rodziną i nieoficjalnie stoją ponad resztą służby.

– Co to ma wspólnego z parą dziewczynek, które czasami dokazują?

Louisa przymknęła oczy, jakby ostatkiem sił zachowywała dobre maniery.

– Kucharka nie narazi się guwernantce, chyba że chce podjąć z nią otwartą wojnę. Jeśli guwernantka nie będzie lubiła kucharki, zacznie regularnie odsyłać posiłki z pokojów dla dzieci, twierdząc, że się niedogotowane albo nieodpowiednie. Gdy dzieci zaniemogą, co zawsze się zdarza, obwinia się o to złe jedzenie. Nic nie będzie przygotowywane w kuchni na czas, a przy posiłkach guwernantka zacznie teatralnie okazywać, że nie jest w stanie przełknąć tego, co ma na talerzu.

Nie mógł zbyć wszystkich tych osobliwych prognoz, gdyż w obozach wojskowych istniała podobna niewidzialna hierarchia, narzucana za sprawą dziwnych i subtelnych metod. Wellington starał się ją zwalczać, ale tak czy owak musiał liczyć się z realiami obozowej polityki.

– Mów dalej.

– Jeśli przepytamy służącą zajmującą się spiżarnią, to kucharka może się do niej zrazić albo zamienić jej życie w piekło za wywołanie problemów z guwernantką, ale pomoc kuchenna to co innego. Przede wszystkim zastępuje kucharkę i jasne jest, że nie może nam nałgać i utrzymać swojej posady. – Louisa mówiła dalej wzburzonym głosem. – Jeśli nie wezwiesz tu pomocy kuchennej, Josephie, to sama przeprowadzę inspekcję w kuchni i zadam kilka bardzo trudnych pytań całej służbie. Nie powstrzymasz mnie przed tym, chyba że przywiążesz mnie do krzesła albo...

– Louiso Carrington, podejdź tutaj. – Uniosła głowę pod wpływem władczego tonu jego głosu. – Pozwól, że spytam inaczej: najdroższa żono, czy pozwolisz mi się objąć?

Wyciągnął ramiona, gotów wziąć ją w objęcia. Jej pierwsze kroki były niepewne, ale on wytrzymał jej spojrzenie i poczekał, aż Louisa wtuli się w jego pierś.

– Chciałabym na ciebie nakrzyczeć, Josephie. Pod tym względem jestem bardzo podobna do swojego ojca.

– Śmiało, krzycz. Myśli mi się lepiej, kiedy cię obejmuję, więc może ty myślisz jaśniej, gdy krzyczysz.

Westchnęła głośno, z ulgą, jak miał nadzieję. Jemu z pewnością ulżyło, kiedy trzymał ją w ramionach.

– Nie musisz toczyć każdej batalii samotnie, Louiso. Jeśli jest jakiś problem z opieką nad moimi dziećmi, to przynajmniej zasięgnę twojej rady.

– Jest z tym problem, Josephie. Uwierz mi. – Musnęła nosem jego szyję. – Zaczynam rozumieć, jak ciężko było mojej matce wychowywać dwoje dzieci, których nie urodziła.

– Byłaś dziewczynką, w odróżnieniu ode mnie. Zasięgnąłbym twojej rady, nawet gdybyś nie była moją najdroższą żoną. A tak się składa…

Tak się składało, że nigdy nie czuł się dobrze z odpowiedzialnością za dwoje dzieci mieszkających na górze, a jeszcze mniej za tuzin w sąsiednim hrabstwie. Jednakże gorzej czułby się, zrzekając się tej odpowiedzialności.

– Wezwę pomoc kuchenną.

Poklepała go po piersi i odsunęła się, lecz Joseph miał rację: obejmowanie jej, nawet na krótko, uśmierzyło nerwy, niepokój i ucisk w płucach. Joseph modlił się w duchu o to, aby nadal pozwalała mu się obejmować, kiedy dowie się o tamtym tuzinie innych dzieci.

Jeśli się o nich dowie.

12

Wytrącił strzałem pistolet z ręki tego oszukańczego drania pozbawionego honoru! – Regent skinął na służącego, który pospieszył, aby nalać Jego Królewskiej Mości kolejną leczniczą kropelkę koniaku. – To wystarczy, abyśmy zapomnieli o tej przeklętej paskudnej pogodzie, Hamburg. Masz te listy z nadaniami tytułów?

Hamburg zaszeleścił plikiem pergaminów przewiązanych wstążkami.

– Tytuł wicehrabiego dla Carringtona, Wasza Królewska Mość, a wraz z nim ten kawałek ziemi w West Riding.

– Każdemu dżentelmenowi potrzebne tereny do polowań na kuraki, zwłaszcza człekowi, z którego taki świetny strzelec.

Jego Królewska Mość przejrzał podsunięty mu dokument, na szczęście napisany na tyle dużymi literami, że nie zachodziła potrzeba umieszczania okularów na nochalu monarchy dla odczytania słów.

Miły tytuł wicehrabiowski i do tego tereny łowieckie. Nadanie to było... stosowne, choć niezbyt imponujące, takie, którego mógł udzielić wdzięczny monarcha.

Nie było w tym stylu.

Takiego jak w wytrąceniu przeciwnikowi broni z ręki po tym, jak ten wypalił przedwcześnie.

– Ileż to niebożąt sir Joseph wspierał przez te wszystkie lata w tym baronowskim majątku, Hamburg? – Wspierał, nawet o tym nie wiedząc, na co regent aż się wzdrygnął.

Hamburg popatrzył zbolałym wzrokiem, lecz podał liczbę znacznie przewyższającą tuzin, o którym regent miał nadzieję usłyszeć. Sieroty jako rodzaj ludzkich istot zdawały się mnożyć niczym króliki, choć przecież same nie mogły się rozmnażać choćby ze względu na swój młodociany wiek.

– Kuzyn nie ma się dobrze?

– Źle z nim bardzo. Uporządkował swe sprawy i pozostawi duży spadek sir Josephowi jako swojemu jedynemu dziedzicowi.

No, tak. Sir Joseph miał się stać całkiem majętny, a przebiegły regent nie skąpił hojnych gestów wobec lojalnych poddanych, którzy służyli dzielnie na wojnie na Półwyspie Iberyjskim, wykazali się dzielnością na polu walki, zaskarbili sobie pochwały Wellingtona oraz zdobyli rękę ni mniej, ni więcej, tylko najbardziej ponętnej córki Morelanda.

A jeszcze bardziej wobec tych, którzy osiągnęli to wszystko, a poza tym zgromadzili znaczne bogactwa oraz zdobyli wiedzę, jak hodować smakowite świnie.

– Tytuł markiza mógłby być nieco za wysoki – skonstatował regent. – Dawałby Morelandowi za duże pole do manewru w imieniu rodziny, co ten poczciwiec uwielbia.

– Racja, Wasza Królewska Mość.

– Och, na litość boską, Hamburg. Można pomyśleć, że zmuszam cię do sprowadzenia na Londyn nowej dżumy.

– Ale w takim wypadku pozostaje tylko tytuł hrabiego, Wasza Królewska Mość. Naturalnie, dla hodowcy świń, niezależnie od jego wprawy w posługiwaniu się pistoletem... – Hamburg urwał, spuszczając wzrok. Upłynęło kilka chwil cierpiętniczego milczenia, aż wreszcie dodał: – Zajmę się tym.

– Tytuł hrabiego i tereny łowieckie, a może do tego godność królewskiego hodowcy. Brzmi bardzo dobrze. Podoba mi się ta nazwa. Królewski Hodowca. Piękna zaiste. Wprawia w odświętny nastrój.

– Oczywiście, Wasza Królewska Mość.

Kiedy Hamburg zniknął mu z oczu, regent powstał z wysiłkiem i zaczął się przechadzać po Carlton House, zwracając uwagę na wszystkie miejsca, gdzie można by zawiesić świąteczną jemiołę.

– Nie przestrzegasz tradycji trzymania zieleni poza domem aż do Bożego Narodzenia?

Joseph bez przekonania zerkał na wiązkę jemioły ponad wejściowym holem. Louisa cmoknęła go w policzek.

– To nie zieleń, to jemioła. Książę powiada, że poprawia nastroje wśród służby, a księżna twierdzi, że tradycję należy podtrzymywać, o ile nie hamuje postępu albo nie jest wbrew zdrowemu rozsądkowi.

Pocałowała go znowu.

– A to dla poprawienia nastrojów wśród służby czy w celu krzewienia tradycji?

– Z obu tych powodów. Zostaniesz w Surrey dłużej niż na noc? – Louisa starała się, by zabrzmiało to dziarsko i niesentymentalnie, usiłując sobie wmówić, że pozostawienie domu na jej głowie to przejaw zaufania Josepha do niej.

– To zależy od pogody. Poradzisz tu sobie?

– Damy sobie radę, prawda, dziewczynki?

Amanda i Fleur kiwnęły główkami ze stopnia, na który się wdrapały.

– Będziemy grzeczne, papo. Nowa mama mówi, że ubierzemy choinkę i zrobimy płatki śniegu ze złotego papieru i upieczemy słodki świąteczny chleb, jak wydziobiemy przepis od cioci Sophie.

– Wydobędziemy – poprawił je Joseph, ściągając brwi. – Nie sądzę, żeby wydziobywanie przystało młodym damom. Może jednak zatrzymam się na trochę w Surrey.

– Jestem pewna, że Westhaven chętnie cię ugości, kiedy będziesz w okolicy. – Wcześniej Louisa posłała bratu liścik, aby o tym nie zapomniał. – Powiedzcie tacie do widzenia, moje panie, a potem odprowadzimy go do konia.

Joseph przyklęknął z trudem i wyciągnął ramiona do córek. Podbiegły do niego niczym dwie małe zawieruchy, gorączkowo rzucając mu się na szyję.

– Do widzenia, tatusiu. Będziemy grzeczne i schowamy dla ciebie trochę słodkiego chleba.

Ucałował dwa dziecinne noski.

– Zjecie cały świąteczny pudding, wypuścicie Lady Ophelię z zagrody i z pewnością wypolerujecie balustrady w czasie mojej nieobecności. Żono, poślij po mnie, jeśli te dzikuski zagrożą zrujnowaniem domu.

Dziewczynki popędziły w kierunku kuchni, pozostawiając Louisę, która objęła Josepha i wyprowadziła go z holu. Stajenny już trzymał jego konia u podstawki do wsiadania, co leciutko rozczarowało Louisę.

Liczyła bowiem, że uda jej się skraść jeszcze kilka pocałunków.

– Trzymaj się dzielnie, żono. – Joseph rozchylił poły peleryny i zarzucił jedną połę na Louisę, co zmusiło go do przytulenia jej do piersi. – Wrócę tak szybko, jak to możliwe.

– Mamy mnóstwo do zrobienia, kiedy cię tu nie będzie.

– Jeszcze nigdy nie widziałem tego domu tak bogato przystrojonego na święta. Aż nie do wiary, że coś jeszcze można tu zrobić.

Louisa poczuła dotyk jego podbródka na swojej skroni.

– Przygotujemy mnóstwo wypieków, skoro mamy rozesłać kosze dzierżawcom i sąsiadom. Muszę napisać do agencji, żeby poszukano dla nas nowej guwernantki, poza tym obarczyłeś mnie zadaniem znalezienia dobroczynnego celu wartego twoich pieniędzy. No i mam zaległości w odpisywaniu na listy, a w ostateczności przejrzę twoją bibliotekę. Nie zabraknie mi zajęć.

– A ja tymczasem będę sobie odmrażał siedzenie, jeżdżąc po kraju bez ciebie. – Nie wydawał się uradowany z planowanych podróży, co niezmiernie ucieszyło Louisę.

– Mogłabym pojechać z tobą.

Odsunął się, zabierając ze sobą ciepło swojego okrycia.

– Bez ciebie będę jechał szybciej i sądzę, że ty i dziewczynki skorzystacie na tym, że przez krótki czas mnie nie będzie. I jeszcze jedno, Louiso.

Włożył rękawice i zwrócił się w stronę podjazdu.

– Tak, mężu?

– Kiedy wrócę, będzie już przyszły tydzień.

– Dwa albo trzy dni nie... – Louisa poczuła, jak rumieniec oblewa jej policzki, gdy dotarł do niej sens wypowiedzianych przez Josepha słów. Wspięła się na palce i pocałowała go, tym razem w usta. – Bezpiecznej drogi, mężu, wracaj prędko.

– Wrócę. – Nasadził na głowę kapelusz i pozostawił Louisę u podnóża frontowych schodów. Nie odeszła stamtąd, póki Joseph nie spiął Soneta, zmuszając go do ostrożnego ukłonu w jej kierunku, a potem odjechał po zaśnieżonej drodze.

Bycie mężatką było pod wieloma względami trudne, o czym nie uprzedziły jej nawet siostry ani matka. Louisa niepokoiła się o męża, kiedy nie robił nic innego poza doglądaniem swoich posiadłości, wyruszając o wczesnej porze konno na wschód. Troskała się o jego córki, czuwając codziennie, aby przypomniały sobie, jak się uśmiechać i śmiać na głos w obecności swojego ojca.

Trochę martwiła się też o siebie, zwłaszcza kiedy nadal trzeba było odnaleźć dwa tuziny czerwonych książeczek, a przebywanie pod czujnym mężowskim okiem czyniło to zadanie o wiele trudniejszym.

Louisa wróciła do domu z zamiarem napisania zaległych listów, zanim zabierze dziewczynki ze sobą do Sidling, by odwiedzić tam Sophie i Vima. Z myślą o tym zajrzała do biblioteki, usadowiła się na fotelu męża, nałożyła okulary na nos i wyjęła paczuszkę listów, które przywiozła z Londynu.

Pierwszy z nich był sprzed kilku dni, dotarł tego samego wieczoru co ostrzeżenie Valentine'a przed wypaczonymi pistoletami Grattingly'ego. Nie miał adresu zwrotnego ani znaczka, więc Louisa rozcięła kopertę.

Ile zapłacisz, żeby utrzymać swego wybranka w niewiedzy o swoim zamiłowaniu do świńskich wierszy, gdy już go poślubisz?

Strach ścisnął brzuch Louisy i poczuła, jak zimny głaz niepokoju rozproszył ciepło pożegnania z Josephem. Zmięła list w kulkę i z rozmachem cisnęła go w ogień. Dwadzieścia siedem książek to nie tak wiele, ale żałowała, że nie ma teraz przy niej Josepha. Choć ten list był przerażający i groził katastrofą nie tylko Louisie, ale także całej jej rodzinie, zapragnęła mieć męża u swego boku.

Nie dlatego, że gotowa już była przyznać mu się do swojego małego szaleństwa. Prosiła Boga, aby pozwolił jej najpierw odnaleźć te książki, a może wtedy... Wtedy na pewno... Ale jeszcze nie teraz.

– Kobiety słyną z pomysłowości.

Sonet zastrzygł czarnymi uszami, jakby rozważał uwagę rzuconą przez jeźdźca. Joseph wiódł jednostronną dyskusję ze swoim koniem, odkąd opuścił majątek przed ponad godziną.

– Nie będą za mną tęskniły, to jasne jak amen w pacierzu, mój stary koniku. Zaraz coś wykombinują. Zważ tylko, jak moje córki zdołały znieść tyranię tej mściwej wiedźmy.

Sonet poruszył uchem w przód i w tył, gdy Joseph w milczeniu odganiał lawinę wściekłych myśli. Pomyśleć tylko, że ta straszna baba pozbawiała jego dzieci jedzenia i ciepła… i, co gorsza, podkopywała wzajemny szacunek ojca i córek.

Poczucie winy i wzburzenie rozpierały pierś Josepha, zmusił więc konia do szybszego cwału. W rześkim zimowym powietrzu Sonet chętnie podporządkował się temu poleceniu.

– Powiem Louisie, że ma nie dwie pasierbice, tylko czternaścioro dzieci. Ona jest pragmatyczna, a jej ojciec też nie należał do świętoszków, zanim się nie ożenił.

Chociaż Moreland miał tylko dwójkę nieślubnych dzieci. A dwa to dużo mniej niż czternaście. Louisa, sprawna w rachunkach, raczej szybko to zauważy.

– Przestań znosić na prawo. Jesteś nieznośny jak wykoślawiony pistolet. – Zmusił konia do zmiany rytmu cwałowania, a mimo to przeklęty zwierzak nadal ściągał mocniej cugle z prawej strony. – Do Surrey tędy prowadzi droga, głupku. Przynajmniej kieruj się w tę stronę, gdzie cię nakarmią. Londyn jest brudny od węglowego dymu, brak tam odpowiedniego towarzystwa i miejsc, gdzie chciałbym przebywać z żoną… i córkami.

Sonet tym razem nie poruszył uchem ani nie zmienił kroku. Zamiast przywołać konia do porządku, sir Joseph znowu zagłębił się w rozważaniach.

– Nie dałem jej porannego podarunku. A to zaniedbanie z mojej strony. – Ćwierć mili dalej dorzucił: – Wielkie zaniedbanie. Zamierzam skonsumować małżeński związek i przepraszam za poruszanie tej kwestii z wierzchowcem, któremu nie chce się mnie wozić na grzbiecie. – Choć sam koń wydawał się tym niezbyt poruszony. – Nie mogłem spędzić kolejnej nocy z kobietą, przy której tracę zmysły, i nic nie mogę na to poradzić. Jeszcze się odegram, już ja się o to postaram.

Myśli o miłosnej zemście nie były czymś stosownym dla mężczyzny w siodle, a tym bardziej w zimnym siodle.

– I coś jeszcze mnie dręczy. Lady Ophelia nie podsunęła mi odpowiedzi: Po co mojej żonie trzy egzemplarze takie samej książeczki z nieprzyzwoitymi wierszami, jaką znalazłem w bibliotece Westhavena? Niezwykły tomik, gdybym miał wyrazić swoje zdanie. – Nader niezwykły. Wczytanie się w wiersze nie przekonało Josepha, że określanie ich nieprzyzwoitymi byłoby trochę krzywdzące.

Mógłby znaleźć dla żony jakiś tom poezji w Londynie.

Pomysł ten rozbrzmiał w jego zaabsorbowanym umyśle niczym nuta A zagrana na oboju, do której dostroiła się cała orkiestra przed występem. Wypad do Londynu niekoniecznie oznaczał dodatkowy dzień poza domem, jednak wiązał się z tym, że należało spiąć konia do szybszego biegu.

Do Londynu skręcało się w prawo. Na następnym skrzyżowaniu Joseph skierował konia w kierunku miasta i od tej pory Sonet zaczął ściągać w lewo.

– Co robisz, przybrana mamo? – Fleur usiłowała bez większego powodzenia potasować talię kart.

– Chcesz pograć z nami w dobieranie parek? – zapytała Amanda, siedząc pośród zabawek rozrzuconych na dywanie przed kominkiem w bibliotece.

Louisa spojrzała na papier w arkuszach leżący na biurku Josepha.

– Szukam listu od swojej siostry Sophie.

Fleur podała Amandzie talię kart.

– Teraz ona jest naszą ciocią, prawda?

– Mamy teraz dużo cioć – zauważyła Amanda. – Czy to lista prezentów?

W pewnym sensie była to lista prezentów. Sophie uprzejmie podesłała spis organizacji dobroczynnych, które spełniały kryteria odpowiadające Louisie: nie były zbyt odległe, nie miały bogatych patronów i zajmowały się dziećmi.

– Wybieram towarzystwo dobroczynne dla waszego taty. Kiedy skończycie grać w karty, może wypróbujemy przepis cioci Sophie na słodki chleb?

Fleur zerwała się na równe nogi.

– Możemy, nowa mamo?

– Możemy? – zawtórowała jej Amanda, układając karty w nieporządną kupkę.

Louisa spojrzała na zegar na kominku, zastanawiając się, gdzie teraz jest Joseph. Brakowało go jej. Tęskniła za nim i podobało jej się to.

Nigdy wcześniej nie miała męża, za którym mogła tęsknić, męża, który spodziewał się po niej, że zajmie się domem podczas jego nieobecności; nie musiała też nigdy dotąd wybierać towarzystwa dobroczynnego.

Organizacja, którą Sophie polecała jej najgoręcej, znajdowała się w odległości około godziny szybkiej jazdy konno na wschód, w Surrey. Przebywające w tamtejszej ochronce dzieci zostały osierocone podczas kampanii na Półwyspie Iberyjskim, których „angielscy krewni" nie mieli środków na ich utrzymanie.

Urodzone w Hiszpanii dziecko, którym nie chcieli się zająć angielscy krewni, było najpewniej bękartem jakiegoś oficera. Louisa zakreśliła tę propozycję w liście Sophie.

Wypad do Surrey mógł się okazać świetną świąteczną wycieczką, a Joseph zaakceptowałby dokonany przez nią wybór. Wiedziała, że to uczyni.

Louisa raz jeszcze podkreśliła nazwę ochronki i wstała.

– Chodźcie, moje drogie. Upieczemy nasz specjalny świąteczny przysmak, żeby uraczyć waszego tatusia, kiedy wróci do domu.

– Szukam książki. – Było to już trzecie miejsce, w którym Joseph rozpoczynał rozmowę od takiego stwierdzenia. – Specjalnej książki, najlepiej tomu poezji, najchętniej po angielsku, ale po francusku albo włosku też może być, podobnie jak po łacinie albo w klasycznej grece.

Słysząc wymieniane języki, księgarz coraz bardziej unosił siwe, krzaczaste brwi ku różowemu sklepieniu swojej głowy. Pogładził śnieżnobiałą brodę, która opadała mu na pierś, w odróżnieniu od wspinających się coraz wyżej brwi.

– Szukamy współczesnego tomu czy raczej czegoś ze starożytności?

– Sam nie wiem. Ale taka książka musi być wyjątkowa. Piękna. – Spod zmarszczonego czoła Joseph patrzył na rozmaitość tomów na kolejnych półkach, od podłogi po sufit; książek było tu takie mnóstwo, że cały sklep pachniał skórą i papierem. – Słowa w niej muszą być piękne, ale i ładna oprawa nie zawadzi.

Księgarz zakołysał się na piętach, w tył i w przód, w zadumie dotykając palcem boku nosa. Był dość pulchnym człowiekiem, odzianym w zieloną aksamitną kamizelkę i zielony żakiet poprzecierany na łokciach.

– To ma być książka na prezent, sir?

– Dla kobiety. – Joseph zauważył, że brwi jego rozmówcy poszły w dół. – Dla damy. Bardzo inteligentnej damy, o wyrafinowanych gustach literackich.

A ponieważ jej gusta były tak wyrafinowane, Joseph postanowił nie zaglądać do ulubionych miejsc spotkań dżentelmenów przy lepszych ulicach dzielnicy Mayfair. Zamiast tego marzł w bocznych uliczkach i zaułkach Bloomsbury.

– Stawia pan przede mną trudne zadanie, przyjacielu, ale myślę, że ja, Christopher K. North, znajdę książkę, jakiej poszukujesz.

Stary księgarz z rozmachem dobył zieloną chustkę, wytarł nią okulary, jakby polerował tarczę przed bitwą, i wspiął się na jedną z drabin stojących w pomieszczeniu.

– Mam tu ładny zbiór francuskich dzieł... – Drabina zaskrzypiała złowieszczo, ale Joseph nic nie odpowiedział. Zadek Northa wydawał się dość zaaokrąglony. Gdyby człowiek ten spadł z drabiny, pewnie ucierpiałaby na tym tylko jego duma. – Albo włoskich. – Drabina przesunęła się z grzechotem o kilka stóp w bok, a Joseph zdał sobie sprawę, że urządzenie to jeździło na specjalnych szynach. – Lub nawet po flamandzku. Niewielu tu w okolicy zna flamandzki. A... – Drabina zaczepiła o tomik wystający z jednej z dolnych półek. Wypadł stamtąd i znalazł się na podłodze, tuż przy stopie Josepha.

– A niech to. – North zaczął schodzić po drabinie do Josepha. – Myślałem, że ta książka trafiła w zeszłym tygodniu do Morelanda. Obawiam się, że nie jest na sprzedaż.

Joseph był dobrze obeznany z tą czerwoną książeczką, z którą najwyraźniej był też za pan brat jego teść.

– Nie na sprzedaż? – Joseph podniósł książkę z podłogi. – Znam kogoś, kto wydaje się kolekcjonować takie wiersze.

North zszedł na podłogę przy odgłosach skrzypienia drewnianej drabiny i stękania jej właściciela.

– Miałem ją odłożyć, kiedy natrafię na jej egzemplarz. Jest pewien książę, który bierze wszystko, co wyszukam. Ta książka cieszy się sporym wzięciem. Konkurencja, w osobie pana Heiliga, powiada, że jakiś hrabia dopytuje się u niego o jej wydania, i mamy znajomego w Knightsbridge, który twierdzi, że u niego pewien hrabia oraz baron pytają regularnie o te wiersze.

Joseph otworzył książkę na pierwszej lepszej stronie i natrafił akurat na jeden ze swoich ulubionych wierszy, którego autor, stary Katullus, składa kochance szalone zapewnienia, że posiądzie ją dziewięć razy z rzędu.

Może jednak poeta nie był aż taki sędziwy, kiedy pisał ten utwór. Może zakochał się po raz pierwszy i leżał u boku kobiety, której wzrok promieniał cudami i namiętnością...

Sir Joseph rozejrzał się po książkach wokół siebie. Nie słuchał już jowialnych wykładów Northa o przyjemnościach związanych z wyszukiwaniem odpowiedniej książki, a w uszach rozbrzmiał mu głos Louisy, przepełniony ciekawością i erotycznym zapałem.

Czy można to robić nieustannie? Raz za razem? Dziewięć razy z rzędu?

I tamte trzy tomiki w jej torebce.

I egzemplarz z biblioteki Westhavena, tak bezceremonialnie odebrany Josephowi.

Wspaniałość przekładu i osobliwa niewinność określeń na najbardziej nieprzyzwoite sprawy.

Namiętność ubrana w słowa, mimo sporadycznych niewinnych zwrotów.

Joseph wpatrywał się w książeczkę.

Och, moja najdroższa, najbłyskotliwsza żono.

– Czerpiemy natchnienie, co? – North zajął się na nowo polerowaniem szkieł. – Powiadam, to dzieło geniusza. Inni nie są tak liberalni w swoich ocenach, by tak rzec. Przykro mi, ale nie mogę jej panu sprzedać.

Joseph zastanawiał się, czy wyjawić temu człowiekowi, że Moreland to jego teść, ale North wyglądał na gadułę, a te wiersze naprawdę były pikantne.

– Ile Moreland chce panu zapłacić?

Oczy Northa zwęziły się, kiedy wymienił kwotę.

– Zapłacę dziesięciokrotnie więcej i mogę zapewnić, że moja rodzina nigdy nie wyzbędzie się tej książki.

North przypatrywał mu się, wyzbywszy się wszelkich śladów dobroduszności.

– Dla kogo, powiadasz pan, kupujesz ją na prezent?

– Nie mówiłem wcale dla kogo.

North skrzyżował ramiona na piersi, stanął na szeroko rozstawionych nogach i zadarł zarośnięty podbródek.

– Dla kogóż to chcesz nabyć te strofy, sir?

W jednej chwili księgarz, wesołkowato niepewny i trochę niezdarny starszy pan, przeobraził się w ucieleśnienie północnego wichru, gotowego unicestwić nieostrożnego człowieka nagłym podmuchem dezaprobaty.

– Chcę je podarować swojej małżonce. Gusta ma wyszukane i niezwykłe i tom ten zachwyci ją. Będzie zachwycona, że to ja wyszukałem go dla niej.

Północny wicher zniknął z oblicza starszego pana, zastąpiony przez filuterny błysk oka.

– Wyznam, że i moja żona czasami wypożycza egzemplarz tego tomiku. Na własne ryzyko nie pozwalam go poza tym nikomu wypożyczać. Sprezentuję panu tę książkę... dla pańskiej małżonki. Aby ją uhonorować.

Joseph na odwrocie karty wizytowej wyrysował drogę do swojej posiadłości w Surrey i uzyskał od księgarza obietnicę, że ten zawiadomi go, jeśli w przyszłości pojawią się jakieś następne egzemplarze tej czerwonej książeczki.

– W Surrey będę najprędzej w pierwszym dniu Bożego Narodzenia – wyjaśnił Joseph – ale otrzyma pan całą należność przed Nowym Rokiem, jeżeli wyśle pan rachunek pod tym adresem.

Księgarze to najwyraźniej gromada dziwaków. Gdy Joseph odwiedzał kolejne księgarenki, kolejni drobni sprzedawcy w świątecznych ubraniach z aksamitu wciskali mu w ręce czerwone tomiki z porozumiewawczym mrugnięciem lub uśmiechem i życzyli jemu i jego małżonce szczęśliwych świąt, wskazując drogę do następnego sklepiku z książkami,

Nim rankiem Joseph wyruszył do Surrey, miał tuzin egzemplarzy poupychanych w torby przy siodle, choć zanim przybył do domu w hrabstwie Kent – po drodze potajemnie odwiedzając powozownię hrabiego Westhavena – te same torby ponownie opróżnił.

13

Tyle przemyśleń nawiedziło Louisę w trakcie kilku dni, że podjęła na nowo to, co zarzuciła pięć lat wcześniej: prowadzenie dziennika.

Jak jej rodzice wychowali dziesięcioro dzieci? Oczywiście, Jego Książęca Mość krzyczał od czasu do czasu, a Jej Książęca Mość nauczyła się uciszać bunty nastolatków jednym ostrym spojrzeniem – a przy tym potrafiła spokojnym uśmiechem działać na dzieci zachęcająco.

Naturalnie rodzice Louisy ściśle ze sobą współdziałali, gdyż nie było innego rozsądnego wyjścia, skoro tak liczna dziatwa wymagała miłości i opieki.

A to z kolei nasunęło jej zdumiewające wspomnienie: o pierwszym marzeniu, jakie miała, zanim zapragnęła kierować obserwatorium w Greenwich, wstąpić do Towarzystwa Królewskiego w Londynie czy słuchać wykładów uczonych w Cambridge. Wszystkie te aspiracje spełzły na niczym, a jej pierwszym marzeniem było założenie własnej, licznej rodziny.

Szczegóły tego planu zawsze były niejasne i obejmowały historyjki opowiadane dzieciom przed snem, krótkie bajki układane dla niej przez dzieci, listy wysyłane do mamy z odwiedzin u ciotek i wujów – zawsze w grę wchodziły książki, zawsze pisanie, ale przede wszystkim chodziło o rodzinę.

Liczną, kochającą się rodzinę.

Kiedyż to odrzuciła to proste, prozaiczne marzenie na rzecz ambicji niezupełnie odpowiednich dla kobiet?

Louisa chciała teraz nie tylko wychowywać razem z Josephem jego córki, nie tylko być obowiązkową żoną i towarzyszką życia, ale także mieć z nim jeszcze więcej dziatek.

Ich własnych.

– Fleur i Amanda to nasze dzieci. – Louisa poinformowała Limeryka, opasłego kota. Miał czarne futerko z rudawymi plamami, które ślicznie ubarwiały sierść. – Dodałam ich matkę do listy ludzi, za których modlę się co wieczór – powiedziała Louisa. – Pokocham te dziewczynki na całe życie, ale dość późno zostałam ich mamą. – Umilkła, kot zaś wstał z miejsca w rogu biurka Josepha i podszedł na tyle blisko, żeby trącić policzek Louisy czubkiem głowy. – Nie znałam ich, kiedy były niemowlętami, nie kołysałam ich do snu. Nie wybrałam im imion. Nie uczyłam ich chodzić ani nie widziałam, jak się uśmiechały, zanim wyrżnęły się im ząbki.

Louisa zerknęła na krótki list od męża, dostarczony po zmroku przez posłańca:

W końcu zatrzymałem się dzień w Londynie. Wyruszam do Surrey rankiem, tęskniąc za paniami w moim domu. Trzymajcie się ciepło, póki nie wrócę.

Kocham, Joseph

Kocham. Miłość mogła oznaczać tyle różnych rzeczy, od wielkiej cierpliwości Jej Książęcej Mości, często okazywanej księciu, po nieśmiały uśmiech na obliczu Maggie, kiedy przyznawała, że zawsze sypia ze swoim hrabią. Miłość mogła być gorącą namiętnością do żony, której Westhaven nie potrafil skryć, albo czaić się w spokojnym spojrzeniu, jakim Valentine'a obdarzała jego baronowa.

W przypadku Josepha było to jedno, jedyne słowo w lakonicznym liściku, lecz jakże znamienne, że po raz pierwszy wyznał Louisie miłość właśnie na papierze. Sięgnięcie po pióro w takim celu wymagało śmiałości. Louisa lepiej od innych wiedziała, jak długo potrafi przetrwać zapisane słowo.

A on napisał to słowo dla niej, do niej.

Dobry Boże, chciała mieć dziecko – dziesięcioro dzieci – z Josephem.

– Tęsknię za mężczyzną, którego żoną jestem dopiero od niewielu dni, kocie. Jak sądzisz, co to oznacza?

Odsunęła kota na bok, otworzyła swój dziennik, naciągnęła na ramiona szlafrok Josepha i zajrzała do szuflady w poszukiwaniu noża do ostrzenia pióra.

Znalazła tam tylko księgę rachunkową. Tę samą, nad którą, jak widziała, Josepha ślęczał przez całą drogę przez Kent. Księgę, którą pewnie widywała też na jego biurku w Londynie, gruby, zielony tom z czerwonymi wstążkowymi zakładkami wszytymi w oprawę. Na okładce widniał wytłoczony złocistymi literami adres.

Kot usadowił się na blacie biurka, przednie łapki kładąc na otwartym dzienniku Louisy.

– Nie powinnam tego robić.

Chociaż Joseph bez wątpienia pokazałby jej zawartość, gdyby go o to poprosiła. Wcześniej był nadzwyczaj szczery, gdy chodziło o ich sprawy finansowe, a szuflada w biurku to nie miejsce na skrywanie tajemnic.

Przyjrzała się uważniej księdze w szufladzie.

– Ten adres... – Był jej znany. Wysiliła zmęczony mózg, by przypomnieć sobie, gdzie go już widziała, zapisany zgrabnym, damskim charakterem pisma... – To adres sierocińca, który Sophie umieściła na pierwszym miejscu swojej listy, tego w Surrey.

Kot zaczął mruczeć, a to ciche zadowolone burczenie stanowiło kontrapunkt dla trzasku ognia w kominku. Louisa wyjęła księgę ze schowka i otwarła ją na swoich kolanach, żeby nie przeszkadzać kotu.

Wpisy sięgały okresu sprzed ponad pięciu lat i dotyczyły mnóstwa gospodarskich wydatków, opłacanych ze sporego comiesięcznego depozytu. Dom Josepha był duży, pracowali w nim służący i pokojówki. Pochłaniał ogromne wydatki na węgiel, podobnie jak na żywność, pościel, odzież, obuwie, zeszyty, fartuszki...

Fartuszki?

– Ten człowiek... – Louisa przerzuciła kartkę i przeciągnęła palcem po wpisach, a coś ciepłego przebiegło jej po plecach; bynajmniej nie dreszcz. – Ten drogi, okropny... – Zatrzymała się nad wpisem z zeszłego grudnia. Każda z córek Windhamów wiedziała dobrze, ile kosztowało przygotowanie świątecznego puddingu; sprowadzano wtedy do domu gigantyczne dostawy kandyzowanych owoców i słodzonych migdałów.

– Skakanki... chłopcy je uwielbiają... i lalki, bączki, pomarańcze, dwa komplety do krykieta... pewnie jeden dla chłopców, drugi dla dziewczynek... flanelowe i puchowe kołdry. Wielki Boże, to miejsce musi zatrudniać cały warsztat szewców.

Zamknęła księgę i odłożyła ją na miejsce, lecz spomiędzy kartek wypadła pojedyncza kartka papieru. Zapisana była nie równym, wyraźnym pismem Josepha, tylko kulfonami:

Zakładając, że przeżyje Pan pojedynek, ile byłbyś Pan skłonny zapłacić za to, by Pańska nowa żona nie dowiedziała się o Twych wyuzdanych rozpustach w Hiszpanii?

– Co to, do licha...? – Przytrzymała tę kartkę między kciukiem a palcem wskazującym jak coś cuchnącego. Przeczytała ją powtórnie, lecz z zapisanych słów nadal biło coś złego. – Ktoś grozi mojemu mężowi.

W odpowiedzi na to kot zmrużył oczy.

– Jakiś głupiec, pewnie ten sam, który przysłał mi tamten obleśny liścik w zeszłym tygodniu, próbuje straszyć mojego męża.

Włożyła odrażający świstek z powrotem do księgi, którą schowała w szufladzie, a potem wstała, aby zrobić parę kroków. Na jej stopach wełniane skarpety Josepha ślizgały się na wypolerowanej podłodze w każdym kącie pokoju.

– Nie do wiary, co za bezczelność... Aby tak poradzić sobie w pojedynku i z sierocińcem i ożenić się ze mną... Joseph ma mocne nerwy... i odwagę...

Podniosła kota i przytuliła mocno jego ciężkawe futrzane ciało.

– Trzeba robić swoje, kocie. Te groźby i tajemnice nic nie zdziałają. Na święta Bożego Narodzenia podaruję drogiemu mężowi ni mniej, ni więcej tylko całkowitą szczerość i razem, jako para, pokonamy trudności.

Zabrzmiało to jak piękne postanowienie, zwłaszcza że jej drogi mąż przebywał w sąsiednim hrabstwie, a do świąt pozostało jeszcze kilka dni.

Westhaven chlubił się zwięzłością swoich listów, jednak mało spraw stanowiło dla niego taką łamigłówkę jak ta, o której teraz postawił napisać.

Gayle, hrabia Westhaven, do Jego Lordowskiej Mości hrabiego Hazeltona, hrabiego Rosencrofta, lorda Valentine'a Windhama oraz Wilhelma, barona Sindala...

Panowie,

Otrzymałem anonimowy podarek w postaci dwunastu egzemplarzy pewnej książeczki, pozostawionych ukradkiem w mojej powozowni. Porozmawiam z Wami o tym w Morelands, w następny wtorek.

Westhaven

– Mężu, nie wyglądasz na ucieszonego.

Westhaven podniósł wzrok i zobaczył, że hrabina patrzy na niego, stojąc przy drzwiach gabinetu w jego wiejskim majątku.

– Jestem radosny, ale zarazem zbity z tropu.

– W takim razie ma to coś wspólnego z rodziną, nieprawdaż? – Anna przeszła przez pokój, aby zajrzeć Westhavenowi przez ramię, co oznaczało oczywiście, że jego droga, słodka, ufna pani usiądzie mu przy okazji na kolanach. Ostatecznie przecież drzwi były zamknięte, a syn Westhavena znajdował się akurat w trakcie tego, co w rodzinie najcenniejsze – godziny popołudniowej drzemki.

– Moje zadziwienie ma coś wspólnego z książkami Louisy – szepnął do delikatnego miejsca tuż pod pięknym uchem żony. – Liczba krążących jej egzemplarzy właśnie spadła o połowę, ale nie mam pojęcia, komu podziękować za taki rozwój wypadków. Może Święty Mikołaj macza ręce w sprawach Louisy.

Anna oplotła go ramionami za szyję, a jego nozdrza wyczuły woń wiciokrzewu i ponętnej kobiecości.

– Mam pewien pomysł – powiedziała pachnąca, ciepła i apetycznie zaokrąglona hrabina, po czym szepnęła mu na ucho kilka słów, pod których wpływem uniosły mu się powieki.

– Na Boga, żono, zdumiewasz mnie. Wyślę mu coś sformułowanego niejednoznacznie, ale zrozumiałego, jeśli to on jest naszym dobroczyńcą. Okażemy się zagadkowi tak jak on.

Nachyliła się i szepnęła coś jeszcze Jego Lordowskiej Mości, a on zdumiał się znowu – na tyle, że wstał, wziął żonę w ramiona, ułożył ją na skórzanej sofie, a potem zamknął drzwi na klucz.

Sonet odrobinę przyspieszył kroku, gdy Joseph skierował go na podjazd, co sprawiło, że wałach odzyskał wigor, w przeciwieństwie do jeźdźca. Zamiast wykazać się rozsądkiem i pozostać na następną noc w Surrey, Joseph zmusił siebie i swojego konia do wyprawy do domu, korzystając z blasku rzucanego na śnieg przez malejący księżyc.

Obiecał, że wróci do domu w Surrey na pierwszy dzień Bożego Narodzenia – co było zaiste trudne – lub w drugim dniu świąt. To drugie rozwiązanie było bardziej prawdopodobne, jednak jego świąteczna wizyta weszła już do tradycji – i żałowałby wielce, gdyby musiał z niej zrezygnować.

Stajenny przejął konia, pozostawiając Josepha stojącego przez moment na tylnym tarasie i rozważającego, co czeka go w domu.

Ten postój przy drzwiach odpłacił mu się uroczą chwilą, mimo że panował piekielny chłód. Świat był spowity w srebrzystą biel i bardzo cichy, jak to tylko możliwe zimową nocą. Spokojny.

W środku pewnie tak spokojnie nie było. W domu Joseph musiał wyjaśnić swojej nowej żonie, że choć sprawy w Surrey ułożyły się bez kolejnych listów z pogróżkami, o ile za groźbę uznać jakiś ohydny anonim. Groźbę dla rodzinnego spokoju, a może i bezpieczeństwa i dobra dzieci.

– Josephie? – Louisa ukazała się w tylnich drzwiach, otulona w jeden z jego starych szlafroków. – Wejdź do środka w tej chwili, mężu. Zamarzniesz na śmierć, wpatrując się w gwiazdy w taką zimną noc.

Przeszła przez taras i wspięła się na palce, żeby go pocałować. Ciepło, słodkie i hojne, powitało jego przemarznięte usta. Westchnęła, zarzuciła mu ręce na szyję i położyła głowę na jego ramieniu.

– Rozumiem, że podróż przeszła bez przygód?

Bez przygód. Takiego samego zwrotu używał książę, informując księżną, że wszystko w porządku. A jednak, gdy Joseph powitał żonę, objął ją ramieniem i wprowadził do domu, doznał niecodziennych wrażeń.

Jego nos wyczuł woń cynamonu i świeżo pieczonego chleba, zapach unoszący się w całym domu. Kiedy Louisa powiodła go na piętro, do wonnego bukietu dołączył aromat pszczelego wosku, dochodzący z pary świec stojących po obu stronach głównego wejścia i udekorowanych czerwonymi wstęgami.

Cały dom przybrany był zielenią, nawet balustrada przy schodach we frontowym holu. W oknach wisiały wianki na przemian z pomarańczami z powbijanymi goździkami, a w najważniejszych miejscach wisiały wiązki jemioły.

– Mężu, narażając się na to, że zanudzę cię sentymentalizmem, wyznam, że tęskniłam za tobą. – Mówiąc to, wprowadziła go do biblioteki, gdzie było jeszcze cieplej niż w pozostałych pomieszczeniach. Nie za gorąco, ale… przyjemnie.

Gdy tylko drzwi zamknęły się za nimi, Louisa znowu przylgnęła do Josepha.

– Nawet nie dałam ci zdjąć okrycia.

Oplótł ją ramionami, a rozkosz, jaką odczuwał, trzymając ją w objęciach, bezpieczną, ciepłą i radą, sama w sobie była czymś ważnym. W piersi coś mu się rozsupłało, w myślach uspokoiło.

– Ja też za tobą tęskniłem, żono. Miewasz się dobrze?

Przycisnęła mu nos do szyi.

– Tak.

Zbyt późno wieloznaczność tego pytania dała o sobie znać w zmęczonym mózgu Josepha. Zwalczył pokusę zamknięcia drzwi do biblioteki na klucz.

– A dziewczynki?

– Kwitną. Powiedziałam im, że mogą rano zejść na śniadanie, jeśli będą się zachowywać bez zarzutu.

– Oczywiście.

– W kredensie czeka na ciebie taca z jedzeniem.

Nie chciał wypuszczać jej z objęć nawet po to, by wypełnić ziejącą pustkę w żołądku. Cmoknął Louisę w policzek i pozwolił jej poprowadzić się za rękę przez pokój.

– Zwykle w takiej sytuacji sam zaglądam do spiżarni, Louiso. I nie oczekuję, żebyś ty albo służba czekała na mnie, gdy jestem poza domem.

Zatrzymała się razem z nim przed kredensem i zaczęła rozpinać mu płaszcz.

– Mogę godzinami czytać poezję, Josephie, a gdybyś nie wrócił dziś przed północą, posłałabym umyślnego do Morelands, żeby wysłał gołębia pocztowego do Westhavena.

– A co zrobiłby twój brat?

– Jest w Surrey. Mógłby zajechać do twojej posiadłości i wysłać przez gołębia słówko, że masz się dobrze albo że osaczyli się bandyci. – Zdjęła z niego pelerynę, a ciężar dosłownie spadł Josephowi z ramion, kiedy pomogła mu zsunąć wierzchnie odzienie. – Przypuszczam, że nie znalazłeś czasu, żeby go odwiedzić?

– Nie. – Chociaż przez nikogo niezauważone odwiedziny w posiadłościach przywodziły wspomnienia o przemykaniu za linie wroga w Hiszpanii. – Louiso...

Zajęła się jego fularem, a jej dłonie pracowały szybko i wprawnie i, niech to licho, poczuł ulgę bez fularu na szyi.

– Chodź coś zjeść. – Skierowała się w stronę kominka. Ustawiła tacę na niskim stoliku i rzuciła parę poduszek na podwyższone kamienne płyty przed paleniskiem. – Kulejesz.

Starał się nie utykać.

– Zimna pogoda mi nie służy – stwierdził, kiedy się odwróciła, żeby wziąć tacę z herbatą z kredensu, ale Joseph objął ją w talii. – Naprawdę nie musiałaś z tym na mnie czekać.

To, co naprawdę zamierzał powiedzieć, co postawił sobie za cel, było proste i prawdziwe. Kocham cię.

Pojmował miłość jako praktyczne zapewnianie komfortu i dotrzymywanie towarzystwa. Nie było w tym nic romantycznego, nic wielkiego i wstrząsającego, lecz zaspokajało potrzebę głębszą niż to, co Joseph potrafił ująć słowami.

Być może Louisa, z jej elokwencją i talentem poligloty, umiałaby znaleźć właściwe słowa, ale Joseph potrafił tylko obejmować żonę i składać jej niewyszukane zapewnienia.

– Dziękuję ci, żono. Bardzo cenię twoją gościnność.

Wkrótce musieli podjąć trudną rozmowę o listownych pogróżkach oraz decyzjach, podjętych przed laty, w Hiszpanii, ale jeszcze nie przyszła na to pora.

Louisa ucichła w jego objęciach, w zamyśleniu gładząc dłonią jego pierś.

– Nie poszłam do swojego łóżka, kiedy ciebie nie było.

Nie założyła też swojego szlafroka ani swych skarpet – co sprawiło Josephowi niezwykłą przyjemność. Puścił ją i poklepał jej opatulone pośladki. Poleciła służbie przynieść herbatę, podczas gdy Joseph usadowił się przed ogniem huczącym w kominku.

– Noga nadal ci dolega. Mam przynieść laudanum? – Postawiła tacę, zajęła się ściąganiem Josephowi butów – niewyobrażalnie rozkosznym zajęciem – a potem zdjęła ocieplacz z imbryczka.

– Czy to nowy ocieplacz? – Oczywiście, że noga mu dokuczała, ale nie tak bardzo w ciepłym domu albo w ogóle w cieple.

– Wyhaftowałam go na swoją ślubną wyprawkę. Eve i Jenny lepiej wychodzi taka praca wymagająca staranności, ale to pierwsza rzecz, którą samodzielnie wyszyłam, i spodobała mi się na tyle, że zechciałam mieć ją we własnym domu.

Wyglądała na zadowoloną z tego, że on zwrócił uwagę na ten przedmiot, ale był to pierwszy ocieplacz do imbryczka ze średniowiecznym w stylu wizerunkiem jednorożca i dziewicy, jaki Joseph kiedykolwiek widział.

– Mnie też się podoba. Oryginalny.

– Chciałeś powiedzieć: dziwny. – Wyciągnęła rękę, żeby nalać mu herbaty, a jej ciemny warkocz opadł na ramię.

– Chciałem powiedzieć, że śliczny. – Odgarnął jej warkocz. – Niecodzienny, niezwykły, innego takiego nigdzie nie znajdę.

– Zjedz kanapkę.

Posilił się kanapką, potem jeszcze dwiema, jedząc z zadowoleniem w milczeniu, a Louisa dolewała mu herbaty i zamyślona głaskała go po udzie.

Kiedy poczuł się syty i zakończył posiłek winogronami – bez wątpienia przywiezionymi z Morelands – karmiony nimi pojedynczo przez żonę, uzmysłowił sobie, że Louisa czeka, aż on skończy jeść.

– Czy mamy odwiedzić Morelands w trakcie świąt? – Objął ją ramieniem, kiedy zadawał to prozaiczne pytanie, a tymczasem zaczęła go ogarniać przyjemna senność.

– Och, możemy się wybrać. Jeszcze nie byłam tam z dziewczynkami, ale spisały się świetnie u Sophie i Vima. Vim kazał ci przekazać, że masz w nim sprzymierzeńca. Spodziewam się, że Hazelton zadeklaruje to samo.

– Liczę na to, że mam sprzymierzeńca w tobie. – Liczył na to rozpaczliwie.

Coś osobliwego zamigotało w pięknych zielonych oczach Louisy.

– Nigdy w to nie wątp. – Ułożyła głowę na jego ramieniu, a pozostawiony samemu sobie Joseph pewnie usnąłby tam, przed kominkiem. – Dziewczynki podarują ci na święta laskę.

Potrzebna mu była laska. Pomagałaby mu wstawać z ciepłych płyt przed kominkiem w mniej niezgrabny sposób.

– Nie znalazłem dla nich odpowiednich kucyków, choć, jak sądzę, da się to załatwić bez kłopotów.

Umilkli, a za nimi z kłody drewna w kominku trysnął snop iskier.

– Mężu, czy pójdziesz teraz ze mną do łóżka?

Zamrugał, zastanawiając się, co takie pytanie mogło właściwie znaczyć. Mógł się wymigać i poświęcić czas na nowe wpisy w księdze rachunkowej majątku w Surrey. Mógł powiedzieć Louisie, że jest zmęczony – rzeczywiście wcześniej był zmęczony, bardzo strudzony, kiedy zsiadał z konia. Albo też mógł podźwignąć się na nogi, zaprowadzić żonę do łóżka i wypełnić małżeńską powinność.

– Czy pójdę do łóżka? – Musnął jej włosy, które pachniały kwiatami, świeżym chlebem i goździkami. – Z ochotą... pod warunkiem że uda mi się wstać.

Zgrabnie pomogła mu się podnieść i, nim się zorientował, był już w małżeńskim łożu, za drzwiami zamkniętymi na klucz, a jego żona rozpinała mu koszulę.

– „Widzisz to; rośnie twoje miłowanie;
Chcesz kochać, wiedząc, że przyjdzie rozstanie".

Książę podniósł wzrok znad melancholijnych wersów wielkiego barda i przekonał się, że księżną niezupełnie poruszył przytoczony fragment jego ulubionego sonetu. Księżna wpatrywała się groźnie w stosik czerwonych książeczek na stoliku do kawy; wszystkie tomiki były identyczne.

– Wydają się takie niepozorne. – Jego Wysokość odłożył Szekspira, czyniąc tę uwagę, i podszedł do kilku karafek stojących na okiennym parapecie pod wonnym zielonym wieńcem. – Jeszcze jeden z wielu zbiorków wierszy.

Jej Wysokość uniosła kryształowy kieliszek i pozwoliła księciu ponownie nalać sobie drinka.

– Niektóre z tych wierszy są wspaniałe. – Zabrzmiało to smutno, prawie rozdzierało serce.

– Jeśli liścik od Westhavena oznacza to, czego się obawiam, to już niebawem będziemy ich mieli mnóstwo, Esther. Szkoda, że nie wiedziałem, iż Victor wciągnął w tę sprawę całą rodzinę.

Księżna upiła łyczek swojego drinka dla wieczornego pokrzepienia się. Zima na wsi stawała się coraz surowsza.

– A wtedy nikt nie ujawni szaleństwa naszej córki... albo jej geniuszu.

A więc z tego powodu to zasmucenie.

– Obwiniaj siebie, milady. Powiadam ci, że dziwne początki kariery Louisy nie mogły być skutkiem przeczytania kilku listów tej lady Mary, jak jej tam... Montagu. Podjudzanie Victora miało w tym swój udział, tak jak docinki innych.

– Louisa przeczytała całą tę książkę o podróżach wokół Konstantynopola, Percy, i te nieszczęsne, przeklęte wiersze. Nie powinnam była pożyczać jej tej przeklętej książki.

Jej Wysokość nigdy dotąd nie przeklinała. To, że teraz dała upust swoim odczuciom, było miarą jej zdesperowania jako matki, a może i skutkiem znacznego naruszenia zawartości karafki, acz z pomocą małżonka.

– Wiersze lady Mary są urocze, przynajmniej niektóre z nich. – Nieprzyzwoite i urocze. Książę upił kolejny łyk swego znakomitego trunku. – Bracia Louisy znacznie bardziej za to odpowiadają, bo wymagali od niej, żeby je dla nich tłumaczyła i odrabiała za nich połowę uniwersyteckich zadań. Młodzi ludzie to zmora cywilizacji.

– Sam byłeś kiedyś młodzieńcem. – Posłała mu spojrzenie tak pełne aprobaty, że Jego Wysokość postanowił częściej poić ją koniakiem; do licha z poezją smętnego, starego barda.

– A ty, moja droga, wciąż przypominasz smukłe dziewczę, które miało tyle rozsądku, żeby wziąć sobie młodego aroganckiego oficera, pilnie szukającego żony.

W milczeniu oboje zatopili się przez chwilę we wspomnieniach, a długi zegar ścienny na korytarzu wybił godzinę.

– Powinniśmy udać się na spoczynek, Percivalu. Nadchodzą święta, a pozostało jeszcze tyle do zrobienia. Przyjadą tu nasi chłopcy, no i urządzamy dom otwarty w Wigilię, co oznacza, że jutro trzeba przygotować mnóstwo wypieków.

– Nasz dom wygląda całkiem odświętnie, moja droga. Trudno sobie wymarzyć bardziej gościnne lokum. Odwiedzisz jutro Louisę?

Księżna popatrzyła na swój kieliszek.

– Oczekuję, że Louisa wcześniej tu się zjawi. Razem z Josephem mają pewne sprawy do załatwienia.

Jej wzrok powędrował ku nieszczęsnym książeczkom, które Jego Wysokość najchętniej cisnąłby w ogień, lecz nie zdałoby się to na nic. Victor stwierdził bez ogródek, że każdy z tych tomików ma powrócić do osoby będącej ich autorem. Od kilku lat książę niezupełnie wiedział, jak to zrobić, nie kompromitując przy tym swojej córki. Westhaven najwyraźniej rozwiązał ten problem. Gdyby udało im się zdobyć kilka kolejnych tych książek, wtedy drobny problem Louisy mógłby znaleźć rozwiązanie, i to bez rzucania zgubnego cienia na niedawno zawarte przez nią małżeństwo.

Teraz, kiedy wreszcie nadeszła ta chwila, Louisę opanowało dziwne wahanie, a Joseph, jak zwykle spostrzegawczy, musiał wyczuć, że opuszcza ją determinacja.

– Louiso? – Stanął przy łóżku, zerkając na nią z góry; na jego twarzy malowało się zmęczenie i jeszcze coś mrocznego i intymnego, a Louisa nie potrafiła się zmusić do patrzenia na to. Położyła się na plecach i przeciągnęła ręką po czole. – Boli cię głowa, żono? – Stał bez ruchu koło łóżka.

Pokręciła przecząco głową; tym, co chciała, co powinna zrobić, było rozebranie męża.

– „Czemu przesłaniasz swe cudne oblicze?"

Uniosła głowę:

– Kto to napisał?

– Stary John Wilmot, hrabia Rochester, w czasach Karola II. Może rozgrzejesz miejsce, kiedy ja się obmyję?

Zacytował fragment wiersza, by zaraz potem wykazać praktyczne podejście. Jednak Louisa usłuchała jego propozycji, ponieważ sama nie miała lepszych pomysłów. Za kilka chwil ich małżeństwo miało się stać nieodwracalnym faktem i zaczęły ją dręczyć wątpliwości.

Co, jeżeli okaże się nie najlepsza w tym, tym... w tym? Jeśli pierwsza żona Josepha świetnie do niego pasowała w małżeńskich sprawach intymnych, a Louisa nie będzie mogła dorównać w tym swojej poprzedniczce? Co się stanie, jeżeli Louisie nie uda się dać mężowi synów, co było przecież zasadniczym celem wszystkich tych zabiegów?

Zorientowała się, że Joseph dosypał węgla do miedzianego ogrzewacza i podawał go jej, trzymając za długi uchwyt. Wstała z łóżka i wzięła go.

– Dzięki.

– Na zachodzie mają więcej śniegu – zauważył Joseph, kończąc rozpinanie koszuli – chociaż wcale nie jest tam zimniej.

Louisa odgarnęła kołdrę i przeciągnęła ogrzewaczem po prześcieradle.

– A jak na drogach?

– Przejezdne. Sonet nigdy nie narzeka. – Teraz przyszła pora na spinki przy mankietach, które położył na tacy na prasce do ubrań. – Jak sądzisz, czy powinienem sprowadzić dziewczynkom kucyki?

– Zaczekałabym z tym do wiosny. Możemy wcześniej zabierać dzieci na wycieczki w pogodniejsze dni. Na razie wystarczy im szczeniak.

Zdjął zamaszyście koszulę, lecz znieruchomiał na chwilę w trakcie ściągania spodni z bioder.

– Przeklęty pies? Psy hałasują, cuchną i wnoszą na łapach brud do domu. Proponujesz, żebyśmy wzięli psa?

– Może i dwa, jeśli dziewczynki będą się kłóciły o jednego.

– O mnie jakoś się nie kłócą. – Nagutеńki nachylił się nad kominkiem i podniósł dzban, który Louisa zostawiła przy ogniu, żeby się nagrzał. Aby trochę uspokoić nerwy, weszła za parawan i wzięła proszek do czyszczenia zębów.

Boże wielki, jej mąż był pięknym okazem mężczyzny. Nawet to, że utykał na nogę, dodawało mu męskości.

Louisa usłyszała odgłos ręcznika zamaczanego w misce wody.

– Mogę spytać twojego ojca, czy gdzieś w okolicy nie urodziły się jakieś ładne szczenięta. Czy jutro nie będzie za wcześnie na odwiedziny u twoich rodziców?

Jutro. Do jutra małżeństwo Louisy miało zostać ostatecznie skonsumowane. Jak mogła skupiać się na sprawach życia towarzyskiego, skoro była całkowicie pochłonięta chwilą obecną?

– Jutro to dobry dzień. Dziewczynki z niecierpliwością czekają na spotkanie z Ich Wysokościami.

Kolejne odgłosy pluskania. Louisa wyjrzała zza parawanu, aby popatrzeć na Josepha. Oparł stopę na kamieniach przed kominkiem i wycierał sobie pierś flanelowym ręcznikiem. Jego wilgotna skóra lśniła złociście w blasku ognia, a linia nagich pleców i boku...

Louisa nie wiedziała, że mężczyzna może być poezją. Och, widziała walory Elgina, widziała swoich braci, zanim dorośli, ale Joseph...

– Pościel ostygnie, żono. Wchodź do łóżka.

Pościel zapłonęłaby samoistnie, gdyby teraz Louisa zarzuciła ją na siebie, sama nie wiedziała tylko, czy z podnieconego oczekiwania, czy też z przerażenia.

Starając się opanować, podeszła do łóżka.

– Bardzo rzeczowo siebie traktujesz, Josephie Carrington.

Wzruszył muskularnymi ramionami – co znów wydało się takie poetyckie.

– Chyba nie ożeniłem się z pruderyjną kobietą... Poza tym ktoś zabrał mój szlafrok.

Louisa starała się nie odrywać wzroku od podbródka męża.

– Masz inne.

– To mój ulubiony... Mógłbym polubić go jeszcze bardziej, gdybyś mi pozwoliła zdjąć go z siebie.

Gdy podchodził tam, gdzie stała, koło łóżka, nie mogła nie zauważyć, że stawał się podniecony.

– Louiso, nie musimy tego robić dzisiaj, ale nie widzę sensu dłużej zwlekać.

– Oczywiście, będziemy dziś ze sobą. – Słowa te nie zabrzmiały ani zbyt spokojnie, ani zachęcająco. W rzeczywistości wypowiedziała je piskliwie.

Pomyślał nad tym chwilę, kącik jego ust się poruszył w uśmiechu.

– W takim razie do łóżka. – Poklepał ją w pośladek. – Umyję zęby.

Był rzeczowy i konkretny, ale także, jak Louisa podejrzewała, taktowny. Rozwiązała przepaskę szlafroka, powiesiła go na ramie łóżka, wsunęła się pod kołdrę i nasłuchiwała, jak jej mąż szczotkuje zęby.

Był to odgłos już jej znany, podobnie jak widok Josepha golącego się co rano. I miała też przywyknąć po pewnym czasie do tego, jak jej mąż przechadza się po pokoju nago, zdmuchuje świece i porusza żar w kominku.

– Skropiłaś perfumami moją wodę do mycia, Louiso. Czy wiesz, od jak dawna nikt nie podgrzewał ani nie perfumował mi wody do kąpieli? – Uniósł rąbek kołdry i wszedł do łóżka. – Zaczynam podejrzewać, że małżeństwo z tobą wywrze zdrowy wpływ na moje fizyczne samopoczucie.

Nie spoczął na skraju łóżka, lecz manewrując ciałem i kołysząc materacem, przysunął się do Louisy.

– Witaj, mężu.

Leżała na plecach, a on przywarł do niej cały, zwłaszcza ta część jego ciała, która bodła ją w biodro.

– Pozdrawiam cię, żono, i choć podziwiam haft na twojej nocnej koszuli, to chciałbym, żebyś pożegnała się z tą częścią odzienia bez żalu... i to jak najszybciej.

Zakryła twarz obiema dłońmi.

– Czy musisz być taki rozbawiony?

– Zbliża się radosna pora świąt. – Odciągnął jej dłonie i pocałował ją w nos. – „Och, czemu dłonią zakrywasz policzek,

by słońca blask w oczach uczynić niczem".

– Ciągle masz w głowie wiersze Wilmota.

– Ależ nie. Mam głowie coś zupełnie innego... kogoś innego. – Mówił łagodnie, ale to, o czym rozmyślał, wprawiało go w uszczęśliwienie. Louisa słyszała szczęście w jego głosie.

– Josephie, musimy o czymś porozmawiać.

Rozwiązał górną kokardkę jej nocnej koszuli.

– Możemy porozmawiać o tym nago. – Puściła i druga kokardka. – Albo jutro. – Teraz trzecia i czwarta. – Możemy porozmawiać o tym nago jutro, ale, Louiso, jesteś moją prawnie poślubioną żoną i nadeszła pora, abym nacieszył się tobą w pełni, co z zapałem zamierzam uczynić.

To już nie były wersy zmarłego dawno hrabiego poety. Kolejne kokardki koszuli rozsupływały się, aż wszystkie zostały rozwiązane. Joseph podciągnął kołdrę do ramion Louisy i przesunął dłonią po jej nagim brzuchu.

– Nie czułem chłodu w Surrey, Louiso, kiedy myślałem o chwilach, które spędzę z tobą.

Boże święty.

– Josephie, co mam teraz zrobić?

Odsunął się nieco, żeby na nią popatrzeć, a jego ciemne brwi się ściągnęły.

– Rób, na co tylko masz ochotę, z wyjątkiem jednego. – Pocałował jej obojczyk i była to słodka, drobna pieszczota, w której posłużył się koniuszkiem języka. – W trakcie tego się nie myśli, Louiso Carrington. Niech mnie licho kopnie, jeśli w takich chwilach ktoś potrafi rozumować logicznie. Wyłącz swój błyskotliwy umysł, ze wszystkim myślami, językami, obliczeniami i bluźnierstwami, i daj mu odpocząć, kiedy będę cię kochał.

Te słowa – kiedy będę cię kochał – wypowiedział cicho przy szyi Louisy. Spodobało jej się ich brzmienie, mimo że oznajmiały coś bardziej fizycznego niż romantycznego.

– Ale nadal nie wiem co…

Pocałował ją i, tak po prostu, wyłączyła myśli, poza tym, że czuła, jak mąż kładzie się na niej, opasuje ją nogami i roztacza wokół niej lawendową woń swojego nagiego ciała.

– Jesteś taką uroczą, ciepłą żoną. Sądzę, że też mogłabyś mnie pocałować. To tylko sugestia.

Wsunął dłoń pod jej głowę i znowu zaczął ją całować, lecz było w jego pocałunku coś diabolicznego; tak powoli badał ją ustami, że nie mogła odpowiedzieć pocałunkiem.

Przeciągnęła palcami stóp po jednej z jego owłosionych, muskularnych łydek, rozkoszując się wyczuwaniem skóry Josepha podeszwą stopy. Przerwał pocałunek. Ponownie dotknęła go stopą i równocześnie zapragnęła połączyć swe usta z jego wargami.

Jęknął. Uśmiechnęła się, a on odwdzięczył się, powoli przeciągając po jej dolnej wardze wilgotnym językiem.

Wrażenia i pragnienia narastały, zderzały ze sobą i rozpraszały w świadomości Louisy.

Wyczuwała erekcję Josepha, sztywną i gorącą, między ich ciałami.

Nocna koszula Louisy zniknęła wśród pościeli.

Wydał jęk, a ona – westchnienie.

Jego ciało, ciężkie, wspaniałe, cudowne, zniewalające, przyciskało Louisę do materaca, unieruchamiając ją, gdy krew zaczynała w niej wrzeć z podniecenia.

– Mężu, chcę... – Schwyciła dłonią włosy z tyłu jego głowy, przytulając się do niego.

– Całuj mnie, Louiso. – Jego otwarte usta dopadły jej warg, a język Louisy wniknął do jego ust, aby łupić i zwyciężać.

Jego dłoń, duża i ciepła, zatrzymała się na jej piersi, dostarczając tak niesamowitych doznań – zadowolenia, rozkoszy, cudownego wstrząsu i rozbudzonych oczekiwań – że Louisa przerwała całowanie.

Najdelikatniej ucisnął jej sutek. Na to ona chwyciła go mocno za pośladki.

– Tak... tak... jeszcze, proszę. Josephie, jeszcze.

Jej ciało pamiętało to, zapamiętało rozkosz i cudowne zdolności Josepha, by ją pieścić, koić i zadowalać, a także sprawiać szokującą przyjemność, gdy delikatnie kąsał jej pierś i zaczął trącać penisem najbardziej intymne miejsce jej ciała.

– Louiso? – Zadał to pytanie, przyciągając nos do jej mostka. – Żono?

– Tak, Josephie. Tak, proszę. Już.

Wyprostował ramiona, a ich ciała stykały się teraz tylko w miejscu, w którym miał się z nią złączyć.

– Chcę poczuć twój ciężar... – Louisa usiłowała przyciągnąć go z powrotem ku sobie, ale się opierał.

– Za chwilkę.

Słowa te zdradzały napięcie, ostrzegając Louisę, że Joseph sięga po ostatnie rezerwy opanowania. Zamknęła oczy i położyła dłoń na jego sercu. Drugą objęła jego nadgarstek i trzymała go silnie.

– Oddychaj, Louiso.

Tak, oddech, coś, o czym zapomniała od kilku chwil. Wzięła głęboki wdech i wypuściła z płuc powietrze z westchnieniem. Joseph nadal dotykał członkiem jej intymnego miejsca. Wraz z następnym wydechem naparł biodrami naprzód, a z trzecim – mocnym pchnięciem wniknął w jej wilgotny żar. Cóż za przedziwne doznania.

– Mężu...

Nie poruszał się, ich ciała właśnie się złączyły.

– Nie boli?

– Tak cię pragnę. Jeszcze, proszę.

Ale ten okropny, jakże drogi jej mężczyzna się nie spieszył. Paznokcie Louisy wbiły się w jego pośladki, dyszała szybko, a w jej ciele huczało pragnienie pełnego zespolenia się z nim.

– Josephie Carrington... zadręczasz mnie.

Opuścił się na przedramionach.

– Kocham się z tobą. – Znowu podłożył dłoń pod jej głowę i przyciągnął ją bliżej. – Poruszaj się razem ze mną, Louiso. Zaczekam na ciebie... Święty Boże.

Wijąc się pod nim, wspaniale zakołysała biodrami, obejmując go szczelnie i nieznacznie się wycofując.

– Czy tak?

– Jezu miłosierny. Właśnie tak.

Jego głos brzmiał chrapliwie przy jej uchu, szorstko i... lękliwie? Spowolniła ruchy, a płynny kontrapunkt ich ciał kontrastował z coraz bardziej urywanym oddechem. Joseph nie przyspieszał tempa. Przez cudowne, długie minuty Louisa poruszała się wraz z nim, dopasowując się do jego rytmu, ucząc się, jak wstrzymywać falę rozkoszy, napływającą z kilku kierunków jednocześnie.

– Louiso, nie jestem pewien, czy jeszcze...

Coś w niej zacisnęło się mocno, potem jeszcze mocniej. Splotła na poduszce palce jednej dłoni z jego palcami i rozkosz, jak strzała z kuszy, przeszyła ją całą. Odczucie to było o wiele mocniejsze od tego, jakiego zaznała z nim przed ślubem. Dużo bardziej intymne, o wiele bardziej...

Jej umysł nie potrafił zebrać myśli. Ciało zatriumfowało, błagając Josepha, aby przedłużał tę błogość, a potem przyłączył się do niej w rozkoszy, by oderwali się od wszystkiego, zatapiając w przyjemności, jaką dawało obejmowanie się nawzajem.

Wyczuła moment, w którym przestał bronić się przed spełnieniem, kiedy jego pchnięcia stały się jeszcze dziksze, jeszcze bardziej gorączkowe i rozkoszne dla obojga.

Takie kochanie się z nim, bycie kochaną przez niego, było nie do opisania, wznioślejsze od... poezji. Wznioślejsze od wszystkiego.

14

Kiedy namiętność ucichła, a Joseph leżał spokojnie w objęciach Louisy, nie oznaczało to końca przyjemności. Miło było głaskać go po umięśnionych plecach, oddychać w takim rytmie jak on, muskać palcami jedwabisty gąszcz jego włosów.

– Powinienem się stąd ruszyć. – Ten cichy, jakby oniemiały jęk towarzyszył delikatnemu uszczypnięciu zębami jej ucha.

Poklepała go po pośladku i pocałowała w policzek.

– Jeszcze nie. – Kiedy cała wciąż była poruszona do głębi intymnością tego, co przed chwilą się wydarzyło, myśl o tym, że mógłby się oddalić, uderzyła w nią jak grom.

Kilka minut później pocałował ją w skroń.

– Louiso, narobimy bałaganu, jeśli zaraz nie znajdzie się jakiś przeklęty ręcznik.

– W moich myślach panuje bałagan. – Odsunęła ręce, a on się wyswobodził; penis wysunął się z jej ciała w miękkiej, wilgotnej pieszczocie.

– Nie patrz tak żałośnie, moja pani. Noc dopiero się zaczęła.

– Och. – Patrzyła, jak podszedł do miski, owinął się ręcznikiem i szybko obmył okolice genitaliów. – Nie jesteś dla siebie zbyt delikatny.

– Nie muszę. Co innego ty. – Bardzo przypominał pirata, kiedy wpatrywał się w nią, leżącą w łóżku. – Ręcznik dla pani?

– Po co?

– Aby poradzić sobie z bałaganem, którego narobił twój mąż, pozbywając się nasienia.

Nie było w tym poezji, ale spodobała jej się taka szczerość. Chciała, żeby jej mąż właśnie tak rozmawiał z nią o intymnych sprawach – otwarcie, z brwią uniesioną w niemym wyzwaniu.

– Ręcznik by się przydał. A jeszcze bardziej przydałby się mąż, żebym nie marzła w pościeli.

– Mąż gdzieś tu był. – Dumnym krokiem podszedł z powrotem do łóżka. – Pewnie mógłby cię zadowolić, jeśli obiecasz, że nie skradniesz całej kołdry.

Chciała skraść mu serce.

– Podaj mi ręcznik, z łaski swojej. – Coś mokrego rzeczywiście wyciekało z jej intymnego miejsca. Jakie... dziwne i jakże małżeńskie doznanie to było.

Joseph podał jej miękką, suchą flanelę i wszedł do łóżka, gdy Louisa zajmowała się sobą.

– Rozumiem, że zamierzasz tu pozostać na dłużej, żono? – Wpatrywał się w nią w półmroku. Rzuciła ręcznik na nocny stolik i wydawało się jej, że Joseph próbuje ją przejrzeć, samemu zbytnio się nie odsłaniając.

– Planuję dzielić z tobą łoże przez następnych czterdzieści lat lub coś koło tego, Josephie Carrington. Jeśli ten pomysł zbytnio ci się nie podoba...

Znalazł się przy niej w jednej chwili.

– Sześćdziesiąt – warknął. – Co najmniej sześćdziesiąt albo siedemdziesiąt. Są ludzie, który dożywają setki w małżeńskim szczęściu, lecz dla mnie trzydzieści pięć może się okazać dość długo. Jak wiesz, odniosłem rany na Półwyspie Iberyjskim.

Louisa zarzuciła na niego kołdrę.

– Wyszłam za niemożliwego mężczyznę.

Westchnął i dotknął czołem jej czoła.

– Niemożliwego brutala. Nic ci nie jest, Louiso? Dobrze się czujesz? Namiętność poniosła nas bardziej, niż nakazywałby rozsądek. To był dla ciebie pierwszy raz.

– Nie, nie czuję się dobrze.

Cofnął się, a w jego spojrzeniu ujrzała prawdziwą troskę, niemal lęk.

– Żono, okropnie mi przykro. Zbudzimy służących, żeby przygotowali dla ciebie gorącą, kojącą kąpiel. Najpokorniej błagam o...

Przesłoniła mu usta dłonią.

– Znowu wygadujesz banialuki, Josephie Carrington. Powiedziałam, że nie czuję się dobrze, bo jestem po prostu zachwycona. Absolutnie zachwycona.

I oczarowana. Była absolutnie oczarowana swoim mężem, choć to wydawało się niezbyt stosowne lub dystyngowane.

Położył się obok niej z głośnym westchnieniem.

– Ja też jestem wielce rad.

Kilka chwil później, kiedy Louisa przysypiała na poduszce, którą była dla niej mężowska pierś, zaświtała jej pewna myśl.

– Jak idzie dalej ten wiersz Wilmota?

Na początku nie była pewna, czy Joseph jest na tyle przytomny, by odpowiedzieć. Jednak przesunął ręką po jej włosach w powolnej pieszczocie, a potem palcami muskał kolejno wszystkie części jej twarzy.

– „Tyś jest mym życiem i gdybyś się odwróciła,
Me życie śmiercią stałoby się, miła.
Bez ciebie ma podróż błąkaniem by była.
Tyś jest mym światłem – cudowną osobą,
Bez ciebie oczy me nic widzieć nie mogą.
Kochana, jesteś mym życiem, mą drogą".

Umilkł, gładząc jej włosy. Louisa pochyliła się i pocałowała go, aby nie powiedzieć czegoś zwariowanego mężczyźnie, który recytował jej wiersze i dał rozkosz w ciemności.

A wyważone, dźwięczne wersy, które recytował, czułość dłoni pieszczącej jej włosy były dla niej źródłem nadziei, że jej mąż – ciemnowłosy, utykający, czasem niemożliwy mąż – również był nią, choć trochę, oczarowany.

– Kwiat kobiecej urody przy moim stole. – Joseph najpierw odsunął krzesło dla żony, potem dla Amandy i Fleur, składając pocałunek na policzku każdej z nich. Raczej się nie spodziewał, że dzieci będą się zachowywały poprawnie przy stole, sądził bowiem, że popsują posiłek sobie i jemu, ale gdyby tego poranka jego żona zechciała, by przy wspólnym stole zasiadła Lady Ophelia, Joseph osobiście przyprowadziłby tu maciorę.

– Co papa powiedział? – Fleur zbliżyła się do Louisy, żeby zadać to pytanie teatralnym szeptem, niepewnie zerkając przy tym na ojca.

– Powiedział, że tyle ślicznych pań zje razem z nim śniadanie, iż sam chciałby być przystojniejszy – wyjaśniła jej Louisa.

Chociaż jemu niezupełnie o to chodziło – a może właśnie o to?

– Tato jest ładny. – Amandę wydawała się niepokoić myśl, że może być inaczej.

– Jesteś bardzo spostrzegawcza, Amando. Louiso, może nalejesz herbatę do filiżanek, a ja nałożę dania naszym córkom na talerze.

Co takiego jadały jego dzieci? Pytanie to go dręczyło, podobnie jak fakt, że nie znał na nie odpowiedzi. Inny ojciec, lepszy, znałby ją.

Ale gdy obrzucił spojrzeniem kredens, przyszedł mu nagle do głowy pewien pomysł.

– Co moje panie myślą o przerwaniu postu? Mamy grzanki z masłem, omlet z naszym własnym białym serem, wędzone śledzie, befsztyk, pomarańcze, szynkę, boczek... najlepszy boczek na świecie, gdyby ktoś pytał... Czy to naleśniki, Louiso?

– Tak. Zacznijmy od herbaty, grzanek i jajek, i może od pomarańczy.

Joseph znalazł drobne pocieszenie w myśli, że sam wybrałby dla dziewcząt to samo. Podał wszystkim jedzenie – lokaja z niewiadomych powodów zabrakło na posterunku – i usiadł u szczytu stołu, zamierzając nie zwracać uwagi na niezdarne starania swoich dzieci, by zachowywać się jak należy.

– Czy mogę mieć grzankę posypaną cynamonem? – Dziecięcy głosik Fleur zakłócił próby Josepha, aby obsypać cynamonem każdą cząstkę masła na swoim toście.

– Oczywiście. – Mógł jej podać cynamon, ale ona była szybsza i nadstawiła swój talerz.

Cały posiłek upłynął na czymś takim, na drobnych niezręcznościach, potknięciach i sprzecznych sygnałach, które jakoś zostawały zrozumiane. A jednak śniadanie wcale nie było męką... Nie taką, jakiej Joseph oczekiwał.

– Zastanawiam się, mężu, czy po całym dniu konnej jazdy nie chciałbyś trochę pospacerować. – Louisa osuszyła usta chusteczką. Fleur i Amanda zrobiły to samo, naśladując ją z całą powagą.

Mężu. Zwracała się do niego w ten sposób, jakby chciała dać do zrozumienia, że powinien odpowiadać tylko wtedy, gdy tak zostanie zagadnięty.

– W zasadzie nie mam nic przeciwko temu – odarł Joseph. – Dziś pogoda nie na konną jazdę... wygląda na to, że znowu zacznie padać śnieg... ale wypada rozpocząć dzień od krótkiej wizyty w zagrodzie.

Kawalerzysta sam dba o swego konia. Po raz pierwszy zastanowiło Josepha, dlaczego prawdziwy angielski dżentelmen dba o własne dzieci tylko przez kogoś innego.

Amanda obrzuciła ojca wyczekującym spojrzeniem.

– Czy mogłabym odejść?

– Oczywiście. Włóż buciki i weź płaszcz.

– A ja...? – zaczęła Fleur.

Joseph machnął ręką.

– Idźcie sobie, obydwie. – To było błąd, fałszywy krok, ponieważ twarzyczka Fleur posmutniała, a Louisa zacięła usta.

Szarpało mu nerwy takie zdanie się na łaskę tylu kobiet.

– Choć mam nadzieję, że obie wkrótce znowu zasiądziecie razem z nami do śniadania. Nie wiem, czy jakiś posiłek sprawił mi kiedyś więcej radości.

Odpowiedziały mu uśmiechami, chociaż ledwie się wykaraskał z niezręcznej sytuacji. Gdy dziewczynki wyszły za drzwi, a potem z hałasem popędziły korytarzem w stronę schodów, Joseph ponownie nalał herbaty żonie i sobie – jeszcze nie nadeszła pora, by sięgnąć po piersiówkę.

– Poprosiłbym o dodatki.

Louisa zamieszała cukier i śmietankę w obu filiżankach.

– Poszło nam nieźle, ale to nie była próba, Josephie.

– W takim razie co takiego?

Przesunęła filiżankę w jego stronę i poklepała go po dłoni.

– Śniadanie. Kiedy poczują się pewnie przy śniadaniu, czasami zjemy razem z nimi lunch. Do czasu, kiedy zaczną marzyć o upinaniu sobie włosów, rodzinny obiad nie sprawi im trudności.

Jego żona była urodziwą kobietą, wręcz pięknością. W porannym świetle jej skóra lśniła, zielone oczy błyszczały, a promienie słońca połyskiwały na jej ciemnych włosach.

Lecz była także... urocza. Urocza jak kobieta, która rozumie dzieci, która obejmuje swojego nowo poślubionego męża przez całą noc. To poczucie czyjejś opiekuńczej troski...

Joseph upił łyk herbaty i dotarło do niego, że tylko tchórzliwie gra na zwłokę.

Odstawił filiżankę i wyjrzał za okno na mroźny, szary, zaśnieżony pejzaż.

– One nie są moje, Louiso. Ani jedna, ani druga.

– Są teraz nasze. – Znowu poklepała jego rękę, ale on odwrócił dłoń i chwycił jej palce.

– Nie jestem ich ojcem. Amanda urodziła się niecałe osiem miesięcy po ślubie... Byłem w Hiszpanii, a moja żona nie od razu zawiadomiła mnie o narodzinach, jednak widziałem wpis w księdze parafialnej. Wypytałem położną, która powiedziała mi, że Amanda nie urodziła się jako wcześniak. Podała też inny dzień narodzin Amandy; moja żona przesunęła go o prawie dwa miesiące.

Louisa nie cofnęła ręki. Uwielbiał ją za to. Za to i za wiele innych rzeczy.

– A Fleur?

– Nie widziałem się z żoną od roku, kiedy Fleur przyszła na świat. Nie powinienem był przebywać w Hiszpanii tak długo bez wyjazdu do kraju na urlop... Wellingtona dałoby się o tym przekonać... ale tak było prościej...

Louisa mocno trzymała dłoń Josepha. Mógł odnieść wrażenie, że znalazł się w potrzasku, ale zamiast tego podnosiło go to nieco na duchu.

– Winisz się za to, Josephie?

– Oczywiście, że tak. Cynthia była zrozpaczona małżeństwem ze mną, z człowiekiem, którego ledwie znała, z kimś z dużo niższych sfer. Powinienem był zrozumieć jej sytuację i oszczędzić jej tego małżeństwa.

Oczy Louisy się zwęziły.

– Miała rodzinę do pomocy. Czy to córki Lionela, Josephie?

Pokręcił przecząco głową.

– Honiton zaprzecza. Przebywał w Szkocji, kiedy Fleur została poczęta. Nie wiem, kto jest ich ojcem, a ponieważ nigdy nie pytałem o to żony, nie miała okazji mi tego powiedzieć.

– Cóż... – Louisa upiła nieco herbaty, lecz nie uwolniła dłoni z uścisku Josepha.

– Przykro mi. Powinienem był wyjawić ci to wszystko, zanim złożyłem ci małżeńską przysięgę.

A powody, dla których tego nie uczynił, były czymś, czego nie chciał roztrząsać.

Louisa odstawiła filiżankę na sam środek talerzyka i spod ściągniętych brwi popatrzyła na ich splecione dłonie.

– Nie wiem, jakie to ma znaczenie, Josephie. Urodziła je twoja żona. Wedle prawa jesteś jedynym ojcem, jakiego kiedykolwiek będą miały. Kochasz je, a one kochają ciebie. Cóż przy tym znaczy wszystko inne?

Analizował jej słowa w myślach, aby się upewnić, że je zrozumiał.

– Jestem jedynym ojcem, jakiego kiedykolwiek będą miały. – Przyciągnął dłoń Louisy do ust i ucałował ją. – A ty jesteś jedyną matką, jakiej będą potrzebowały.

– Właśnie. Jeszcze herbaty?

Nie chciał już pić herbaty. Pragnął wziąć żonę na górę i kochać się z nią znowu. Chciał jej podziękować za to, że zdjęła z niego ciężar, jaki od lat nosił w sercu. Chciał upaść na swoje strzykające, niepewne kolana i...

Gdzieś na górze trzasnęły drzwi.

– Nie, dziękuję. Lepiej włóżmy rękawice i szale, żeby nie opóźniać zaplanowanego wyjścia.

Kiwnęła głową, uśmiechając się nieznacznie, a Joseph pomógł jej wstać. Zatrzymali się koło drzwi, słysząc, jak dwie pary obutych stópek hałasują na głównych schodach.

– Louiso, dziękuję ci.

Popatrzyła na niego uważnie.

– Okazało się, że mają zupełnie przyzwoite maniery, mężu. Ja tylko je zaprosiłam i udzieliłam kilku upomnień.

Nie potrafił stwierdzić, czy z rozmysłem przeinaczyła sens jego podziękowań, czy też fakt, że przyszło im wychowywać cudze dzieci, tak naprawdę niewiele ją poruszył. Kochasz je, a one kochają ciebie. Cóż przy tym znaczy wszystko inne? Spróbował jeszcze raz:

– Dziękuję ci za to również.

Kiedy podał jej ramię, wsunęła rękę pod jego łokieć, by wyprowadził ją z jadalni. Zanosiło się na śnieżycę, niebo było ołowianoszare, ale w sercu Josepha Carringtona słońce próbowało przebić się przez chmury.

Louisa podsadziła Fleur, pomagając jej przejść przez płot z desek, a następnie przeszła przez płot za nią. Mąż spojrzał na nią groźnie, gdy zeskoczyła na ziemię.

Był przystojny, nawet kiedy tak łypał spode łba, a jeszcze przystojniejszy, gdy się zwierzał, z niebieskimi oczami pełnymi konsternacji i wahania z powodu tego, że stworzył dom dzieciom, których nie spłodził.

– Nie martw się. – Powstrzymała go, gdy chciał puścić się w pogoń za córkami.

– Lód na stawie może jeszcze nie być gruby, Louiso, a w ich wieku przestrogi na nic się nie zdają.

– Nie będziemy spuszczać dziewczynek z oczu, zresztą nie o to mi chodziło. – Objęła go ramieniem, żeby nie brnął przez śnieg. – W prawdziwym kupieckim domu nie zniesiono by czegoś takiego jak kukułcze jajo w gnieździe.

– Jestem kupcem i dostawcą świetnej wieprzowiny, jeśli jeszcze tego nie zauważyłaś.

– Wkrótce będziesz baronem, poślubiłeś córkę księcia, a w arystokratycznych rodzinach nikt na coś takiego nie zważa.

Popatrzył na nią nieco skonsternowany, jakby dopiero teraz zaczął pojmować, czego dotyczyła ta rozmowa.

– Boże, uchroń mnie przed baronami... Poza tym to są dwa kukułcze jaja. Poślubiłem niegdyś kobietę, która potrzebowała przyjaciela, a nie męża, zostawiłem ją dla wojaczki, a ty twierdzisz, że nie należy się przejmować konsekwencjami.

Dla wojaczki?

– Zadręczasz się tym od śmierci Cynthii, prawda?

Milczał, zerkając na Fleur i Amandę, próbujące obrzucać się śnieżkami i piszczące przy tym z radości.

– Nie powinienem był pozostawiać żony, żeby sama radziła sobie z własnym brzemieniem, Louiso. Nie na tym polega małżeństwo. Tak być nie może.

– Na pewno nie tak powinno być. – A jednak, mimo brzemienia, które sama dźwigała, Louisa nie zamierzała mu powiedzieć o wierszach z tamtej czerwonej książeczki. Jeszcze nie. W porównaniu z losem dzieci, które nie ponosiły za swój los odpowiedzialności i nie miały wpływu na sytuację, w jakiej się znalazły, zbiorek pikantnych wierszy niewiele znaczył.

Postanowiła zastanowić się nad tą interesującą kwestią później, na osobności.

– Zawdzięczam swoje życie pewnemu dziecku. – Joseph nie odrywał wzroku od Fleur i Amandy, lecz Louisa miała wrażenie, że wypowiedzenie tych słów sprawiło mu ból.

– Opowiedz mi o tym.

Poprowadziła go w stronę ławki, którą jakiś zapobiegliwy służący omiótł do czysta ze śniegu, i usiadła na niej, wpatrując się w dzieci, żeby nie widzieć, jak Joseph niezgrabnie sadowi się obok niej.

– Nie ma wiele do opowiadania. Często przewoziłem rozkazy od jednego dowódcy do innego albo depesze, jeżdżąc z nimi z powrotem do Portugalii. W Hiszpanii było... ciężko. Dwór Napoleona wszędzie miał szpiegów, ziemie przechodziły z rąk do rąk po każdej kampanii, a żołnierzy podporządkowywano takiej armii, która akurat działała w okolicy. Staraliśmy się nie mieszać w to wszystko ludności cywilnej, ale wojsko musi jeść. Musi pić, musi gdzieś spać.

Fleur ulepiła śnieżną kulę i rzuciła nią w Amandę, ale śnieżka przeleciała wysoko nad głową siostry i trafił w gałęzie sosny. Z nich posypał się na Amandę śnieżny puch, rzuciła się więc w pogoń za młodszą siostrzyczką; obie wrzeszczały wniebogłosy, biegając wśród krzaków i zarośli.

– Wiozłem rozkazy wysłane z wybrzeża... co na pewno było niebezpiecznym zadaniem... i zatrzymałem się w pewnej wiosce, którą często mijałem na szlaku. Siostry zakonne prowadziły tam sierociniec przy klasztorze i wszędzie widziało się dzieci pracujące jak dorośli. Pracowały w ogrodach, kopały rowy nawadniające, podawały jedzenie w kantynach. Byłem wygłodniały, jadło było tam tanie i pożywne, a ponieważ Vera Cruz leżało na moim szlaku, zatrzymałem się tam.

Obie dziewczynki schowały się za krzakami, a w powietrzu rozbrzmiewały ich przechwałki o tym, ile śnieżnych kul ulepiły i w co się nawzajem trafią.

– Jechałem na świetnym wałachu, choć nie wyglądał zbyt dobrze. Ten koń nigdy mnie nie zawiódł, nigdy się nie potknął, ale chłopak stajenny... Sebastian... twierdził z uporem, że mojemu wierzchowcowi obluzowała się podkowa. Kazałem mu poszukać kowala i podkuć konia porządnie, gdy sam zasiadłem do jedzenia. Miałem do przejechania obszar, gdzie nie było żadnego Anglika, a bardzo mi zależało na powrocie do oddziału przed nastaniem nocy.

Louisa zacisnęła palce w rękawiczkach na dłoni męża – nie zauważyła nawet, kiedy ich palce się splotły.

– Kowal urządził sobie akurat sjestę, jeśli wierzyć Sebastianowi. Potem musiał poszukać narzędzi, a jeszcze później załagodzić kłótnię między swoją żoną i *abuela*, czyli swoją babką. Babki w Hiszpanii, jak to się mówi, rządzą, słowo ci daję. Zmarnowałem połowę tego cholernego popołudnia, podczas gdy Sebastian wymyślał jedną wymówkę za drugą.

Fleur odgrażała się, że przysypie całą Amandę śniegiem, a Amanda obiecała, że odkopie się w porę, by zobaczyć, co przyniósł w prezencie Święty Mikołaj, i że powie mu, jaka okropna jest jej młodsza siostra.

– Zanim dotarłem do swojego oddziału, wszyscy żołnierze tej jednostki zostali wyrżnięci w pień.

Louisa objęła ramieniem plecy męża i oparła głowę o jego ramię.

To miało sens. Miało sens, że człowiek, który zawdzięczał dziecku ocalenie życia, odpłaci się za to wielokrotnie, wielu, bardzo wielu dzieciom. Louisa czekała, aż Joseph zacznie jej to wyjaśniać, podzieli się nią opowieścią o swej wspaniałomyślności, do jakiej był zdolny, ale on siedział na zimnej ławce, nieporuszony jak rzeźba z lodu, podczas gdy Fleur i Amanda śmiały się i bawiły w śniegu.

Louisa pozostała u jego boku, aż zbierające się coraz niżej chmury na niebie i coraz mroźniejszy wiatr zmusiły ją do zawołania dzieci i powrotu do domu.

– Kobiety i to ich milczenie. – Joseph podrapał Lady Ophelię za uchem, za co został nagrodzony rozkosznym świńskim chrząknięciem. – Prawie jej powiedziałem, niemal jej wyznałem, że mamy nie dwoje nieślubnych dzieci, ale całą ich gromadę.

Zajął się drugim uchem, a Lady Ophelia posłusznie przekrzywiła wielki łeb.

– Powinienem częściej wyjeżdżać, żeby nie stać się człowiekiem bez godności, bez dumy.

Bez sekretów.

Chciał być człowiekiem bez sekretów, w każdym razie bez sekretów przed Louisą, tylko jakie święta by ich czekały, gdyby wyłożył wszystkie karty na małżeński stół, czego nie wytrzymałoby nawet pragmatyczne, szczodre serce Louisy?

– Stałem się najbardziej żałosnym ze stworzeń, zakochanym mężczyzną. – Sytuacja była zaiste rozpaczliwa, ponieważ uważał, że nie tylko chęć dotrzymywania towarzystwa Louisie i pragnienie wzbudzenia w niej intymnego zainteresowania – typowe dla młodszych zakochanych – lecz także... szacunek, uczucie miłości, instynkt opiekuńczy i zaborczość były obce jego naturze. – I jeszcze kwestia tego, co powinienem podarować jej na Gwiazdkę; inne ważne sprawy w mieście przesłoniły mi sprawę zakupów. – Joseph popatrzył na swoją przyjaciółkę ze świata zwierząt. – Prosiaczek byłby oryginalnym prezenem. Jeśli twoje potomstwo rozrośnie się do twoich rozmiarów, wtedy może nie musiałbym kupować kucyków.

Lady Ophelia jakby się obraziła. Odeszła od ręki Josepha i zagrzebała się w słomie w chlewie.

– Nie upadaj na duchu. Może na wiosnę znajdziesz znowu miłość, moja pani. Od czasu do czasu każdy musi odsiedzieć jakiś taniec.

Nie zwracała na niego uwagi. Joseph dołożył jej nieco karmy do koryta, życzył miłego dnia i skierował się z powrotem do domu. Panie szykowały się do wizyty w Morelands, a Joseph nie dopuściłby do tego, aby podjęły takie wezwanie bez jego eskorty.

Do Bożego Narodzenia wciąż pozostawało kilka dni. Nie chciał spędzić tych świąt z sekretami ciążącymi mu nadal na sercu, jednak musiał jeszcze nadejść właściwy moment na ujawnienie tego, co było w Surrey.

Mimo wszystko pocieszał się myślą, że Louisa bez mrugnięcia przyjęła wiadomość, iż jego córki zostały spłodzone przez innego mężczyznę. Jedno czy dwa kukułcze jaja w gnieździe ani trochę nie zraziły jego nowej żony.

Ale na czternaście kukułczych jaj mogła zareagować zupełnie inaczej.

– On odwiedza Lady Ophelię – zdradziła Fleur, ciągnąc Louisę w stronę domu. – To najlepsza przyjaciółka papy. Z Sonetem też się przyjaźni, ale Sonet to wałach i czasami wariuje. Lady Ophelia nie wariuje nigdy.

– Ophelia to wspaniały okaz – odrzekła Louisa. Maciora była ogromna, choć i spokojna, jak na swoje rozmiary. – Czy potrzebujemy świątecznych prezentów dla niej i dla Soneta?

– Och, one by chciały coś dostać – powiedziała Amanda, obiegając Louisę z drugiej strony. – Oboje jedzą marchewkę, a mamy tony marchwi w piwnicach. Tato nie lubi marchewki.

– A skąd wy to wiecie?

– Nie wiemy – rzuciła Fleur. – Ale my nie lubimy marchewek, a jeśli będziesz uważać, że i tato ich nie lubi, to nie będzie ich w posiłkach.

Amanda zwróciła ku Louisie duże niebieskie oczy.

– Wtedy i Sonet dostanie ich więcej.

– Ależ z was para kokietek. Spodobacie się bardzo Ich Wysokościom, ale nic was nie uchroni przed zjedzeniem marchewki od czasu do czasu. Musicie się pogodzić z takim losem z godnością.

Wzmianka o rodzicach Louisy wywołała wiele pytań i mnóstwo domysłów: „a co, jeśli...": „A co będzie, jak książę i ksieżna zechcą, żebyśmy z nimi zamieszkały?" – lecz Louisa nie miała zamiaru składać swoim rodzicom pierwszej poślubnej wizyty w starej, wygodnej sukni, w której chodziła po zabudowaniach gospodarczych.

Wysłała dziewczynki do ich pokoju, aby tam przygotowały listę prezentów odpowiednich dla Soneta i Lady Ophelii, wzięła listy, które nadeszły tego dnia, i skierowała się do biblioteki.

Jednak przed drzwiami stanęła jak wryta.

Charakter pisma zdradzał, czym był jeden z listów. Louisa włożyła go na spód pliku, zamknęła za sobą drzwi do biblioteki i podeszła do biurka Josepha.

Zanim złamała pieczęć listu, wydobyła wstrętny anonim, który znalazła niedawno w księdze rachunkowej z Surrey, i porównała charakter pisma.

Ktoś chce nas pogrążyć. Ktoś, kto obrzydliwie bazgroli.

Otwarła list i szybko przebiegła wzrokiem jego treść, zanim Joseph zastanie drzwi zamknięte na klucz i poważnie się zaniepokoi.

Czy Twój mężuś się nie zdziwi, kiedy odkryje, że poślubił damę z wyobraźnią dziwki? Czy nie zaskoczy to całej socjety? Myślę, że nieco brzęczących monet mogłoby oszczędzić Ci tej hańby... albo raczej mnóstwo monet.

Louisa nie wrzuciła tego listu w ogień, choć miała na to wielką ochotę. Zamiast tego wsunęła go do kieszeni i otworzyła drzwi, a potem siadła z powrotem przy biurku Josepha.

Wymyślenie czegoś konstruktywnego szło jej ciężko, po raz pierwszy odkąd sięgała pamięcią. Zgodnie z najnowszymi szacunkami Westhavena w obiegu pozostał zaledwie tuzin tych książek, ale wystarczył tylko jeden egzemplarz tego przeklętego wydania, a przyszłość Louisy – i najpewniej przyszłość jej małżeństwa – musiała legnąć w gruzach.

Spodziewała się, że niebawem, po kilku kolejnych anonimach, mających szarpać jej nerwy i doprowadzić ją do rozpaczy, nadejdzie żądanie pieniędzy. Miała je, co prawda – Joseph hojnie wydzielał jej pieniądze na prowadzenie domu, poza tym od lat oszczędzała pieniądze na drobne wydatki – ale nie rozwiązałyby one problemu, bo na tym szantaż by się nie skończył.

W tej trudnej sytuacji rysowały się dwa wyjścia. Pierwszym było zidentyfikowanie szantażysty i utarcie mu nosa. Drugie, równie niełatwe, polegało na namierzeniu wszystkich pozostałych egzemplarzy książki i zniszczeniu ich.

A oba z tych rozwiązań wymagały ni mniej, ni więcej, tylko cudu, by przynieść pożądany skutek.

– Poszukuję pewnej książki.

Christopher North obrzucił klienta oceniającym spojrzeniem: porządne ubranie, choć mankiety wystrzępione, szew przy łokciu palta zaczynał się pruć, a czubki drogich butów wyglądały na podniszczone i wymagały pastowania.

Wysoka pozycja, ale bez klasy.

– Szczycę się tym, że wiem, co mam na stanie, sir. Jakiej książki pan szuka?

– *Wierszy dla kochanków*. To niewielki tomik, oprawiony w czerwoną skórę, bardzo ładny, i wiem, że go pan ma, bo zastawiłem mój egzemplarz ledwie dwa tygodnie temu razem z pudłem innych książek o podobnym charakterze.

Ten młody szlachcic przekręcił tytuł. Jeśli chciał wejść w posiadanie czegoś tak cennego jak egzemplarz niewielkiej edycji tomiku poezji – zresztą bardzo dobrej poezji – to powinien przynajmniej poprawnie zapamiętać jego tytuł.

– Obawiam się, że zaszło tu drobne nieporozumienie, mój przyjacielu. – North obdarzył klienta uśmiechem, choć ten wyglądał tak, jakby nie darzył rozmówcy przyjaznymi uczuciami. – Jestem właścicielem księgarni, sprzedaję książki. Nie prowadzę lombardu i mam nadzieję, że jako właściciel tejże...

Przybysz przeciął powietrze wielką dłonią.

– Oszczędź mi pan takich handlowych szczegółów. Chcę odzyskać tę książkę, i to zaraz, jeśli łaska.

I do tego świąteczne powinszowania.

– Książka ta trafiła do rąk innego klienta i wątpię, czy będzie skłonny ją zwrócić.

Choć North starał się wyrazić to ze współczuciem, w sercu wiedział, że tamten mały tomik trafił do odpowiedniego nabywcy. Konesera dobrych książek, znającego się na rzeczy.

– Jak wyglądał tamten klient? Był to człowiek z miasta? Potrzebna mi ta książka.

– Czyżby na prezent?

Jeśli North się nie mylił, chytrość w oczach tamtego zdradzała próbę okłamania go.

– W pewnym sensie będzie to prezent. Obszedłem wszystkie księgarnie w okolicy, żeby znaleźć inny jej egzemplarz, ale nikt nie miał jej do sprzedania. Wiem, że była w pudle, które mój człowiek tu przyniósł. Powiedzże mi, gdzie można odszukać tamtego nabywcę... jego nazwisko albo herb na pierścieniu lub powozie... a wtedy nie będę więcej pana nachodził.

Przybysz nie zaproponował zapłaty za tę informację, nie udawał nawet, że ogląda książki na półkach, aby coś kupić.

Pani North niewiele miałaby do powiedzenia takiemu osobnikowi.

– Obawiam się, że dżentelmen, którego pan szuka, nie nosił sygnetu i nie przybył tu powozem, na którym mógł widnieć herb czy godło. – W rzeczywistości sir Joseph oczywiście pozostawił swoją kartę wizytową i dokładny adres, lecz North nie miał zamiaru wspominać o tym temu żałosnemu indywiduum.

– A podał imię albo nazwisko? Skoro kupił książkę, musiał powiedzieć, gdzie mieszka, albo mieć przy sobie trochę pieniędzy.

– Zapłacił gotówką i nie wiem o nim nic ponad to, że wybierał się na święta na wieś. – North uśmiechnął się od ucha do ucha na widok panien Channing, swoich stałych klientek, poczciwych staruszek, które namiętnie czytywały książki w kilku językach.

– Co jeszcze nabył?

Na podstawie ponurej miny na twarzy rozmówcy i sposobu, w jaki trzepnął rękawiczkami o udo, North doszedł do wniosku, że klient ten jest nie tyle zdeterminowany, ile wręcz zdesperowany. Ta książka nie powinna wpaść w ręce kogoś podobnego. Nawet pani North uznałaby w takiej sytuacji, że należy skłamać.

– Wyglądał na wielce uczonego dżentelmena, wybrał trzy tomiki hiszpańskich wierszy utrzymanych w podobnym tonie, trzy egzemplarze *Podróży Guliwera* oraz książkę o dziejach wyścigów konnych w Surrey.

Młodego szlachcica zaintrygował w tym potoku informacji tylko jeden fakt.

– W Surrey?

A to pech.

– Kupował w pośpiechu. Dżentelmen ten na pewno nie był elegantem, jeśli to kierunek, w którym podążają pańskie myśli. – Choć jednak wyglądał na doświadczonego jeźdźca.

Chmurna twarz zdradzała myślenie.

– Skąd taki wniosek?

North zapragnął, żeby ten irytujący gość poszedł już sobie z jego sklepu. Uśmiechnął się z przesadną łagodnością.

– A po cóż elegantowi trzy egzemplarze *Podróży Guliwera*? – W dobrym kłamstwie zawsze tkwi ziarno prawdy. – Nadto człowiek ten nieznacznie utykał. Wątpię, czy kusiłoby go narażanie się na nową kontuzję w sporcie jeździeckim... Poza tym lubi także poezję. Jakiż to elegant rozwodzi się o poezji po hiszpańsku?

Twarz przybysza rozchmurzyła się, ale w jego oczach znowu zagościła chytrość, gdy mruknął do siebie:

– Kuleje, lubi poezję, mówi po hiszpańsku, ma posiadłość w Surrey i kupił trzy egzemplarze *Podróży Guliwera*. Nie nosi sygnetu ani nie ma herbu.

– I nie podał imienia ani adresu, które mógłbym panu wyjawić. – Była to prawda, a jednak North miał niemiłe wrażenie, że nie uczynił dość, aby udaremnić temu kundlowi wytropienie sir Josepha. – Czy mógłbym pokazać panu inne tomiki z poezją?

Naprzykrzający się człowiek już naciągał rękawice i zarzucał szal na szyję z takim rodzajem rozmachu, który młodzi ludzie uznają za męski urok. Zamiast chytrego spojrzenia pojawił się uśmiech, który przyprawił Northa o lekką niestrawność.

– Nie musisz mnie pan zadręczać tomami poezji, ale jeżeli znajdziesz jakieś kopie tamtej książki, to masz je dla mnie zatrzymać.

Drzwi trzasnęły z wesołym brzękiem przyczepionego do nich dzwonka, a North miał nadzieję, że sir Joseph i jego dama spędzą święta bez konieczności znoszenia wizyty tego próżnego grubianina, który właśnie wyszedł z księgarni. North uczynił, co w jego mocy, aby takiej wizycie zapobiec, z czym pani North na pewno by się zgodziła.

Zwrócił się z uśmiechem do panien Channing i wyciągnął ku nim ręce.

– Moje drogie panie, jakiż to piękny dzień, kiedy zaszczycacie moje progi swoją obecnością. Co takiego was zaciekawiło w dzisiejsze urocze świąteczne popołudnie?

15

Człowiek, który martwi się o to, że jego ulubiona maciora mogła paść ofiarą migreny, rzeczywiście znalazł się w żałosnej sytuacji. Lady Opie nie była tak towarzyska jak zwykle, a mimo to miała dobrą wagę – właściwie imponującą – i nie wydawało się, aby jej czegokolwiek brakowało.

Sir Joseph zostawił ją, grzebiącą bezładnie w słomie, gdyż Sonet cichutko zarżał do niego z sąsiedniego padoku. Podszedł powoli do płotu i podrapał wałacha po grzywiastej brodzie.

– Bezwstydny żebraku. Pewnie też chcesz marchewkę?

Odwiedziny u konia dały mu okazję do opóźnienia o kolejne pięć minut wizyty u rodziców Louisy, a więc Joseph skierował się do pomieszczenia z siodłami, gdzie trzymał zapasy marchwi.

Co powiedzą Ich Wysokości na gromadkę nieślubnych dzieci Josepha? Moreland nie był święty przed swoim ślubem – podobnie jak większość jego synów – ale ograniczył liczbę swoich bękartów do dwóch i wychowywał ich pod własnym dachem.

Joseph wybrał jakąś dobrze wyglądającą marchewkę i odgryzł koniec, a gdy go przeżuwał, dostrzegł nagle złożony liścik leżący na siodle Soneta.

– Do diabła. – Rozpoznał charakter pisma. Ta cholerna rzecz leżała tutaj, gdzie każdy chłopak stajenny mógł ją zobaczyć i przynieść do domu.

Żadnego adresu, tylko nazwisko, nawet bez sir.

Carrington...

Ostatni człowiek, który spłodził dwunastu bękartów, przynajmniej nosił koronę i nadawał tytuły swoim potomkom. Co Ty pozostawisz swym dzieciom w spadku poza skandalem i zniesławieniem? I pomyśleć, że wydanie kilku szylingów – lub nieco więcej – mogłoby zaoszczędzić Ci tego wstydu.

– Cholera jasna... – Zmiął kartkę w dłoni ze złością i zachciało mu się wyć. Być może pojawi się więcej takich listów i gróźb, a kiedy ten biadolący tchórz, próbujący wykorzystywać niewinne dzieci dla zysku, się pokaże, będzie kolejny pojedynek, co najmniej jeden.

Na myśl o tym Joseph, wychodzący ze stodoły, przystanął. Wycelował i rzucił marchewkę, która wylądowała tuż przed pokaźnymi kopytami Soneta.

Tylko jeden człowiek wiedział o tym, jak duży jest osobisty majątek Josepha, i jednocześnie miał pewne domysły co do charakteru jego posiadłości w hrabstwie Surrey. Ten człowiek potrzebował też pieniędzy i miał podstawy, by żywić do Josepha urazę.

Nazajutrz była Wigilia i Joseph nie miał zamiaru spędzić świąt na poszukiwaniu Lionela Honitona i mieszaniu z błotem tego żałosnego napuszonego drania w koronkach. Przyrzekł sobie jednak w duchu, że początek nowego roku z pewnością zapadnie Honitonowi w pamięć.

– Żono, wygląda na to, że ten list cię martwi.

Louisa podniosła wzrok i ujrzała męża, który stał przy drzwiach ich prywatnego saloniku i patrzył na nią.

– To od Sophie. – Przeszła przez pokój i podała mu kartkę. – Pisze, że w Sidling będzie dzień wypieków, żeby dać czas Ich Wysokościom na przygotowanie przyjęcia w ich domu i usunąć moich braci z Morelands, żeby się tam nie pętali pod nogami.

A Louisa bardzo chciała zobaczyć się ze swoim rodzeństwem, ale też pragnęła tulić się w objęciach męża i obnażyć przed nim duszę.

Zerknął na list.

– Nie wierzę, żeby twoi bracia mogli w czymkolwiek pomóc w kuchni.

– Rothgreb zbierze wszystkich w swoim gabinecie i będą popijać ajerkoniak z przyprawami, słuchając jego opowieści.

Coś w wyrazie twarzy Josepha stało się trudniejsze do odczytania. Wciąż stał w drzwiach.

– A zatem nie będziesz potrzebowała mojego towarzystwa?

To było pytanie, ale zabrzmiało niemal jak stwierdzenie. Louisa wzięła Josepha za rękę i wciągnęła do pokoju.

– Oczywiście, że będę potrzebowała. Moje siostry więziłyby mnie do wiosny, pytając o moje życie małżeńskie i nasze córki, i o to, jak nazwiemy naszego pierworodnego.

– Przerażająca gromadka te twoje siostry.

Louisa splotła palce z palcami Josepha i pocałowała go w usta tylko dlatego, że byli sobie poślubieni i mogła to zrobić.

– Wesoła gromadka. Papa uważa, że mamy to po nim, ale widziałam, jak Jej Wysokość na niego patrzy, kiedy myśli, że nikt inny tego nie widzi.

– Louiso Carrington, zgorszysz nowożeńca.

Żartował, ale słowo „zgorszysz" skojarzyło mu się ze skandalem.

– Josephie, wybierz się ze mną do Vima i Sophie. Dziewczynki będą zawiedzione, jeżeli nie pojadą do Morelands, ale zajmą się wycinaniem płatków śniegu i gwiazdek i przygotowywaniem życzeń.

– Masz na myśli: marnowaniem drogiego papieru.

Ta uwaga nie była w jego stylu.

– Czy coś złego się stało, Josephie?

Zawahał się i przez chwilę Louisa była niemal pewna, że dowiedział się o książkach z poezją i całym tym zamieszaniu.

– Twoja rodzina w komplecie przypomina mi atak francuskiej kawalerii. Przypuszczam, że musi nacierać, choć Rothgreb nie pozwoli im mnie poturbować.

– Mężowie moich sióstr też na to nie pozwolą. A tak przy okazji to myślałam, że podobało ci się, jak zostałeś poturbowany minionej nocy.

Jej z pewnością podobało się poturbowanie go.

Zamknął drzwi i przekręcił w nich klucz z cichym kliknięciem, a jego twarz przybrała nagle bardzo skupiony wyraz.

– Nazywasz to poturbowaniem, Louiso? Te słodkie i czułe pieszczoty zarumienionej młodej żony?

Zaczął rozpinać swoją kamizelkę, a serce Louisy zabiło szybciej.

– Musisz się wiele nauczyć, żono. – Jego buty spadły na podłogę, wydając dwa głuche odgłosy. – Zawsze z przyjemnością będę cię uczył.

– Josephie, to środek dnia. Jestem zupełnie ubrana...

– Temu można szybko zaradzić... gdy zajdzie potrzeba. – Ściągnął koszulę przez głowę i Louisa zobaczyła guzik przelatujący przez pokój i lądujący na parapecie.

– Sir Josephie Carrington, chyba nie myślisz poważnie o... Och!

Wziął ją na ręce i podniósł, opierając o pierś.

– Nie myślę, moja kochana. Myślenie jest dla uczonych i skruszonych uczniaków. – Wkroczył z nią do sypialni i położył ją na łóżku, po czym nakrył swym półnagim ciałem.

Nie wybrali się do Sidling jeszcze przez godzinę, podczas której zarówno sir Joseph, jak i jego nowo poślubiona małżonka zostali całkowicie, czule i wspaniale poturbowani.

Louisa przytuliła się do prawego boku Josepha, mając nadzieję, że ciepło jej ciała choć trochę ogrzeje jego nogę w chłodnym wnętrzu powozu. Noszenie jej na rękach po pokojach i tarzanie się z nią nie było mądre z jego strony.

– Powinniśmy nakazać, żeby przez cały czas trzymali w kuchni nagrzane cegły, kiedy moja rodzina jest w okolicy. W ciągu najbliższych dwóch tygodni będzie pewnie sporo wizyt.

– Obsadzimy garnizon?

Objął Louisę ramieniem, ale dosłyszała w jego głosie niezadowolenie.

– Nie przywykłeś do rodziny, prawda?

Westchnął cicho jak mężczyzna nieprzywykły do odpowiadania na pytania, a tym bardziej stawiane przez żonę.

– Wcześnie straciłem rodziców, a potem wychowywały mnie dwie niezamężne ciotki, po których Fleur i Amanda mają imiona. Rodzina jest kochana, zwłaszcza zaślepieni miłością starsi krewni, a nie widzę, żeby Windhamowie mieli choć jednego takiego.

– Daj im jeszcze kilka dekad.

Louisa poczuła, jak Joseph muska jej skroń, co spowodowało, że sama westchnęła. Był zaskakująco czuły, kiedy znajdowali się sam na sam.

– Czy zaczęłaś już szukać jakiegoś miejsca odpowiedniego na cele charytatywne, żono? Westhaven będzie spoglądał na mnie z góry w zamyśleniu przez następne pięć lat, jeśli nie wywiążę się z tej umowy.

– On tak robi, prawda? Patrzy na kogoś z góry melancholijnie. Kiedy tak spogląda na Annę, porusza się na krześle i niemal się uśmiecha.

Po czym nastąpiła opowieść o rodzinnym drzewie genealogicznym: Anna i Westhaven, Emmie i St. Just, Sophie i Sindal, Valentine i Ellen, Maggie i Hazelton, a także – wciąż jeszcze niezamężne – Eve i Jenny, z którymi Joseph kiedyś tańczył. Do spotkania w domu było wystarczająco dużo czasu, by zacząć rozprawiać o wuju Tonym, cioci Gladys i kuzynach.

– Oddział straceńców przystępuje do ataku – wymamrotał, pomagając Louisie wysiąść z powozu.

– To pierwszy oddział szturmujący wyłom w murze dokonany podczas oblężenia – powiedziała Louisa, spoglądając na niego z ciekawością. – Przykre porównanie, Josephie.

– Być może. – Położył jej dłoń na swoim ramieniu. – Ale ci, którzy przeżyli szturm, zwykle dostawali awans i najlepsze łupy wojenne.

– Wydaje mi się, że nacieszyliśmy się już łupami – zauważyła Louisa, gdy zbliżali się do dworu w Sidling. – Na kogo zostaniesz awansowany?

– Na szwagra.

Nie wydawał się zadowolony z tej perspektywy, a Louisa musiała przyznać, że w starym domostwie zebrała się rzeczywiście chmara Windhamów. Louisa witała się i całowała, a także ją witano i całowano długo i radośnie, po czym siostry odciągnęły ją w stronę kuchni.

Westhaven chwycił ją za rękę, zanim została uprowadzona.

– Muszę zamienić słówko z damą sir Josepha, jeśli tylko może ona poświęcić chwilę swojemu staremu kochanemu bratu.

Westhaven był kochany. Nigdy natomiast nie będzie stary, w każdym razie nie w tak nieszkodliwy sposób, jak to sugerował. Louisa objęła ramieniem brata.

– Skoro mój mąż został zaciągnięty do gabinetu, żeby odsiedzieć swój wyrok z innymi starymi i drogimi kolegami przy kominku, to mam dla ciebie wolną chwilę.

Westhaven zaprowadził ją do małego, nieogrzewanego salonu. Był to wygodny pokój, pełen haftowanych poduszek, promieni zimowego słońca i oprawionych w ramki szkiców uśmiechniętych ludzi – prawdopodobnie rodzinna bawialnia.

– Dobrze wyglądasz, Lousio. Ufam, że małżeństwo ci służy?

Zabrzmiało to jak zwyczajne pytanie brata, ale Louisa zauważyła, że Weshaven naprawdę się o nią martwi i stara się tego nie okazywać.

– Małżeństwo z sir Josephem bardzo mi służy. Przypuszczam, że szybko przysporzymy kolejnych wnuków Ich Wysokościom na dowód tego, jak dobrze do siebie pasujemy. – Wysunęła rękę z jego dłoni. – Czy jeszcze chcesz mnie o coś zapytać, czy też mogę już iść i dostać należną mi porcję ciasta, podczas gdy z kolei moje siostry będą mnie wypytywać?

Postukał ją w nos w nietypowym dla siebie geście.

– Jeszcze chwilkę. Mam dla ciebie prezent. – Westhaven sięgnął za krzesło i wyciągnął stamtąd płócienny worek.

– Coraz modniejsze jest owijanie podarków w ozdobny papier lub materiał. – Worek przewiązany był czerwoną kokardą, co bez wątpienia stanowiło ukłon brata w stronę świątecznych zwyczajów.

– Otwórz to, Lou. Wesołych świąt od nas wszystkich i od Victora też, jak sądzę.

Wspomnienie o bracie, który przegrał walkę z suchotami kilka lat wcześniej, sprawiło, że Louisa spojrzała bacznie na twarz Westhavena.

– Nie musiałeś mi niczego dawać, wiesz o tym. Gdyby to nie było dla mojej rodziny, dwieście egzemplarzy grożących skandalem wciąż znajdowałoby się w obiegu. A tak jest tylko dwadzieścia siedem...

Pokręcił powoli głową.

Świąteczna radość ze spotkania z rodziną wymieszana z lekką irytacją na ostentacyjne zachowanie Westavena znikła, pozostawiając Louisę w przekonaniu, że chwila ta jest ważna i godna zapamiętania.

Rzuciła wstążkę na krzesło i zajrzała do worka. Znajdowało się tam mnóstwo małych czerwonych woluminów, niektóre zużyte, inne w stanie idealnym, wszystkie zaś noszące tytuł jej potencjalnej zguby.

Louisa Windham Carrington znała wiele języków, zarówno dawnych, jak i współczesnych. Korespondowała z uczonymi z takich dziedzin jak astronomia, matematyka, nauki przyrodnicze i ekonomia. Przeczytała więcej łacińskich książek niż najwięksi erudyci z Cambridge i potrafiła wyrecytować więcej wierszy niż geniusze literaccy z Oksfordu.

Bratu powiedziała jednak tylko dwa słowa:

– Dziękuję ci.

– Wszystkie są tutaj oprócz jednej – rzekł Westhaven. – Możemy spokojnie założyć, że ta jedna znajduje się na dnie rzeki, została pochowana wraz z jakimś zacnym kawalerzystą na Kontynencie lub też osiada na niej kurz na strychu jakiegoś starego zrzędy. Twoje kłopoty się skończyły, Lou. Trwało to lata i wymagało wysiłku całego rodzeństwa, a także niektórych szwagrów czy szwagierek, ale dzięki Bogu i jego aniołom znaleźliśmy wszystkie tomy.

Uśmiechał się z triumfem, zadowoleniem i tkliwością, a kiedy Louisa pozwoliła bratu się objąć, przyznała w duchu, że połączyła ich chwila wdzięczności, rodzinnej miłości i lojalności.

I wszystko zapowiadałoby się bardzo dobrze, gdyby Louisa naprawdę myślała, że ostatnia czerwona książeczka faktycznie leży na dnie jakiejś nieznanej rzeki.

Wiedziała jednak, że tak nie jest. Ostatni, najważniejszy egzemplarz tej piekielnej książki znajdował się w liliowobiałych rękach człowieka, z którym tańczyła walca. Mężczyzny, któremu okazała uprzejmość, a którego trzeba było powstrzymać za wszelką cenę.

– Bardzo podobają nam się święta – oznajmił regent, przeżuwając kęs puddingu z suszonych owoców. – Paskudna pogoda, to prawda, ale dobrego jedzenia i przyjaciół pod dostatkiem. Niech no spojrzę jeszcze raz na menu.

Pomachał pulchnymi palcami w stronę starszego rangą lokaja, który dostarczył wymagane dokumenty – zawierające pięć stron – wyjąwszy je z misternego sekretarzyka stojącego nieopodal kominka.

Jego Królewska Mość uniósł wzrok znad tacy.

– Humbug, zerkasz na mój pudding jak głodny śmieciarz. To nieodpowiednie zachowanie, staruszku.

Hamburg skierował wzrok ku cherubinom radośnie hasającym na suficie.

– Czy myślisz, że osiem deserów to... och, tak nie może być. Nie ma żadnego czekoladowego. Nasi przyjaciele uwielbiają czekoladę.

Przyjaciele Jego Królewskiej Mości byli rodzaju żeńskiego, a raczej była to jedna przyjaciółka. Hamburg i lokaj wymienili spojrzenia potwierdzające ich wspólną opinię na temat zmiany menu w chwili, gdy w kuchni już dawno rozpoczęto przygotowywanie świątecznych potraw.

– A może podarować gościom czekoladki, Jego Królewska Mość, lub podać je między poszczególnymi deserami?

Kolejna porcja świątecznego puddingu znikła w królewskiej gardzieli.

– Przypuszczam, że możemy tak zrobić. Kiedy stąd wyjdziesz, przyślij do mnie Mortensona. Będzie biadolił nad wydatkami, ale przecież to święta, czyż nie? Sklepikarze będą się chlubić przez lata, jakie to mieli od nas zamówienia.

– Przez dziesiątki lat. – Jeśli się weźmie pod uwagę wielkość zamówienia dotyczącego słodyczy.

– Humbug, czy próbujesz wkraść się w nasze łaski?

No cóż, owszem, próbował, ponieważ słońce chyliło się ku zachodowi, a Hamburg Senior uważał, że najlepiej wprawiać się w świąteczny nastrój wieczorami i nie tylko rozwijając się spirytualnie, ale i za pomocą spirytualiów, dopóki ktoś nie znajdzie się pod ręką, by pohamować jego świąteczny zapał.

– Oczywiście, że nie, Wasza Królewska Mość.

– Wolałbym inną odpowiedź, ale pozwolimy ci na szczerość. Jednak byłeś zbyt sumienny i dlatego musisz zostać ukarany za swoją cnotliwość.

Tylko w królewskim domu dobry człowiek bywa karany za cnotliwość.

– Żyję po to, żeby służyć Jego Królewskiej Mości.

Regent uśmiechnął się ironicznie.

– Żyjesz, żeby się na to skarżyć, a więc dogodzimy twoim skłonnościom. Musisz znaleźć sir Josepha Carringtona i poinformować go o jego tytule w pierwszy dzień świąt. Chcielibyśmy jasno wyrazić, że odczuwamy szczególną sympatię dla naszego lojalnego poddanego w rocznicę Bożego Narodzenia, zwłaszcza że ten drogi nam człowiek zamierza zwolnić parafie z konieczności przekazywania datków na utrzymywanie pułku urwisów.

Hamburg patrzył, niemal wbrew sobie, jak królewskie siedzeniek unosi się znad miękko wyściełanego krzesła.

– Dokumenty z nadaniem tytułu są… – Regent rozejrzał się po pokoju. – Ach tam, na obudowie kominka. – Pstryknął palcami. – Proszę je podać.

Lokaj, który przyniósł wcześniej menu, podał teraz władcy odpowiednie dokumenty udekorowane licznymi wstęgami.

– Rozumiem, że Wasza Królewska Mość chce, żeby to dostarczyć w pierwszy dzień świąt Bożego Narodzenia?

– W drugi dzień nie zrobiłoby to już takiego wrażenia, prawda? Drugiego dnia nagradza się kupców i wręcza niższe rangą ordery.

– Oczywiście, a zatem w pierwszy dzień świąt.

– Otóż to. No widzisz? Jesteś nieszczęśnikiem i musisz za to podziękować swojemu wysokiemu urzędowi. Sir Joseph prawdopodobnie zabrał swoją młodą żonę do posiadłości rodowej w Kent. Jeżeli teraz wyruszysz, masz szansę zrobić furorę na dorocznym przyjęciu rodzinnym w domu Morelandów. Ale uważaj na poncz. Jej Wysokość nie pozwala, żeby gościom doskwierało pragnienie, a jej trunek nie tylko jest pyszny, ale także nieźle idzie do głowy.

Zupełnie jakby książę Moreland żłopał poncz jak pachołek z Carlton House. Lokaj pokręcił lekko głową ze współczuciem, podczas gdy regent usiadł, by pochłonąć resztę puddingu.

– Możesz wziąć jeden z powozów. Czwórka koni powinna wystarczyć. Z szóstką może być kłopot, jeśli drogi są błotniste. I dwóch forysiów w pełnej liberii, znasz zasady.

– Oczywiście. Czwórka koni, dwóch forysiów. – To sprawiało, że propozycja podróży zaczęła się przedstawiać w zupełnie innym świetle. Królewskie powozy były nadzwyczaj przestronne, a hrabstwo Kent znajdowało się niezbyt daleko. Poza tym, gdy kareta księcia Walii pędziła drogą, wszyscy przystawali, by się w nią wpatrywać.

– Idź już. – Królewska dłoń pomachała ospale. – Wesołych świąt, Humbug, a Crenshaw ma dla ciebie coś małego na rozgrzewkę w podróży.

Mocno zbudowany młody osobnik w peruce i liberii lokaja stanął w drzwiach, trzymając drewniany pojemnik, który wyglądał na... pełen butelek.

– Wasza Królewska Mość, jadę tylko do Kentu.

– Sio! Potrzebujemy ciszy i spokoju, żeby zastanowić się nad naszym menu.

– Wesołych świąt i dziękuję.

– Wesołych świąt, Humbug, i uważaj, żeby nie upić woźnicy. Nasze konie są cenne.

Josepha uratowała jedynie pora, w jakiej przybył posłaniec. Przyjechał akurat wtedy, gdy Louisa była na górze i kończyła swoją toaletę. Gdyby przybył dwadzieścia minut wcześniej lub później, Louisa dowiedziałaby się o śmierci starego Hargrave'a w tym samym momencie co Joseph.

– Nie cierpiał na koniec, sir... to znaczy, milordzie.

– Sir jest w porządku. Jeszcze oficjalnie nie zmieniłem tytułu. – Oby tylko Bóg pozwolił, żeby rozwikłanie spraw prawnych zabrało całe miesiące. Tytuły szlacheckie nieczęsto wydobywano z zawieszenia i Joseph z pewnością nie zamierzał przyspieszać tego procesu.

Posłaniec, starszy już człowiek, sprawiał wrażenie, jakby chciał się sprzeciwić Josephowi, który nie życzył sobie formalnego tytułowania, ale wystarczyło raz spojrzeć na Carringtona, by już go tak nie tytułować.

– Oczywiście zapraszam na świąteczny poczęstunek – rzekł Joseph. Posłaniec wyglądał na podstarzałego dżokeja; był mały, ze zmarszczkami na twarzy i zarazem o nieco chłopięcym wyglądzie. – Kucharka nakarmi pana do syta, a naczynie z ponczem z pewnością zostało wystawione w holu dla służących już kilka dni temu.

– Byłoby miło wypić kapkę grogu, Wasza Lor... sir. Stary, to znaczy pan Sixtus Hargrave Carrington, dał mi list do pana i prosił o przekazanie wiadomości.

Joseph przyjął złożony na pół arkusz papieru, posypany piaskiem i zalakowany, ze swoim nazwiskiem na zewnętrznej stronie.

– Dziękuję. Jaka to wiadomość?

Mały człowieczek pociągnął się za poczerwieniałe ucho.

– Powiedział, żeby koniecznie życzyć panu wesołych świąt, ponieważ dla niego to były najlepsze święta od pięćdziesięciu lat.

– A co z wdową po nim?

Utrata małżonka w porze świąt z pewnością nie była łatwa do przyjęcia.

– Trzeba było zobaczyć kawalerów, którzy się przy niej kręcą... mil... sir. Ona się z tego otrząśnie, a pan Carrington nie pożałowałby jej niczego. Opiekowała się nim, kiedy żył. Nie wymagałby od niej więcej.

Joseph pokiwał głową i ściągając brwi, spojrzał na list.

– Proszę iść do kuchni i dziękuję, że dostarczył mi pan wieści osobiście.

Niewysoki człowieczek odszedł, kiwając głową i zostawiając Josepha samego z ostatnią wiadomością od Sixtusa Hargrave'a Carringtona. Joseph niechętnie złamał pieczęć, ponieważ to, że miał coś do przeczytania od swojego krewnego, oznaczało, iż sprawy Hargrave'a na ziemskim padole nie zostały jeszcze zakończone.

Drogi Josephie,

kiedy czytasz te słowa, ja hasam sobie w niebiańskiej sferze wraz nimfami i muzami, odzyskawszy młodzieńczy wigor, którym Ty wciąż się cieszysz. Bóstwo spełniło moje największe świąteczne życzenie, kładąc wreszcie kres mym cierpieniom – nie pozwól sobie na to, by Je ganić za to, co i kiedy zrobiło, gdy Ciebie samego złoży choroba i pozbawi wszelkiej godności na stare lata.

Żałuję, że moje odejście z tego świata bez pozostawienia potomka oznacza, iż teraz Ty jesteś obarczony tym przeklętym tytułem, o którym mowa. Myślę jednak, że uznasz baronostwo za większe szczęście, niż mogłeś się wcześniej spodziewać.

Proszę, bądź dobry dla Penelopy. Choć taka młoda, była dla mnie dobrą żoną. Została dobrze uposażona, zgodnie z moimi życzeniami i jej pragnieniami. Ufam, że nie pozwolisz łowcom posagów wykorzystać jej szczodrej natury, gdy będzie mnie opłakiwać po mojej śmierci. Siedziba barona to wspaniałe miejsce, które miałem okazję odwiedzić ledwie kilka lat temu. Nie czekaj do sezonu polowania na kuraki, żeby zobaczyć ją na własne oczy. Moim ostatnim życzeniem przed śmiercią jest to, żebyś zabrał swoją nowo poślubioną żonę i wybrał się w podróż na północ do miejsca, które stanowi teraz Twoją rodzinną posiadłość. Yorkshire wiosną jest cudowne, idealne dla nowożeńców. Wierz mi, drogi chłopcze. Noś swój tytuł z dumą i honorem, a ja na zawsze pozostanę Twoim drogim krewnym.

Sixtus Hargrave Carrington

A niech to licho, bolało jak oparzenie.

Josephowi trudno było pogodzić się z myślą, że nigdy więcej nie usłyszy ochrypłego, bezbożnego śmiechu starszego kuzyna, że nie będzie już wymiany świątecznych listów między dwoma reliktami starego i niezbyt znakomitego rodu. Trudno było pogodzić się z tym, że Amanda i Fleur w pewnym sensie straciły resztkę rodziny, mimo że nie łączyły ich z nią żadne więzy krwi.

I bolesna była świadomość, że po wiekach starannego kreślenia drzewa genealogicznego z całymi pokoleniami Carringtonów, kiedy to starsi przedstawiciele rodziny przez stulecia przedstawiali na rysunku, która to gałąź rodziny mogłaby jeszcze wskrzesić tytuł, i zastanawiali się, kiedy nadejdzie ten szczęśliwy dzień, po tym wszystkim został tylko jeden Carrington – kulawy hodowca świń, nieprzyzwoicie bogaty.

– Josephie? – Louisa weszła do biblioteki po cichu. Wyciągnął do niej rękę, napawając się jej widokiem, ubranej w czerwoną aksamitną suknię ze złotym obrzeżem i białą koronką przy mankietach oraz biuście.

– Moja kochana. – Kiedy ujęła go za rękę, przyciągnął ją bliżej do siebie, obejmując ramionami i opierając policzek na jej włosach. – Jesteś przepiękna.

Objęła go w pasie.

– Ty sam okazałeś się całkiem przystojny, co mnie cieszy. Mama i papa zawitają tutaj kontrolnie, więc musimy się dobrze zorganizować i być uprzejmi i radośni.

– Radośni. – Co za pomysł? – Sixtus Hargrave Carrington umarł. – Od kiedy to małżeństwo oznaczało, że człowiek nie panuje nad swoją durną gębą? – Miałem ci o tym powiedzieć dopiero po świętach.

Przytuliła go mocniej.

– Przykro mi z powodu tej straty i wiem, że obawiasz się przyjęcia tytułu, ale to wcale nie musi być dla ciebie obciążeniem.

– Obawiam się. – Zastanowił się nad użytym przez nią słowem. – Zbyt delikatnie powiedziane. Muszę teraz brać udział w głosowaniach, przedzierać się przez te wszystkie grzecznościowe zaproszenia, zostawiać wszędzie wizytówki po przyjeździe do Londynu. Moje córki będą musiały debiutować w wyższych sferach...

Pocałowała go, żeby zamilkł. Przycisnęła usta do jego warg i nie odrywała ich, dopóki nie odwzajemnił jej pocałunku.

– Hm – westchnęła. – Zajmiesz taką pozycję, że będziesz mógł kierować sprawami państwa w Izbie Lordów niczym kapitan statkiem, Josephie. Jesteś urodzonym przywódcą i lepiej, żebyś to ty wziął na siebie odpowiedzialność niż jakiś artretyczny stary markiz zainteresowany jedynie ochroną własnych przywilejów i gnębieniem katolików.

– Ale to miasto, Louiso.

– Będziemy mieć tam rodzinę. Mąż Maggie został ostatnio wprowadzony na urząd, a wkrótce przyjdzie kolej na małżonka Sophie. Dzięki wpływom Jego Wysokości możesz się znaleźć w każdej komisji, jaką tylko sobie wybierzesz, a razem będziemy organizować w naszym domu tak interesujące przyjęcia polityczne, jakich nie było od lat.

Promień światła przeszył mroczny nastrój Josepha.

– Ani trochę cię to nie przeraża, prawda?

– Nie mam daru do kurtuazyjnych rozmów o niczym, Josephie, ale ludzie zajmujący się polityką również nie mają takiej umiejętności. Nasze mózgi uzupełniają się nawzajem, a twój zdrowy rozsądek nie ma sobie równych. Razem możemy dużo zdziałać.

Trzymał żonę w objęciach, zaciągając się jej cytrusowo-goździkowym zapachem, i w duchu dziękował Bogu, że ta kobieta zgodziła się go poślubić.

I wtedy przypomniał sobie o swoich podopiecznych w Surrey.

Czy baron przetrwałby skandal związany z posiadaniem licznych nieślubnych dzieci tak łatwo jak zwyczajny hodowca świń?

– Zostaniemy w domu, Josephie? – Przytulała się do niego mocno, tak mocno, że to, co dla większości mężczyzn było rozpustnymi igraszkami, ciało Josepha wręcz celebrowało. – Możemy wytłumaczyć się żałobą, i to będzie prawda.

– Nie zepsułbym nikomu świąt na samym początku. – Nadal nie wypuszczał jej z objęć. – Mój kuzyn był stary, z radością przyjął swoją śmierć i miał długie, przyjemne życie. Poza tym stajemy się właścicielami kolejnego majątku. Wybierz w końcu tę organizację dobroczynną, Louiso.

Wciąż stała przy nim, a dłoń gładząca jego bok zatrzymała się na chwilę, po czym podjęła pieszczotę.

– Czy możemy się trochę spóźnić, Josephie?

Na początku nie zrozumiał jej pytania, ale po zadaniu go pocałowała go lekko i przyjaźnie w usta, nieznacznie ściskając go za pośladek. W jego wyobraźni pojawił się nagle obraz Louisy przyciśniętej do ściany, z zadartą do góry suknią, i jego z penisem w cudownym gorącu jej wnętrza.

Była dostatecznie wysoka, aby to stało się możliwe, pod warunkiem że on zdołałby...

Jego noga nie wytrzymałaby powolnego miłosnego zespalania się, jakie pragnął jej zaoferować.

– Zdejmuj majtki.

Przesunął dłonią po jej piersi, wypuszczając ją z objęć, i zamknął drzwi na klucz. W jej kobiecym uśmiechu zawarł się cały świąteczny dobry nastrój i uśmiech ten stał się jeszcze bardziej promienny, kiedy Joseph usiadł na krześle i zaczął rozpinać spodnie.

– Spóźnimy się jeszcze bardziej, jeśli zostawisz mnie tutaj samego, żono, powiewającego na wietrze moimi częściami ciała, żeby cię rozbawić.

Jego ciało nie było całkowicie gotowe na przyjęcie gości, ale kiedy Louisa ściągnęła desusy i rzuciła je na biurko, lew w kołatce zdecydowanie się uniósł.

– Zastanawiałam się na tym. – Zerknęła na siedzącego na krześle męża. – Jak można...?

– Obejmij najpierw kolanami moje biodra, jakbyś siadała na mnie okrakiem. Spodziewam się, że po tym nastąpią pocałunki i najprawdopodobniej trochę małżeńskich igraszek.

Louisa zadarła suknię do góry i wdrapała się na Josepha, wykonując dokładnie to, co powiedział.

– A może – szepnęła mu do ucha – będziemy recytować sobie nawzajem poezję.

Uśmiechnęła się do niego promiennie, ani trochę niespeszona zaimprowizowanym aktem miłosnym, który miał się dokonać na krześle do czytania, stojącym przy kominku. W jej szelmowskim spojrzeniu widział czułość, a także odrobinę determinacji.

– Moja najdroższa żono, sama jesteś poezją.

Mogło to zabrzmieć jak głupi żart, ale kiedy aksamity i Louisa znalazły się na kolanach Josepha, wiedział, że mówi prawdę. Poruszała się wraz z nim i oddychała niczym poezja i przynosiła mu pociechę bardziej intymną niż jakiekolwiek słowa.

Kochali się niespiesznie, a ich zespolenie się niosło im głębokie pocieszenie. Joseph wstrzymywał się z dokończeniem aktu do czasu, aż Louisa doszła do szczytu rozkoszy przynajmniej dwa razy, a może i trzy – nie był pewien tych ostatnich błogich drżeń – a potem pozwolił, by fala rozkoszy zalała jego świadomość, gdy wprowadził swoje nasienie głęboko w ciało żony.

Kiedy nastąpił odpływ fali rozkoszy, Joseph przyciskał mocno twarz do wonnego biustu Louisy, a ona gładziła go delikatnie po włosach. Czuł się lepiej niż... lepiej niż kiedykolwiek.

– Nie odwiodłam cię od pojechania na przyjęcie do domu Ich Wysokości, prawda? – zapytała z ustami przy jego skroni, a i Joseph wyczuł w jej uścisku niezamierzony przejaw instynktu opiekuńczego.

– Twoi rodzice nie widzieli nas od ślubu, Louiso. Będą się martwić, jeśli wkrótce nie pochwalę się tobą przed nimi.

Chciał się nią chwalić. Pragnął, aby cały świat zachwycał się jego żoną, a mimo to nie spieszył się, żeby ją puścić i pozwolić sięgnąć po bieliznę. Kiedy wreszcie stanęła na nogach, podał jej swoją chusteczkę i powoli sam doprowadził się do porządku.

Odwróciła się do niego przodem, gdy wstawał niezgrabnie z krzesła.

– Czy mam włosy w nieładzie?

Cóż za zwyczajne, kobiece pytanie, chociaż Jospeh nie przypominał sobie, aby słyszał je choć raz w swoim poprzednim małżeństwie. Jednakże spodobało mu się, że go o to zapytała. Byli po ślubie dopiero tydzień, a Louisa już uznała, że może polegać na szczerości Josepha w tak osobistej sprawie.

Cieszył się, że wierzyła, iż będzie z nią szczery. Gdyby jednak naprawdę zasługiwał na jej zaufanie, jeszcze bardziej by się cieszył.

Jazda powozem do Morelands odbywała się dość powoli, gdyż padał lekki śnieg, zasłaniając koleiny znaczące zamarzniętą drogę.

Louisa zastanawiała się, czy każda para, przybywająca z dopuszczalnym opóźnieniem, zabawiała się przed wyjściem tak jak oni.

Tyle że to nie była zabawa. Joseph był tak... czuły, a jego dotyk pełen szacunku, zaś pocałunki składane na jej ciele wydawały się adoracją.

Moja najdroższa żono, sama jesteś poezją. Te słowa opadły na jej serce niczym róża rzucona przez kawalera swojej damie, lecz była to róża ciernista.

– O czym myślisz, Louiso?

Wsunęła rękę w jego dłoń, a on ją uścisnął.

– Myślę, że człowiek utytułowany jest baczniej obserwowany przez innych niż jego sąsiad bez tytułu, a mimo to jest ponad to.

– Nie filozofuj piętnaście minut po tym, jak kochałem się z tobą, tracąc rozum, Louiso Carrington. Moja duma na to nie pozwoli.

– Piętnaście minut po tym, jak ja kochałam się z tobą, tracąc rozum, Josephie Carrington.

Ucałował jej palce.

– Straciliśmy rozum. Stan godny litości.

Chociaż przemijający. Louisa przypomniała sobie o zamiarze wyznania mężowi prawdy na święta. Właśnie się zbliżały. Zanim odwaga zdołała ją opuścić, spytała:

– Josephie, czy miałbyś jutro ochotę na krótką wycieczkę?

Nie zapalił lamp w powozie i Louisa na szczęście mogła zadać mu to pytanie w mroku.

– W pierwszy dzień świąt Bożego Narodzenia, Louiso? Dokąd mamy jechać?

– To niespodzianka. Można tam szybko dotrzeć i wrócić akurat na świąteczny obiad.

Milczał tak długo, że Louisa zastanawiała się, czy Joseph w ogóle zamierza jej odpowiedzieć, po chwili jednak poklepał ją po dłoni.

– Jeśli pogoda pozwoli. Nie będę jednak dostępny w drugi dzień świąt. Mam nadzieję, że nie wydałaś wszystkich swoich pieniędzy przeznaczonych na drobne wydatki, żeby zafundować mi tę niespodziankę.

– Nie. – Chociaż liczyła na to, że propozycja wydania funduszy z jej posagu na jego prywatną organizację dobroczynną pozwoli jej poruszyć inny, trudniejszy temat, dotyczący małej czerwonej książeczki z wierszami.

– Czy możemy zabrać dziewczynki na tę wycieczkę, najdroższa żono?

– Nie wydaje mi się. Będą chciały zabrać ze sobą szczenięta, a nie przypominam sobie żadnych pozytywnych doświadczeń w podróży z udziałem szczeniaka i powozu, a tym bardziej dwóch szczeniaków, dwóch małych dziewczynek i powozu.

Powóz zwolnił, by skręcić w drogę prowadzącą do posiadłości Morelandów.

– W takim razie będę się cieszył, że mam cię dla siebie, Louiso Carrington. Przygotowałem dla ciebie pewien drobiazg z okazji świąt, bardzo mały.

– Czy mogę przez niego zobaczyć gwiazdy?

Usłyszała, jak Joseph chichocze w ciemności.

– Czy nie widziałaś ich wcześniej, nie unosiłaś się pośród nich, kiedy byłaś w moich ramionach?

– Wyszłam za człowieka z fantazją... za barona z wyobraźnią.

– Nic podobnego, Louiso. Obiecałaś, że będziemy siedzieć cicho do czasu, aż regent nie oznajmi tego oficjalnie.

Napomnienie nie zawierało żadnej aluzji do tego, że Joseph czuł się tak obarczony ciążącą nad nim groźbą tytułu, jak wtedy, gdy Louisa znalazła go w bibliotece. To, że mógł jej zaufać w tej sekretnej sprawie, zdać się na to, że ochroni jego prywatność... było darem. Świadczyło o sile małżeńskiej więzi, która połączyła ich w tak krótkim czasie, więzi, która być może nie połączyłaby z nią żadnego innego mężczyzny

Uwielbiała go za to. Kochała go za to, że wychowywał nieślubne dzieci swojej żony i nawet nie dociekał, kto jest ich ojcem. Za to, że bronił jej honoru, honoru damy, która miała zarówno ojca, jak i braci, bardziej predestynowanych do tego zadania. I za to, że zapoznał ją z Lady Ophelią i nadał córkom imiona swoich niezamężnych ciotek.

Uwielbiała go, ponieważ był sobą, hodował najszczęśliwsze świnie na świecie i uważał szlachecki tytuł za zaszczyt, który do czegoś zobowiązuje, a nie pretekst do próżniaczego i samolubnego życia.

– Czemu wzdychasz, Louiso?

– Wyliczam twoje zalety. Ich lista jest długa.

Powóz zwolnił na wielkim kolistym podjeździe przed rezydencją Morelandów. Wzdłuż podejścia stały pochodnie, a padający śnieg przypominał maleńkie gwiazdki na tle oświetlenia.

– Dodaj na początek tej listy, że od razu byłem przeświadczony, iż się z tobą ożenię, kiedy nadarzy się okazja, dobrze?

Naprawdę tak uważał. Choćby tylko z tego powodu Louisa zdobyła się na odwagę, by mu powiedzieć, że niemądra histeria, w jaką wpadła jako pensjonarka, mogła spowodować skandal, który pogrążyłby nowo mianowanego barona i jego rodzinę.

Jutro. Zdobędzie się na odwagę jutro.

16

Myślę, że Louisa wygląda wspaniale. Na litość boską, St. Just, zostaw trochę boczku dla reszty z nas. – Maggie, hrabina Hazelton, spiorunowała wzrokiem brata, a ten uczynnie podniósł chrupiący plaster, z którego ona po kobiecemu uszczknęła odrobinę.

– Mags, ominęłaś jego palce – stwierdził Valentine z drugiej strony stołu. – Zgadzam się z wami. Lou wygląda świetnie, a kiedy spogląda na swojego małżonka, wtedy naprawdę promienieje.

– Małżeństwo służy wszystkim Windhamom – zauważyła Anna, hrabina Westhaven, kiedy mąż dolewał jej herbaty. Odstawił dzbanek i poklepał żonę po dłoni w obecności wszystkich głodnych i rozplotkowanych braci i sióstr.

– Gdyby ktoś pytał mnie o zadanie... – zaczął.

– Ale nikt tego nie robi – wtrąciła Sophie.

– ...powiedziałbym, że to sir Joseph jest w doskonałej formie. Nigdy nie widziałem, żeby ktoś tak fachowo wiódł Louisę w walcu.

Valentine zatrzymał się w trakcie podkradania bekonu z talerza St. Justa.

– Naprawdę wyglądali świetnie. On jest wysoki, ciemnowłosy i prowadzi dochodowe interesy, na których i inni bardzo skorzystali.

Żona Valentine'a, Ellen, uniosła filiżankę z herbatą w pochwalnym geście, co Jego Lordowska Mość po drugiej stronie stołu przyjął do wiadomości, wykonując podobny gest cząstką pomarańczy.

– Szkoda, że sir Joseph musi przyjeżdżać tak późno i wyjeżdżać tak wcześnie, zamiast korzystać z gościnności tego domu i pozostawać na noc jak reszta z nas – oznajmiła Maggie. – Ale przecież są nowożeńcami.

– To nie ma z tym wiele wspólnego – odparł Valentine. – Westhaven, przestań tak wytrzeszczać oczy na Annę i podaj dalej ten dzbanek z herbatą. – Kiedy dzbanek zaczął krążyć wokół stołu, Valentine ciągnął. – Lou zamierzała zabrać dziś sir Josepha na wycieczkę do organizacji dobroczynnej, którą wybrała, i musieli wcześnie wyruszyć.

– Czy jest tu jeszcze w okolicy jakaś warta uwagi instytucja charytatywna, której Jej Wysokość i Sophie nie wspomagałyby już szczodrze? – spytał Westhaven.

– Nie tutaj – odezwał się Vim, baron Sindal, siedzący obok Sophie. – Louisa powiedziała nam, że w Surrey, niezbyt daleko stąd, ale śnieg może trochę utrudnić podróż.

Westhaven nie przestał pożerać wzrokiem swojej hrabiny, ale zatrzymał filiżankę z herbatą w połowie drogi do ust.

– Organizacja charytatywna w Surrey?

– Dom dla sierot z Półwyspu Iberyjskiego; angielscy krewni nie uważają za właściwie zabrać ich do siebie. – Zamiast dalej wyjaśniać, Sophie zajrzała do dzbanka z herbatą. – Pusty. Obyście wszyscy znaleźli dziś rózgę wśród swoich prezentów.

Sindal podał jej swoją filiżankę.

– Nasza siostra żyje po to, żeby nas ganić – rzekł St. Just, rozsmarowując pół pojemnika z masłem na swoim toście. – Nie możemy pozbawiać jej tych niewielu przyjemności.

– A co wy wiecie o moich licznych i różnorodnych przyjemnościach? – spytała Sophie, po czym ściągnęła brwi, spoglądając na hrabiego. – Westhaven, trudno uznać takie spojrzenie za zachęcające przy śniadaniu. Anno, pocałuj go lub znajdź jakąś użyteczną jemiołę i zaproponuj temu człowiekowi trochę odpoczynku...

– Znam w Surrey tylko jedną placówkę charytatywną, która zajmuje się nieszczęśliwymi dziećmi, które są wynikiem wyprawy naszego wojska na półwysep. – Weshaven odsunął krzesło. – Sir Joseph ma powody, by znać to miejsce, ale obawiam się, że Louisa nie została jeszcze poinformowana o żenująco bliskich powiązaniach swojego męża z tym przybytkiem. Jeśli się pospieszymy, być może złapiemy ich, zanim wyjadą.

Przy wtórze cichych przekleństw w rodzaju „o rany" i mamrotanych pod nosem „Boże dopomóż" nastrój przy stole nagle się zmienił.

– Jedź ze swoim bratem – powiedziała Emmie, hrabina Rosecroft, kładąc dłoń na ramieniu St. Justa. – I tak mieliśmy wpaść dzisiaj do Louisy z wizytą.

– Moje panie – Westhaven omiótł wzrokiem stół – może pojedziecie za nami powozem. Valentine, St. Just, spotkamy się przy stajniach za dziesięć minut.

Po tym nastąpiło ogólne szuranie krzesłami i przy stole pozostały tylko dwie osoby: przystojny, jasnowłosy baron Sindal, którego spotkał wielki zaszczyt poślubienia lady Sophie, oraz urodziwy brunet, hrabia Hazelton, który zdobył rękę lady Maggie.

– Nie możemy zostawić Carringtona, żeby sam sobie radził z gawiedzią – zauważył Hazelton. – To nie byłoby fair.

– A co gorsza musielibyśmy wysłuchiwać opowieści naszych szwagrów przez następne lata, a ich bohaterskie czyny rozrastałyby się przy każdej takiej okazji.

– Nie może tak być. – Ciemne brwi Hazeltona podskoczyły do góry. – Ciekawe, kogo oni ratują, Josepha czy Louisę?

– Może ich oboje?

Obaj mężczyźni wstali, wcisnęli do kieszeni cynamonowe bułki i skierowali się prosto do stajni.

Joseph objął żonę ramieniem, gdy powóz toczył się powoli.

– Nadal mi nie powiesz, dokąd jedziemy?

– To niespodzianka. – Jej uśmiech wyrażał zadowolenie z siebie i z tego, co szykowała.

– Chyba zacznę lubić niespodzianki.

Louisa nic nie odpowiedziała i przytuliła się do jego boku. Pierwszy dzień świąt Bożego Narodzenia rozpoczęła od cudownej niespodzianki, obejmując dłonią jego nabrzmiewający członek, kiedy Joseph rano przytulił ją od tyłu.

A wtedy on miał przyjemność ją zaskoczyć, biorąc ją w tej pozycji delikatnie i och, jak powoli, w posiadanie...

– Co ma oznaczać ten uśmiech, Josephie Carrington?

Nic nie uchodziło jej uwagi. Przebywanie w obecności kogoś o tak żywym umyśle było prawdziwą przyjemnością.

– Szczęśliwe wspomnienia świątecznego poranka.

– To najukochańsze szczeniaki, prawda? Ciekawe, jakie będą miały imiona.

Szczeniaki? Ach tak, szczenięta.

– Nadal uważam, że najlepsze będą: Westhaven i Rosecroft. A nowego osła możemy nazwać Valentine.

Zachichotała.

– Jak można było nie wiedzieć, że źrebak jest w drodze? I co z robisz z osłem, Josephie? Nie jest to dostojne zwierzę, które par mający zasiąść w Izbie Lordów lub były oficer kawalerii powinien posiadać.

– Jezus jeździł na ośle. Czy potrzeba lepszej rekomendacji dla tego stworzenia? Poza tym Clarabelle jest spokojna i cierpliwa dla dziewczynek. Mogą uczyć się na niej jeździć tej wiosny i będą gotowe, żeby przenieść się latem na kucyki.

Pozwolił, by jej napomknienie o nim jako parze mającym zasiąść w Izbie Lordów przeszło bez komentarza, ale dobrze wiedział, do czego Louisa zmierza. Stopniowo przygotowywała go na ten dzień, kiedy nie będzie już sir Josephem, lecz lordem Wheldrake. W ten ładny i mroźny świąteczny poranek ta myśl nie kojarzyła mu się z niczym innym, jak tylko z traumą ostatnich dni.

Kiedy przez kilka chwil jechali kołyszącym się powozem w milczeniu, przemierzając wiejskie okolice, Joseph uniósł dłoń Louisy do ust.

– Już wolę być zwykłym szlachcicem, którego wybrałaś na męża, Louiso. Jeśli mielibyśmy zostać obarczeni tytułem, to baronostwo nie wydaje się ciebie warte.

– Zabawny z ciebie człowiek. To jeden z najstarszych tytułów w kraju. Tytuły żony i matki są jeszcze starsze, zadowolę się nimi.

Sir Joseph myślał przez chwilę o tym, by sprawić swojej małżonce rozkosz w jadącym powozie.

– Daleko jeszcze, Louiso?

Tego dnia wstali wcześnie po części dlatego, że dziewczynki obudziły się przed świtem, pukały do drzwi sypialni i chichotały przy śniadaniu.

– Nie tak daleko, Josephie. Czy można oddawać się małżeńskim przyjemnościom podczas podróży dyliżansem?

Odwrócił głowę, by na nią spojrzeć. Wyraz jej oczu sugerował, że pytanie nie było powodowane jedynie ciekawością.

– Kusisz mnie, żono. Kusisz mnie ogromnie, ale sam jestem skłonny mieć to zadanie już za sobą, a potem pospieszyć z powrotem do ciepłego i wygodnego łóżka, gdzie mogę dogadzać twoim zachciankom w wolnym czasie.

Wyglądała na rozczarowaną.

– Nie dałeś mi świątecznego prezentu, mężu. Może powinnam domagać się za to jakiegoś fantu?

Pogładziła ręką jego spodnie, a Joseph odwdzięczył się, całując ją prawdziwie namiętnie. Okazało się, że stangret wkrótce zatrzymał powóz z własnej inicjatywy, żeby pozwolić koniom odetchnąć, ale minęło dużo czasu, zanim podróżni dali mu sygnał do odjazdu.

– Kim pan jest?

– Jestem waszym wujem i nazywam się Gayle lub Westhaven, jeśli chcecie zwracać się do mnie bardziej formalnie.

Fleur spojrzała na Amandę, żeby zobaczyć, czy jej siostra wie, co to znaczy formalnie.

– On pewnie jest spokrewniony z naszą nową mamą. Mówi tak jak ona – odezwała się Amanda do siostry, po czym zwróciła się do przybysza. – Wybierałyśmy się, żeby zobaczyć nowe prosiaki Lady Ophelii. Jest ich dwanaście, a kiedy poszłyśmy życzyć im wesołych świąt, papa powiedział, że nie ma najsłabszego w miocie, a nasza mama wcale go nie zbeształa, bo są święta. Może pan się pobawić z naszymi szczeniakami, jeśli nie chce pan iść do chlewu. Ten się nazywa tak samo jak pan.

– Lou zapłaci za to – oznajmił drugi mężczyzna. Był tak samo wysoki jak Westhaven, ale miał ciemniejsze włosy i trochę się uśmiechał.

– Pozdrowienia dla Lady Ophelii, którą pewnie poznamy innego dnia. Przyjechaliśmy tutaj, żeby zobaczyć, czy wiecie, dokąd pojechali wasi rodzicie. Służący twierdzą, że nie wiedzą.

Fleur zerknęła na Amandę i na podstawie jej wzroku utwierdziła się w przekonaniu, że mają nic nie mówić. Macocha powiedziała, że to tajemnica, i gdziekolwiek ona i tata pojechali, naprawdę był to sekret.

– To strata czasu – stwierdził człowiek o nazwisku Westhaven. Wyglądał jak papa przed podróżą, zniecierpliwiony i zdeterminowany.

Jeszcze jeden człowiek wszedł do pokoju dziecinnego, podobny do dwóch poprzednich, ale nieco bardziej muskularny, jak papa.

– Witajcie, moje panie. Jestem wuj Devlin. Czy Westhaven bardzo was wystraszył złością i niepokojem?

Ten człowiek wyglądał na zabawnego, miło się uśmiechał i miał dobre zielone oczy.

– Mama i papa nie mówili nic o tym, że wujowie przyjadą na święta – zauważyła Amanda, ale odwzajemniła uśmiech dużego wujka.

Największego, ale wszyscy byli wysocy, jak tata.

– Dlatego, że to miała być niespodzianka – rzekł inny ciemnowłosy mężczyzna. – Też jestem waszym wujem i nazywam się Valentine. I mamy ze sobą w powozie całe stado cioć, które tylko czekają, żeby was porozpieszczać. Westhaven jest nie w sosie, ponieważ Święty Mikołaj przyniósł mu na święta ból głowy za to, że wczoraj był niegrzeczny.

– Ja nie byłam niegrzeczna.

Po uśmiechach dwóch pozostałych wujów poznały, że uznali tę odpowiedź za dość zabawną.

– To wasz problem – rzekł wuj Devlin. – Wydaje mi się, że to dobry dzień na to, aby te dwie damy przyłączyły się do swoich ciotek na wycieczkę dyliżansem.

Wujek Gayle – wydawało się nie fair nazywać go takim samym imieniem, jakie nosił szczeniak Fleur – zdawał się zastanawiać nad propozycją Devlina.

– A po co?

– Żeby zachować spokój. Emmie i ja nigdy nie wyciągamy broni dużego kalibru przy dzieciach – odparł wuj Devlin bez sensu.

– Czy lubicie się bawić w żołnierzy? – spytała Fleur.

Amanda wydawała się zaintrygowana tym stwierdzeniem. Często galopowała po wzgórzach i zjeżdżała po poręczach w pogoni za Francuzami.

Wuj Devlin zmarszczył czoło – miał wspaniałe ciemne brwi jak papa.

– Prawdę mówiąc, czasami tak. Kiedy jestem wyjątkowo dobrym człowiekiem, moja córka pozwala mi przyłączyć się do swojej zabawy w żołnierzy.

– Ja też trochę się na tym znam – powiedział wuj Valentine. – Wyróżniam się w błyskawicznych szarżach i słynę z tego, że od czasu do czasu biorę jakąś lalę do niewoli.

– Panna Wolverhampton nie chciałaby zostać jeńcem – odparła Fleur, chociaż wuj Valentine prawdopodobnie tylko się z nią droczył.

– Pewnie moglibyście, dżentelmeni, zorganizować któregoś dnia zabawę w żołnierzy dla naszych siostrzenic – rzekł Westhaven. Mówił tak, jakby bolały go zęby, co Fleur znała z własnego doświadczenia, gdyż zdarzało jej się czasem zjeść zbyt dużo cukierków.

– Ty też możesz się bawić – przyzwoliła Fleur; ostatecznie były święta i powinno się być miłym dla wujów, którzy przybłąkali się do czyjegoś pokoju dziecinnego.

– Pozwolimy ci być Wellingtonem – dodała Amanda, przyłączając się do ogólnie panującego nastroju.

– W takim razie mnie pozostaje zostać najemnikiem Bluchera – rzekł wuj Devlin, jak zwykle ratując sytuację.

– Och, wspaniale. – Wuj Valentine nie uśmiechał się teraz. – I każesz swojemu młodszemu bratu znowu być tym piekielnym Francuzem, prawda? Zobaczymy, czy napiszę walc na debiut twojej córki, St. Just.

Wuj Gayle nie ściągał już tak mocno brwi. Właściwie wyglądał tak, jakby miał ochotę się uśmiechnąć, ale czuł się zbyt dorosły, żeby sobie na to pozwolić.

– Może wy, moje panie, zbierzecie kilku żołnierzy i weźmiecie lalkę lub dwie. Wybieramy się na krótką wycieczkę, żeby poszukać waszej mamy i waszego taty, abyśmy mogli wszyscy spędzić razem święta.

Fleur zauważyła jego przejęzyczenie i najwyraźniej jej siostra również to dostrzegła – ale było to samo przejęzyczenie, jakie Amanda poczyniła wcześniej i jakie Fleur z radością pozwalała robić każdemu. Wuj Gayle nie nazwał nowej żony papy macochą, tylko ich mamą.

Jak wspaniale by było, gdyby naprawdę znowu miały prawdziwą mamę na święta. Amanda wzięła lalki, Fleur chwyciła swoją ulubioną książkę z bajkami i wujowie wyprowadzili je z pokoju dziecinnego, przy czym tych troje dorosłych mężczyzn kłóciło się w tym czasie o to, kto ma zostać tym przeklętym Francuzem.

– Percivalu, czy spodziewamy się księcia Walii na święta?

Książę podszedł do okna i objął ramieniem szczupłą talię żony – a mógł sobie na to pozwolić, gdyż wszystkie ich dzieci w szaleńczym pośpiechu pojechały za Louisą.

– Na Boga, to jego tarcza herbowa, czyż nie? Lepiej przygotować reprezentacyjne pokoje gościnne, moja droga... – Jego Wysokość przerwał, kiedy na podjeździe lokaj opuścił schodki eleganckiej karety i wyłonił się z niej drobny człowiek opatulony w szale i chusty.

– A zatem to nie regent – mruknęła Jej Wysokość. – Percy, czy to nie jest przypadkiem jeden z tych twoich ekscentrycznych kolegów z Izby Lordów?

Ta kobieta potrafiła tak mówić o sprawach państwowych, jakby miały podobną wagę co problemy z podpitą pokojówką. Książę od czasu do czasu podzielał jej sposób widzenia, kiedy owe sprawy zakłócały krótki spokój i ciszę, jakie człowiek mógł wyżebrać u swojej żony w czasie świąt Bożego Narodzenia.

– Pojęcia nie mam, co się szykuje. Prinny i ja, prawdę mówiąc, nie kłaniamy się sobie w pas.

Lokaj przeczytał wizytówkę szanownego pana Jakmutam Hamburga ze specjalnej komisji Jego Królewskiej Mości i czego tam jeszcze.

Słuch Jego Wysokości nie był taki sam jak kiedyś – czasami.

– Wprowadź go – rzekł do odźwiernego – i każ przynieść tutaj tacę ze świątecznym poczęstunkiem, jeśli znajdziesz w kuchni kogoś, kto jest na tyle trzeźwy, żeby ją przygotować.

Księżna skrzywiła usta.

– Jeżeli został jeszcze poncz z przyjęcia, nie powinien się zmarnować.

– Moja droga, zapewniam cię, że się nie zmarnuje. Co jesień mamy mnóstwo pokojówek w interesującym stanie, który ukazuje zapał, z jakim co roku obchodzimy święta Bożego Narodzenia w Morelands.

Z głównego holu na parterze dobiegły odgłosy krzątaniny i księżna odparła ściszonym głosem:

– Czworo z naszych dzieci urodziło się na jesieni, Moreland. Mam wiele miłych wspomnień ze świątecznego okresu.

Och, prawdziwą przyjemnością było mieć taką kobietę za żonę i z każdą dekadą ta rozkosz stawała się coraz większa. Ale oczywiście, w czasie tych nielicznych godzin, kiedy w domu nie było akurat dzieci, zięciów i synowych, wnuków, kuzynów ani sąsiadów, ten cholerny regent musiał przysłać kogoś ze świątecznymi życzeniami.

Lokaj wprowadził Hamburga, który pokłonił się nisko księżnej, a następnie księciu.

– Wasze Księcio... Księżo... Książęce Mości – wysłowił się w końcu niewysoki przybysz. Zamrugał jak sowa, po czym rozejrzał się po salonie, przyjemnym pokoju we frontowej części domu, z wielkimi oknami wychodzącymi na wielki ośnieżony park Morelandów.

– Panie Hamburg, pozdrowienia z okazji świąt. – Jej Wysokość obdarzyła człowieka od Prinny'ego uśmiechem, który oszałamiał wielu lordów, i Hamburg zachwiał się lekko na nogach. – Może usiądziemy?

Usiadła, podczas gdy on dalej mrugał i dopiero po kilku chwilach odparł:

– Tak jest, Wasza Książęca Mość.

Podszedł do gustownego pozłacanego krzesełka z różową aksamitną tapicerką, odgarnął poły surduta i opadł na siedzenie.

– Przybywam w nadziei znalezienia waszej córki, lady Louisy, i jej męża. – Brwi Hamburga poruszyły się w dół na dużym różowym tle jego czaszki. – Jej małżonka, ponieważ mam wieści dla sir Josepha od samego regenta. Nowiny... – zastrzygł brwiami w stronę księżnej i wycelował pulchny palce w stronę sufitu – wielce radosne!

W drzwiach pojawił się odźwierny z wózkiem na kółkach, co nigdy nie stanowiło złych wieści w ocenie Jego Wysokości.

– Nie musiał pan jechać tak daleko, panie Hamburg – odparła łagodnie księżna. – Chociaż z pewnością może pan zostać na tyle długo, żeby się z nami posilić. Podróż z miasta w taką pogodę zapewne nie była łatwa.

– Nie była, dobra kobieto.

Dobra kobieto? Jego Wysokości księcia Moreland nie obchodziło, z jakiego komitetu i z jakiej komisji pochodził ten mały pijus, ale nikt nigdy nie nazwał księżnej Moreland dobrą kobietą... tyle że sama Esther wydawała się tym rozbawiona.

– Drogi – ciągnął Hamburg, pochylając się do przodu, aby potrzeć swoje siedzenie – drogi są w opłakanym stanie. Gdyby nie dobre zajazdy i smakowite napitki, jakie w nich podają, podróż przez tę królewską wyspę nie byłaby możliwa, nawet z powodu największych kaprysów Jego Królewskiej Mości.

Księżna podała gościowi filiżankę z herbatą.

– Czy to kaprys przywiódł pana do Kentu, panie Hamburg?

– Nic innego. Dziękuję. Czy włożyła pani przynajmniej dwie kostki cukru? Nie znoszę herbaty, która nie jest dobrze posłodzona.

– Trzy – zapewniła uroczyście Jej Wysokość. – Przysięgam.

Książę zaczął się naprawdę dobrze bawić, ponieważ księżna wydawała się zadowolona. Dostarczycielowi Radosnej Nowiny prawdopodobnie też było miło, a czyż nie o to chodzi podczas świąt Bożego Narodzenia?

Hamburg napił się herbaty.

– W takim razie w porządku. Przydałoby się trochę wałówki. Tak gnać w środku zimy, podrzucając ludziom tytuły hrabiowskie do świątecznej skarpety na podarki, tam, gdzie powinni znaleźć tytuł barona, to z pewnością praca, od której można zgłodnieć. Baronostwo nie wystarczy, widzi pani, ani tytuł wicehrabiego. Smakowite ciasteczka, łaskawa pani.

Łaskawa pani? Oczy Jej Wysokości zaczęły połyskiwać.

Książę zajął miejsce obok żony.

– Hamburg, czy dobrze cię rozumiemy? Masz na myśli, że sir Joseph Carrington ma dostać tytuł hrabiego?

– My to i my tamto – odparł Hamburg, odstawiając z hukiem swoją filiżankę. – Przez cały boży piekielny dzień wciąż tylko my, my i my... Czy możemy iść do klozetu? Czy możemy puścić bąka? Leżę w nocy sam w swoim zimnym łóżku, nie śpiąc... a właściwie z kilkoma gorącymi cegłami... i nie mogę zasnąć, zastanawiając się, czy my możemy podrapać się w tyłek albo kazać temu cholernemu lokajowi...

– Jeszcze ciasteczko, panie Hamburg? – Jej Wysokość niemal trzęsła się ze śmiechu, próbując go stłumić, podczas gdy gość westchnął ciężko.

– Jeśli można, proszę pani. Ciastka działają jak złoto. Cholernie zimno w tym powozie. Człowiek musi dawać sobie radę za te marne grosze, jakie my mu rzucamy.

Jej Wysokość nie podała mężowi filiżanki herbaty, ale za to podsunęła mu talerzyk z dwoma ciastkami. Książę uznał to raczej za miarę intrygującego występu Hamburga, gdyż zamiast jeść ciastka, wolał usłyszeć, co herold Prinny'ego ma jeszcze do powiedzenia.

– Czy chce pan powiadomić sir Josepha o tym, jak wielkie szczęście go spotkało? – spytał książę.

– No cóż, co innego skłoniłoby mnie do zawracania komuś głowy w święta, proszę mi powiedzieć? Skądinąd sam bym tego nie zrobił, ale żyję po to, żeby służyć. Pyszne ciasteczka, proszę pana. Muszę pochwalić kuchnię pańskiej żony.

– Dziękuję – wymamrotała Esther, co powstrzymało Jego Wysokość przed wezwaniem portiera, żeby pokazał panu Dobrej Nowinie drzwi i wyprawił go z powrotem w drogę, w jaką wysłał go nastawiony podróżniczo regent.

– Ma pan krótką drogę do pokonania, żeby znaleźć sir Josepha, panie Dobr... Hamburg – powiedział Jego Wysokość. – I wybrał pan dobrą porę, ponieważ całe rodzeństwo Windhamów się tam zebrało i narobi stosownego zamieszania Louisie i nowo mianowanemu hrabiemu.

Książę spojrzał ponad głową Hamburga na portiera, który stał przy drzwiach do bawialni, patrząc prosto przed siebie przekrwionymi oczami, ze ściągniętymi do tyłu barkami i lekko przekrzywioną peruką. Ten skinął głową i wyszedł z pokoju.

– Więcej herbaty, panie Hamburg?

Zapytany zerknął na swoją pustą filiżankę.

– Rozmawialiśmy mnóstwo o ponczu, który tu podają. Nie zdążyłem na przyjęcie świąteczne. Przepraszam za to, ale w zajeździe była służąca, gdzie my... nie my, tylko woźnica, stajenni, forysie, lokaj i ja zatrzymaliśmy się, żeby siwki mogły odpocząć...

Mężczyzna o dużej łysinie wpadający w zakłopotanie był naprawdę interesującym zjawiskiem. Rumieniec wznosił się powoli od szyi na policzki ku brwiom i podążał dalej, aż cała głowa Hamburga nabierała wspaniałego różowego koloru, który kojarzył się Jego Wysokości z dziewczęcym pąsem.

– Rzeczywiście mamy w hrabstwie Kent nadobne posługaczki w gospodach – przyznał książę.

– Ale okropne drogi – zaoponował stanowczo Hamburg. – Powinniśmy coś z tym zrobić, gdyby ktoś mnie pytał... ale on tego nigdy nie robi. Chyba że chce się dowiedzieć, czy w brązowo-fioletowej kamizelce bardziej mu do twarzy niż w łososiowej, na miłość boską. Ten człowiek jest gruby, mówię wam. Tłusty jak wieprz, a jego gorset okropnie skrzypi. Trzeba udawać, tak bardzo, jak tylko się da, że się tego nie słyszy.

Narzekając, zrzędząc i psiocząc na osobę monarchy, Hamburg dopił herbatę i zjadł ciasteczka, po czym wepchnął jedno ciastko do kieszeni, uśmiechając się anielsko do swojej wielkiej dobrej przyjaciółki, Łaskawej Pani.

Portierowi powiedziano, żeby wytłumaczył dokładnie woźnicy, jak dojechać do majątku sir Josepha, a potem opatulono Hamburga ponownie w jego chusty i szale i wstawiono do powozu.

– Percivalu – odezwała się Jej Wysokość, kiedy machali na pożegnanie mamroczącemu coś pod nosem Hamburgowi – czy to ładnie tak wkładać butelkę ponczu do jego teczki?

Książę wytropił podręczną gałązkę jemioły wiszącą niedaleko od nich i pocałował żonę w policzek.

– Ten człowiek cierpi, łaskawa pani, chyba nie poskąpisz mu kapki lekarstwa?

– Zdobyłam na święta pierwszego kompana do kieliszka. Takiemu dobremu przyjacielowi nie poskąpię niczego. – Jej Wysokość niemal wyszczerzyła zęby w uśmiechu, po czym ściągnęła brwi. – Percivalu, dzieci są już u Louisy i Josepha, czy myślisz, że przeszkodzilibyśmy im, gdyby...

– Właśnie zaprzęgają sanie, moja droga, a jako że znamy wszystkie ścieżki i skróty, pewnie z łatwością wyprzedzimy powóz Hamburga.

– Jesteś wspaniały, Percivalu. Po prostu wspaniały.

I wtedy księżna Moreland, nie widząc nawet jemioły, która mogłaby ją sprowokować do takiego okazywania uczuć, cmoknęła mocno Jego Wysokość w policzek. Pięć minut później zapakowali się do czekających na nich sań, z gorącymi cegłami pod stopami, ciepłymi pledami na kolanach i jedną lub dwiema butelkami ciepłego ponczu w kieszeniach księcia.

– Wygląda na to, że powóz Prinny'ego przejeżdżał tędy wcześniej tego ranka. Wszyscy chłopcy stajenni są zbyt zajęci plotkowaniem o tym, żeby nalać wiadro wody. Jak daleko musimy jeszcze jechać?

St. Just przytrzymał wiadro dla swojego konia, podczas gdy Westhaven uczynił to, co robi najlepiej: ściągnął w zamyśleniu brwi.

– Nie tak daleko. Posiadłość dzierżawiona przez sir Josepha znajduje się zaledwie kilka mil w linii prostej od mojej posiadłości. Mogę napoić swojego konia?

St. Just przesunął się po chwili.

– Generałowie muszą być wolni, żeby widzieć wszystkie aspekty wyprawy wymagające uwagi. Jak panie to znoszą?

– Nigdy nie słyszałem więcej chichotów dobiegających z powozu. Chyba dobrały się do swoich butelek.

Valentine wziął wiadro od St. Justa, wylał resztkę wody na śnieg, nabrał świeżej z koryta i zaczął poić swojego wierzchowca.

– Jest tak zimno, że można sobie trochę golnąć. Czy ktoś już wymyślił, co powiemy Louisie i sir Josephowi, kiedy ta kawalkada pojawi się u jego drzwi?

– Zaczniemy od metody „Rozlew krwi niczego nie rozwiąże" – odparł Westhaven. – Potem przejdziemy do „Nie przy dzieciach", a zakończymy uwagą: „Miło byłoby wypić filiżankę herbaty".

St. Just i Valentine wymienili spojrzenia. Koń zachował milczenie, wykazując rozsądek.

– Westhaven – zaczął St. Just – sir Joseph pojedynkował się za honor Louisy, a takie poczynania często prowadzą do rozlewu krwi. Jeżeli to, co mówisz, jest prawdą, będzie tam co najmniej tuzin dzieci pod ręką, a takie maluchy doskonale słyszą i widzą to, czego nie powinny. Taca z herbatą to przegięcie... Louisie się narzucamy, wymagając od niej gościnności.

– Ale ona wpadnie w zły humor, kiedy się dowie, że jej mąż ma całą kolekcję nieślubnych dzieci – powiedział Weshaven, wyciągając rękę, żeby pogładzić bok konia. – Carrington się zmartwi, bo Louisa będzie niezadowolona. Jesteśmy ich rodziną, nie możemy nie próbować im pomóc.

Valentine odstawił wiadro na bok.

– Mamy poczucie winy z powodu tej sprawy, którą poruszył sir Joseph, kiedy zabrał Louisę do Kentu, a dotyczącej tego, że jej nie doceniamy.

Westhaven potarł ręką podbródek.

– Ten człowiek miał rację.

Zanim ktoś zdążył skomentować tę wnikliwą uwagę, St. Just wskoczył na siodło.

– Ten człowiek ma żonę, a ona jest naszą siostrą, która może mieć serce złamane na święta, a więc jedźmy.

Ze wszystkich hrabstw Surrey miało najodpowiedniejsze zalesienie. Dużo tu było pól, majątków ziemskich i pastwisk, a inne części tego terenu mogłyby stać się z powrotem wrzosowiskami lub moczarami, gdyby nie były uprawiane, Louisa jednak miała wrażenie, że drzewa w tym hrabstwie radośnie przejmują władzę, przemieniając to miejsce ponownie w Anglię dziewiczych lasów.

– Gdybym wiedział, że jesteśmy w połowie drogi do Londynu... – Sir Joseph przerwał, kiedy Louisa przesunęła dłoń w górę jego uda.

– Mężu? Co mówiłeś?

– Gdybym wiedział, że jesteśmy w połowie drogi do Londynu, nie pozwoliłbym ci tak szybko mnie zapinać.

– Gdybyśmy nie byli już prawie u celu, w tej chwili rozbierałabym cię ponownie. – Mówiła to serio, a jednak było to kolejne objawienie zalet stanu małżeńskiego. – Zastanawiam się, jak mojemu rodzeństwu udaje się zachowywać grzecznie w miejscach publicznych.

– Często im się nie udaje – odparł sir Joseph rozleniwionym, pełnym uczucia głosem, z ustami przy jej skroni. – Westhaven to mistrz w delikatnych pocałunkach, St. Just rzadko odrywa ręce od swojej hrabiny, a lord Valentine celuje we wzrokowych pieszczotach. Twoje siostry są bardziej dyskretne, ale nie mniej uczuciowe od swoich małżonków.

Powóz kołysał się podczas jazdy, a Louisa wiedziała, że wkrótce będzie musiała odbyć z mężem trudną rozmowę. Wierzyła, że wszystko pójdzie dobrze. Była zdeterminowana i na tyle pełna optymizmu, by zadać następne pytanie:

– Josephie, czy masz coś przeciwko posiadaniu dużej rodziny?

Delikatnie przyciągnął ją do siebie.

– Rodzenie dzieci nie jest pozbawione ryzyka, Louiso.

– Jestem dobrze do tego zbudowana, a moja matka nigdy nie miała żadnych trudności, ani Sophie. Chciałabym mieć dzieci, Josephie. Mamy odpowiednie zabezpieczenie materialne i możemy sobie pozwolić na to, żeby zapewnić naszym dzieciom wszystko. Miałam to na względzie, wybierając organizację dobroczynną, którą chciałabym wspomagać.

Wyprostował się. Nie odsunął Louisy na przeciwległą ławę, ale tak jak przyciągnął ją do siebie, kiedy wspomniała o dzieciach, tak teraz zamknął się w sobie.

– Czy to właśnie dzisiaj ma się wydarzyć? Mamy zobaczyć to miejsce, które obrałaś na swój dobroczynny cel? – Nie wydawał się zadowolony.

– Tak i są pewne sprawy, o których chciałabym ci powiedzieć. I proszę cię, żebyś mnie uważnie wysłuchał.

Wpatrywał się bacznie w jej czepek, który spoczywał na siedzeniu naprzeciwko niczym symboliczna przyzwoitka.

– Chciałabyś mieć dużą rodzinę, Louiso? Pragniesz mieć ze mną mnóstwo dzieci? One rosną, wiesz, i zamienią się w rozwrzeszczaną bandę młodych ludzi domagających się kucyków i zjeżdżających po poręczach, którzy muszą mieć buty, książki i szczeniaki. Będą jeść tyle co cały pułk, zdzierać ubrania, z których wyrosną, zanim służąca zdąży je podłużyć o pierwszą zakładkę. Będą zdzierać sobie skórę na kolanach, łamać obojczyki i gubić lalki. Czy wiesz, jaka to tragedia, kiedy sześcioletnia dziewczynka zapodzieje gdzieś lalkę? Mam zapasową kopię panny Jak-jej-tam-Hampton, ale Amanda ją znalazła i stwierdziła, że to nigdy nie będzie to samo, bo ta piekielna lalka nie pachnie jak trzeba... wydaje ci się to zabawne?

– Wydaje mi się, że mówisz to z sympatią.

Ściągnął brwi.

– Nigdy nie zrozumiem kobiecego sposobu myślenia.

– Ale ja trochę zaczynam cię rozumieć. – Ujęła jego podbródek jedną ręką, żałując, że nie mają czasu się rozebrać. To był akurat temat odpowiedni na taką okazję, jeden z wielu. – Wychowała cię owdowiała matka, a potem niezamężne ciotki. Nie znasz zbyt dobrze normalnego życia rodzinnego... z rodzeństwem, kuzynami, wujami i dziadkami, bo nigdy ich nie miałeś.

Odwrócił głowę i pocałował Louisę w dłoń – nie ogarnęła się jeszcze na tyle, by włożyć rękawiczki.

– Prawdę mówisz, żono, a kiedy moje ciotki w końcu pozwoliły mi iść na uniwersytet, byłem zwykłym człowiekiem pośród gromady młodych lordów. Moimi kompanami z wyboru były wtedy książki i zwierzęta.

Milczał przez kilka chwil, kiedy powóz zwolnił, pokonując zakręt.

– Dam ci tyle dzieci, ile chcesz, Louiso, chętnie i z entuzjazmem, ale jako że zamierzasz ze mną coś omówić, ja też mam pewną sprawę do omówienia z tobą.

W porządku. Louisa miała nadzieję, że jego sprawa łatwo rozwiąże się sama, kiedy Joseph zobaczy, gdzie są. Powóz zwolnił jeszcze bardziej i Louisa uniosła jedną z zasłon na najbliższym oknie powozu.

– Bardzo tu ładnie z tymi wszystkimi ośnieżonymi drzewami. Już rozumiem, czemu Westhavenowi podoba się w tej okolicy.

Sir Joseph podał Louisie rękawiczki.

– Jesteśmy niedaleko posiadłości twojego brata?

– To naprawdę niedaleko stąd.

Jakiś cień przemknął przez oczy Josepha.

– Louiso, zanim zobaczymy to miejsce…

Powóz zatrzymał się z szarpnięciem, stangret opuścił schodki, a Louisa naciągnęła rękawiczki.

– Jesteśmy na miejscu, Josephie, a to jest ta organizacja dobroczynna, którą wybrałam. I jeśli o to chodzi, to nie przekonasz mnie, żebym zmieniła zdanie, nie ma mowy.

Wyglądał tak, jakby chciał coś powiedzieć, potem wysiadł pierwszy z powozu i pomógł jej się wydostać. Kiedy Louisa chciała wysunąć rękę z jego dłoni, zacisnął na niej palce.

– Louiso, są pewne sprawy dotyczące tej posiadłości, o których nie wiesz. O których ci powiem.

Rozejrzała się wokoło po miejscu, którego nigdy wcześniej nie widziała.

– Cudownie tu, prawda?

Jej wzrok powędrował ponad wielkim starym domostwem z epoki Tudorów, krytym strzechą niczym stodoła. Wielodzielne okna zdobiły dolne kondygnacje, a bujny bluszcz wspinał się po północnej ścianie.

– Już widzę tu doniczki z pelargoniami na wiosnę – odezwała się pierwsza, bo nie spodobało się jej milczenie Josepha. – I wydaje mi się, że będziemy tu spędzać dużo czasu. Powiedz coś, Josephie. Odezwij się, proszę.

Wyglądał tak ponuro, i to w dzień, który powinien być radosny.

– Louiso, przepraszam. Chciałem, żebyś się jeszcze nie dowiedziała, a potem ci wszystko wyjaśnić. Może od początku chciałem ci wytłumaczyć, ale…

Drzwi frontowe otwarły się z hukiem, aż stroik świąteczny na szybie zadygotał, a przywiązane do niego dzwoneczki zatrzęsły się wesoło. Rozległ się tupot stóp, małych i nieco większych, przy wtórze radosnych okrzyków.

– To papa! Wiedzieliśmy, że nie zapomnisz o swojej świątecznej wizycie! Papa do nas przyjechał!

Louisa poczuła się nagle oszołomiona i całkowicie zdezorientowana. A kiedy dwanaścioro dzieci zaczęło tłoczyć się przy Josephie, spojrzała na niego zaciekawiona.

– Papa? – powiedziała bezgłośnie pośród radosnego hałasu.

Joseph obejmował ramionami tyle dzieci naraz, ile zdołał, patrząc na nią niemal wyzywająco.

– Papa? – powtórzyła Louisa. Coś dziwnego poruszyło jej się w piersi.

Joseph kiwał głową, po czym się pochylił, aby przywitać się z dziećmi.

17

Zamieszanie na podjeździe zastało Timothy'ego Grattingly'ego w chwili, gdy wstawiał książkę z powrotem na półkę, w miejsce, skąd ją wyjął.

Było tutaj sporo tomików z poezją, ale żaden z nich nie przypominał małej, czerwonej książeczki pełnej najbardziej sprośnych i wspaniałych erotycznych strof, jakie kiedykolwiek napisano. Bez względu na wszystko książka ta była dość popularna wśród uczonych z Oksfordu, a sir Joseph najwyraźniej miał jej egzemplarz. Ironia w tym ukryta miała smak dobrze przyprawionego świątecznego ponczu.

Grattingly wyjrzał przez okno i zobaczył, że sir Joseph i jego lady właśnie przyjechali i – czyż to akurat nie było odpowiednią scenerią? – bękarty Carringtona tłoczyły się przy nim, Louisa Windham przyglądała się tej scenie zaskoczona, a stajenny odprowadzający konia Grattingly'ego przyglądał się jej z taką miną, jakby miał złe przeczucia.

Ludzie z obsługi próbowali wcześniej upchnąć Grattingly'ego w jakimś ciasnym saloniku, ale się uparł, że przy książce szybciej upłynie mu czas oczekiwania na przewidywaną świąteczną wizytę Josepha.

Tak więc czekał, czekał i czekał. Teraz nadszedł wreszcie czas, żeby zrobić odpowiednie wejście lub też wyjście, gdyby sytuacja tego wymagała. Po raz ostatni rozejrzał się po bibliotece i wyszedł z budynku.

– Co za wzruszające spotkanie. – Nie mógł się powstrzymać, by nie uśmiechnąć się szyderczo, schodząc po frontowych schodach.

Louisa pierwsza odzyskała panowanie nad sobą.

– Panie Grattingly, nikt pana tutaj nie zapraszał. I jeśli pan myśli, że nastrój świąt powstrzyma mojego męża przed dokończeniem tego, co pan rozpoczął przed naszym ślubem, to lepiej niech pan wsiada na konia i przemyśli to ponownie, galopując w drodze powrotnej do domu.

– Louiso! – Carrington wyplątał się z objęć swoich nieślubnych dzieci z zachwycająco zakłopotanym wyrazem twarzy.

– Czy nie przedstawi mnie pan swoim dzieciom, sir Josephie? Chciałbym się poszczycić znajomością ze wszystkimi twoimi bękartami, zanim przejdziemy do innego, równie interesującego tematu nieprzyzwoitych wierszy pańskiej żony.

Na te słowa ciemne brwi Carringtona zeszły się między oczami, a podbródek lady Louisy uniósł o cal. Zanim któreś z nich zdołało przejść do pytań, oskarżeń lub zaprzeczeń, troje jeźdźców ukazało się u wejścia na półkolisty podjazd.

– Jeszcze lepiej. Będziemy mieć widzów dla naszej małej pogawędki, chyba że, oczywiście, zechcecie rozstać się w najbliższym czasie z jakimiś kosztownościami lub funduszami. Pierścionek lady Louisy może być całkiem dobry na początek. Mając jej pierścień i kolczyki wraz z pewną sumą gotówki, mógłbym zapomnieć o poezji, a także o tym, że natknąłem się na coś, co wygląda mi na tuzin nieślubnych dzieci. Jurny z ciebie mężczyzna, Carrington. Możesz podziękować Honitonowi za to, że wspomniał, iż rezultatem twojej wojaczki był tak interesujący dodatek do populacji królewskich poddanych.

Honiton napomknął też kilka tygodni wcześniej o tym miejscu w Surrey, chociaż Grattingly nie uznał za potrzebne się tą informacją z nimi podzielić.

Zarówno Carrington, jak i jego żona zerknęli na podjazd, podczas gdy dzieci na znak Josepha odsunęły się na bok. Jakiś pojazd podążający za trzema jeźdźcami skręcił na drogę prowadzącą do posiadłości.

Coraz lepiej. Grattingly nie mógł przestać się uśmiechać do dzieci.

– Wesołych świąt, gromadko, na moje szczęście.

Louisa nie wpadła w panikę, stwierdził Joseph, zerkając na nią, ale wcale to go nie uspokoiło.

Zastanawiała się, obmyślając plan działania, z lekkim marsem na czole, który oznaczał, że jej myśli galopują niczym konie i że wyciąga wnioski z prędkością niedaną zwykłemu śmiertelnikowi.

A poza tym... nadjeżdżały posiłki. Widząc wielki dyliżans, z pewnością musiała się zorientować, że przyjechali jej bracia. A za nim toczył się jeszcze jeden pojazd, którego Joseph nie znał, choć uznał, że czwórka siwków do niego zaprzężonych wygląda imponująco.

– Grattingly – powiedział Joseph głośno w nadziei, że zbliżający się jeźdźcy go usłyszą – gdybym był uzbrojony, odstrzeliłbym ci tyłek nawet w obecności mojej żony i dzieci.

– A my wznosilibyśmy okrzyki radości – wtrąciła Louisa. – Długo i ochoczo.

Joseph nie odważył się spuścić oczu z Grattingly'ego, ale wsparcie, jakie otrzymał od żony, dodało mu otuchy.

Grattingly przechylił głowę i przeniósł uwagę na Louisę, a Josepha zaczęła świerzbić ręka, żeby złapać za broń – jakąkolwiek.

– Pani lojalność wobec człowieka, który w pojedynkę szlajał się z jednego końca Hiszpanii na drugi, jest naprawdę wzruszająca. To chyba jakaś cecha Morelandów.

– Pewnie tak. – Tę cichą uwagę wypowiedział Devlin St. Just, który zeskoczył z konia i stanął za siostrą. Grattingly był takim durniem, że nie wiedział, iż właśnie obraził jednego z nieślubnych potomków Morelanda, a może po prostu chciał zginąć w ten świąteczny poranek.

– Sir Josephie. – Westhaven podszedł i stanął po prawej stronie Carringtona. – Czy ten człowiek wtargnął tu bez pozwolenia? I to w święta? To szczyt złych manier, czyż nie?

Lord Valentine zbliżył się i zajął miejsce u lewego boku Josepha.

– Niemal tak złych jak grożenie naszej rodzinie w obecności tych dzieci.

– Co za imponujące wspólne podżegania – stwierdził Grattingly, uderzając rękawicami o udo. – Sir Joseph ma właśnie zamiar zebrać dla mnie trochę kosztowności i życzyć mi wesołych świąt, żebym nie zaczął rozpowiadać nie tylko o jego tutejszej gromadce, ale też o słynnych skłonnościach jego żony do sprośnej poezji. Czyż to nie przykład aliteracji, lady Louiso?

– Lady Carrington, jeśli łaska, chyba że jesteś na tyle głupi, żeby zwracać się do mojej żony bezpośrednio – wtrącił Joseph.

I jakby mało było widzów oglądających ten mały teatrzyk, za powozem ciągniętym przez siwki na podjeździe pojawiły się wolno jadące sanie.

– Wszystko jedno. – Grattingly uśmiechnął się z pogardą. – I tak jej imię trafi do rynsztoka razem z twoim, Carrington, chyba że spasujesz nieco, i to zaraz.

– Josephie. – Spojrzenie Louisy wyrażało silne emocje. Wzięła garść śniegu i ubiła go w twardą kulę. – Może pan Grattingly nie zauważył herbu na tym powozie.

– Nie dbam o to, że sam regent dowie się o głupocie, jaką oboje się wykazaliście. Zostałem odstawiony z twojego powodu, Louiso Carrington. Wszyscy inni panowie nie mieli nic przeciwko twoim przekładom, ale kiedy ja potrzebowałem pomocy, twój cholerny brat powiedział, że już nie świadczysz takich usług. Ale widziałem wcześniej niektóre z twoich przekładów Katullusa i kiedy ta nieprzyzwoita książeczka się ukazała, dobrze wiedziałem, kto jest autorem tych wierszy.

– No cóż, nie ma tu regenta – wtrącił nadęty człowieczek z różową łysiną. – Ale ja jestem, a zatem skończmy z tymi nonsensami i zaraz wybiorę się w powrotną drogę, kiedy tylko przekażę dobrą nowinę.

– Kto do licha...? – St. Just spojrzał gniewnie na siwki i powóz za nimi.

– Sam Święty Mikołaj – odparł Valentine, wyginając usta w uśmiechu, gdy sanie dołączyły do parady na podjeździe. – A raczej Ich Wysokości.

– To jest pan Hamburg – oznajmił książę Moreland, prowadząc swoją żonę od sań. – Przywiózł oficjalne dokumenty nadające tytuł pewnemu zasłużonemu i lojalnemu podwładnemu Korony. – Książę ściągnął usta. – I to nie o ciebie chodzi, Grattingly. Już cię tu nie ma... naprzykrzasz się mojej rodzinie, a moja księżna za tobą nie przepada.

– Zdecydowanie, Timothy Grattingly. Przez ciebie twoja biedna matka boi się pokazać w towarzystwie – przyznała księżna, a jej profil wydał się Josephowi podobny do tego, jaki miała Louisa.

– Grattingly właśnie odjeżdża – rzekł Joseph. – I to możliwie szybko, najlepiej po to, żeby wsiąść na statek pocztowy płynący na Kontynent.

– A po co miałbym to robić? – odparł Grattingly, obrzucając spojrzeniem zebranych. – To przecież może zostać w rodzinie, że tak powiem, sir Josephie. I mam tylko nadzieję, że nikt inny nigdy się nie dowie, jak pilnie wypełniałeś swoje żołnierskie obowiązki w Hiszpanii, zakładając, że miałeś od czasu do czasu okazję przywdziać swój mundur.

– Panie Grattingly – wtrąciła gniewnie Louisa. – Robi się pan męczący. Dzieci? – Przerzucając śnieżkę z ręki do ręki, odwróciła się ku milczącej grupie o zaniepokojonych twarzyczkach, stłoczonej na schodach. – Który z was to Sebastian?

Najwyższy chłopiec wystąpił naprzód.

– Jestem Sebastian Carrington. – Jego głos brzmiał chrapliwie, w sposób typowy dla dojrzewającego nastolatka, lecz spokojnie.

– Cieszę się, że mogę poznać człowieka, który ocalił życie mojemu mężowi – powiedziała Louisa. – Kiedy się urodziłeś, Sebastianie?

Chłopiec podał datę sprzed piętnastu lat.

Louisa przeszyła Grattingly'ego wzrokiem.

– Czy wnioskuje pan z tego, że mój mąż wyskoczył sobie do Andaluzji w drodze na uniwersytet, panie Grattingly? Albo że spędzał lato w Hiszpanii dla własnej rozrywki, zanim stał się pełnoletni?

– Większość z nich jest młodsza – rzucił Grattingly – dostatecznie młoda. Powiedziano mi, że sir Joseph jest prawnie ich ojcem. A co z tymi okropnymi, sprośnymi i wulgarnymi wierszami, milady? Z pewnością twój oddany ukochany zapłaci sowicie, żeby wieść o tych bzdurach nie dotarła do uszu kulturalnego towarzystwa z wyższych sfer.

Joseph spostrzegł, że Louisa traci pewność siebie. Była wspaniała, broniąc decyzji swojego męża podjętych w Hiszpanii, pewna siebie, niezachwiana. A na jedną wzmiankę o swoim literackim talencie opadła z sił niczym delikatna roślina na mrozie.

Na to sir Joseph nie mógł pozwolić.

– Oddany ukochany podaruje swojej damie najpiękniejsze wiersze, jakie tylko mógł znaleźć – powiedział. – „Skąd się dowiem, ile pocałunków potrzeba, żeby zaspokoić moją tęsknotę za tobą?"

Louisa uniosła głowę. W jej cudownych zielonych oczach błysnęło zdziwienie.

– Josephie? Ty wiesz?

Chciał wyrecytować cały wiersz, cały tomik wierszy, ale zadowolił się jeszcze tylko jedną zwrotką:

– „Tyle pocałunków, że żadne oko intruza nie policzy, ni plotkujące języki nie ustalą trafnie ich sumy, tym bardziej dla mnie cennych".

– Josephie, wiedziałeś? Ty wiedziałeś? – Przez jej niedowierzanie przebijał uśmiech. Jeden z braci Louisy zachichotał, drugi zaczął radośnie przeklinać, a księciu najwyraźniej uwięzło coś w gardle.

– Nie ma znaczenia, czy on zna to wszystko na pamięć – powiedział Grattingly, ale Joseph dosłyszał w tej wypowiedzi lekkie drżenie. – I ja też coś wiem. Dopóki ta książka istnieje i wiem, kto ją napisał, będziesz płacił, kiedy ci powiem, sir Josephie.

Na to odezwał się Westhaven stojący po prawej stronie Carringtona:

– Coraz słabiej pamiętam semestry poświęcone rozumieniu prawa, ale wydaje mi się, że to próba szantażu, Grattingly, aczkolwiek niezbyt udana. Książka była wydana w niewielkiej liczbie egzemplarzy, a dzięki wysiłkom sir Josepha i rodziny Windhamów odnaleźliśmy wszystkie kopie, które mogłyby wpaść w twoje paskudne łapy. A teraz... Wcześniejsza uwaga pana Hamburga sprawiła, że dręczy mnie ciekawość, a te dzieci pewnie trochę zmarzły.

– Nic nam nie jest – odparła mała dziewczynka.

– Cicho, Ariadno – poprosił Joseph, ale uśmiechnął się do najmłodszej córki, dumny z jej odwagi.

Grattingly przerzucił wzrok na Louisę.

– Macie wszystkie kopie tej przeklętej książki?

Spojrzenie Louisy, jakim obrzuciła intruza, mogło skruszyć lód i Joseph jeszcze nigdy nie był z niej tak dumny. Miał ochotę porwać ją w ramiona i tańczyć z nią na schodach, chciał śmiać się w głos, ale...

– Moja żona nie rozmawia z łajdakami, Grattingly. Ani nie zamierza przestawać z tchórzami czy nędznikami, którzy wykorzystują nieszczęśliwą sytuację dzieci osieroconych przez wojnę. – Joseph zerknął na St. Justa, który uchwycił spojrzenie oczu lorda Valentine'a.

– Należy ci się dzisiaj rózga – stwierdził Valentine i wraz z St. Justem ruszył w stronę Grattingly'ego. – Albo bardzo długi sznur, kiedy sędzia już skończy z tobą i twoimi żałosnymi próbami szantażu.

Kiedy zbliżali się do Grattingly'ego, Joseph wyciągnął rękę do Louisy, pragnąc z całych sił odgrodzić ją od tego nieszczęsnego kretyna, który niemal zrujnował im święta i całe życie.

Nie wziął jednak pod uwagę desperacji Grattingly'ego. Grattingly obrócił się, wyrwał lejce swojego konia z rąk wystraszonego stajennego, wgramolił się na siodło i pognał w stronę zakrętu na podjeździe.

A Joseph tylko patrzył. Bez broni, noża, łuku, bez...

– Josephie! – Louisa wcisnęła mu śnieżkę do rąk. – W drzewa nad nim!

Wizja Fleur osypującej śnieg na swoją bezradną siostrę przemknęła mu przez myśl. Nie musiał specjalnie celować, pozwolił po prostu swojej amunicji polecieć w stronę gałęzi tak, że na łeb konia Grattingly'ego spadło mnóstwo śniegu. Zwierzę podparło się, rżąc z oburzenia, kiedy kolejna kula śnieżna znalazła się w rękach Josepha, a Valentine i St. Just wskoczyli na swoje wierzchowce.

Druga kupa śniegu sprawiła, że koń Grattingly'ego stanął dęba, a jeździec sromotnie zwalił się w zaspę, podczas gdy Joseph – przepraszając w duchu biedne zwierzę – rzucił mocno trzecią śnieżkę prosto pod kopyta wierzchowca.

– Nie masz nic przeciwko temu, że ja też sobie rzucę?

Westhaven trafił na tyle celnie, że na Grattingly'ego spadła kolejna śnieżna czapa, a kiedy St. Just i lord Val prowadzili intruza z powrotem po podjeździe, nawet Louisa skorzystała z okazji obrzucenia szubrawca śniegiem.

– Chyba coraz bardziej mi się podobają umiejętności strzeleckie – oznajmiła Louisa, uśmiechając się promiennie do męża.

Joseph przyciągnął ją do siebie, ledwie powstrzymując się przed pokusą, żeby nie okazać jej afektu w jeszcze bardziej radykalny sposób.

– Masz dobrą rękę, żono.

– Mam dobrego obrońcę. Nie mogę uwierzyć, że wiedziałeś.

– I ty wiedziałaś. Pozwól, że przedstawię ci dzieci.

– Nasze dzieci – skorygowała go tak łagodnie i wesoło, że serce Josepha niemal wyrwało się z piersi.

– Moja żona zawsze wyraża się poprawnie. Nasze dzieci.

– Nie tak szybko. – Człowieczek z różową łysiną podszedł, brnąc przez śnieg. – Weźcie to, a ja wybiorę się do najbliższego zajazdu, jak Bóg da. Nie znam tamtego żałosnego drania – wskazał podbródkiem w stronę Grattingly'ego – ale powiem regentowi, jak bezczelnie próbował grozić hrabiemu i hrabinie.

– Hrabiemu? – Joseph przechylił głowę i zerknął na Louisę, a ona równie zdumiona spoglądała na niego.

– Został pan, milordzie, pierwszym hrabią Kesmore. Oto dokument. – Hamburg podał Josepowi papiery. – Powie pan regentowi, że dostarczyłem dokumenty w pierwszy dzień świąt Bożego Narodzenia uroczyście i z całą należną pompą. Wkrótce zobaczę, że skończy pan, zasiadając w tak wielu komisjach jak ja.

– Hrabia? – Joseph wpatrywał się w pergamin trzymany w ręku.

– Panie Hamburg, bardzo panu dziękujemy – rzekła cicho księżna, a to z jakiegoś powodu sprawiło, że posłaniec uśmiechnął się od jednego różowego ucha do drugiego.

Joseph podał dokument Louisie, która przebiegła go szybko wzrokiem i uniosła głowę, uśmiechając się tak, jakby wszystkie jej świąteczne życzenia się spełniły.

– Nie wolno ci się gryźć z tego powodu, mężu. To tylko kilka linijek na kawałku papieru i pewnie jakaś kolejna posiadłość, którą dobrze wykorzystasz. Powiemy regentowi, że zawsze będziesz moim rycerzem, szlachetnym i doskonałym.

W ostatnich miesiącach Joseph był coraz bardziej zadowolony z siebie. Jego rany naprawdę zostały wyleczone i kontuzja przestawała mu doskwierać, nie tak jak poprzedniej zimy, kiedy to przeklęte kolano nie dawało mu spokoju. W obecności rodziny swojej żony, swoich dzieci i przedstawiciela regenta Joseph pokłonił się żonie, a w chwilę potem zorientował się, że klęczy przed nią w śniegu na jednym kolanie.

Kiedy niezgrabnie na nie opadał, dobiegły go ze wszystkich stron brawa, jakby uczynił wielki romantyczny gest. Dzieci wiwatowały, mężczyźni pogwizdywali, a okrzyk małej Fleur – skąd też ona się tu wzięła? – dało się słyszeć przez hałas:

– Och, Manda, popatrz! Całe mnóstwo przyjaciół do zabawy, tego właśnie chciałyśmy na święta!

Dwóch krzepkich lokajów mocowało się z przeklinającym Timothym Grattinglym, żeby zamknąć go w kwaterach stajennych do czasu wezwania stróża prawa.

– Krzyżyk na drogę – mruknęła Jej Wysokość, obrzucając Louisę natarczywym spojrzeniem pełnym matczynej opiekuńczości.

Louisa mogła jedynie uśmiechać się do matki i do wszystkich innych jak pijana ze szczęścia głuptaska, wiedząc, że jej mąż, rodzeństwo oraz ich żony i mężowie, a nawet – jak przypuszczała – jej rodzice od dawna niestrudzenie bronili jej interesów, a te dzieci, piękne, ciemnookie dzieci, miały opiekę sir Josepha.

– Wstań, mój rycerzu – poprosiła, uśmiechając się promiennie do małżonka – żeby bryczesy nie nasiąkły wodą, a twoja żona nie musiała cię zbesztać przed tymi wszystkimi dobrymi ludźmi.

– Nie może tak być – ponaglił St. Just Josepha do powstania. – Szczęśliwa żona, życia korona.

– Esther, przysięgam, że nigdy nie mówiłem temu chłopakowi czegoś takiego – zaczął się tłumaczyć książę, ale się uśmiechał, podobnie jak księżna.

– Nie mówiłeś mu, Percy, ta rada pochodzi ode mnie.

Damy zaśmiały się rozbawione, słysząc ripostę księżnej, a Louisa przytuliła się do męża.

– Czy wejdziemy do domu? Jestem pewna, że wszyscy chętnie coś zjedzą lub się napiją po podróży z Morelands.

– Chwileczkę, Louiso, jeśli nie masz nic przeciwko temu. – Głos Westhavena zabrzmiał trochę… nieśmiało. Louisa zerknęła na Annę, ale znów spojrzała jak zaczarowana na męża, nie mogąc oderwać od niego oczu.

Joseph obejmował ją ramieniem w geście wyrażającym cierpliwość i wsparcie.

– Mamy chwilkę – odparła Louisa. – Chociaż może dzieci powinny wejść do środka.

Joseph przeniósł wzrok z Westhavena na St. Justa, a potem na Valentine’a.

– Nasze dzieci pozostaną z nami.

Westhaven sięgnął do wnętrza swojego palta, wyciągnął stamtąd zrolowany dokument przewiązany wstążką i podał Louisie.

– Wesołych świąt, Louiso.

Wzięła podarek i spojrzała badawczo na brata.

– Czy ja też mam zostać hrabią?

– Zostałaś zaproszona przez Towarzystwo Ekonomiczne. To zapis twojego artykułu obalającego teorię Adama Smitha z jego *Badań nad naturą i przyczynami bogactwa narodów*. Wygłaszałem mądrości z twojej pracy na jednym z naszych spotkań i lord Netterly nalegał, żebym poznał go z człowiekiem, który ma takie błyskotliwe spostrzeżenia. Nie mogę się doczekać, kiedy zobaczę ich twarze, gdy usłyszą, co masz do powiedzenia w tej sprawie. Komisja przewodniczącego Izby Gmin wie, co się kroi, i uważa to za kapitalny pomysł.

– Chcą, żeby przemawiała?

– Netterly nalegał, a potem kilku innych go poparło. Mogę wygłosić kilka wstępnych uwag, jeśli chcesz, ale potem będą pytania i odpowiedź na nie przekracza moje możliwości umysłowe.

Westhaven pocałował ją w policzek i cofnął się o krok, a przed Louisą stanął Valentine z poważną miną.

– Wesołych świąt, Lou. – On też wręczył jej zrolowany dokument. – To twoje wiersze. Ellen wybrała trzy, a ja ułożyłem do nich muzykę na fortepian solo, mój ulubiony instrument, oczywiście. Przedstawiłem je na wieczorze muzycznym u lady Bainbridge i ona zaproponowała, żebym zaaranżował te utwory na różne głosy na jej koncert w lutym.

– Koncert z okazji walentynek?

Valentine wzruszył ramionami, unosząc jeden kącik ust.

– To wiersze miłosne. Wydaje mi się sensowne, żeby wystąpić z nimi w takim programie.

– Och, Valentine. – Louisa wytrzymała też jakoś jego pocałunek w policzek, ale miała ochotę skulić się w ramionach Josepha i zapłakać ze szczęścia.

– O rany, Valentine – wtrącił się St. Just. – Młodszy brat doprowadził cię do płaczu, Lou, a więc ja teraz muszę cię rozweselić. Wesołych świąt, droga siostrzyczko. – Wyciągnął grubą stertę kartek przewiązanych zieloną wstążką. – To twoja analiza historii wojskowej Rzymian, spisana z twoich listów do mnie. Pokazałem to Wellingtonowi, który oświadczył, że to powinna być obowiązkowa lektura w akademii wojskowej. Nie mam wątpliwości, że będziesz też brylować wśród generałów, zanim to wszystko się skończy, jeśli tylko ekonomiści zgodzą się tobą z nimi podzielić.

Louisie brakowało rąk, by utrzymać te wszystkie prezenty ofiarowane przez braci, i Joseph wziął analizę wojskowości z ręki St. Justa.

– Chętnie to przestudiuję, jeśli nie masz nic przeciwko temu. Louisa musi mieć odpowiedniego powiernika, a ja zgłaszam się na ochotnika, jeśli mnie przyjmie.

Potarła nosem jego szyję, starając się płakać po cichu. Zamożność jej męża wskazywała na to, że rozumie on zasady ekonomii, jego doświadczenie kawalerzysty oznaczało znajomość teorii wojskowości, a każdy człowiek, który deklamował poezję tak jak Joseph, musiał mieć dobry słuch i kochać muzykę.

A to, że nadal obejmował Louisę, świadczyło o tym, że dzięki Bogu i wszystkim aniołom dobrze rozumie własną żonę.

Biorąc chusteczkę podaną przez ojca, doszła do wniosku, że żadna kobieta nigdy nie miała lepszych świąt Bożego Narodzenia i nie dostała lepszych prezentów.

– Myślałem, że już nigdy nie wyjadą. – Joseph zamknął drzwi do biblioteki, jedynego na tyle dużego pokoju w domu w Surrey, by pomieścił zorganizowane na poczekaniu świąteczne przyjęcie. – Żono, podejdź tutaj, proszę.

Louisa wsunęła się w jego ramiona, wdzięczna za ciszę, wdzięczna swojej rodzinie i niewymownie wdzięczna człowiekowi, którego poślubiła.

– Kocham cię, lordzie Kesmore. Kocham cię bardzo, ale naprawdę musimy porozmawiać.

Obejmował ją przez chwilę, a potem Louisa poczuła, jak jego uścisk się zacieśnia.

– O nieba i ja cię kocham, lady Kesmore. Byłaś wspaniała, oszałamiająca. Mógłbym niemal napisać przeklęty wiersz...

– Mężu, zgniatasz mnie. Czy możemy usiąść?

Nie pozwolił jej się odsunąć. Zamiast tego obrócił ją pod ramieniem i zaprowadził do olbrzymiego fotela przy kominku, przeznaczonego do czytania w nim książek. Obok niego stał wielki kosz z owocami przysłany przez lorda Lionela i jego małżonkę, lady Isobel Honiton.

Joseph spoczął w fotelu.

– Ten fotel może pomieścić ośmioro dzieci i jedną osobę dorosłą. Sprawdzaliśmy to w zeszłe święta.

Przyciągnął Louisę, by usiadła mu na kolanach, gdzie jej się bardzo podobało.

– Nie wydaje mi się, żebym potrafiła teraz policzyć do ośmiu – powiedziała, próbując ułożyć suknię. – To twoja wina, mężu.

Joseph przyciągnął jej głowę do swojego ramienia i pogładził włosy, a Louisa odczuwała takie zadowolenie, jakiego jeszcze tego dnia nie zaznała – a może i w całym swoim życiu – i tylko jeden szczegół nie dawał jej spokoju.

– Chodzi o wiersze, Josephie. Mój brat nie wyraził się trafnie.

– Uwaga, dziennikarze „Timesa", hrabia Westhaven nie wyraził się trafnie. W przypadku każdego innego nazwalibyśmy to wierutną blagą, a może nawet kłamstwem. Nigdy nie mów, że twój brat skłamał w święta Bożego Narodzenia.

Joseph trącił nosem szyję Louisy w sposób tak niezwykle uroczy i rozpraszający jej myśli, że szybko wypowiedziała swoje słowa, póki jeszcze mogła:

– Nie skłamał, ale był w błędzie. Wciąż pozostał gdzieś jeden egzemplarz tej cholernej książki. Nie mam pojęcia, gdzie on jest, skoro Grattingly jej nie ma. Victor sprowokował mnie, żebym sprawdziła, czy zdołam wydać swój rękopis, i nie wyobrażał sobie, że można współpracować z ludźmi zajmującymi się literaturą wyłącznie za pomocą listów. Byłam zbyt niemądra i nie wiedziałam, że opublikowanie tych wierszy anonimowo wcale mnie nie uchroni przed dekonspiracją, skoro wykorzystywałam niektóre z tych przekładów, wysyłając je Valentine'owi i jego przyjaciołom z Oksfordu. Przepraszam. Victor był przerażony, kiedy się dowiedział, że podjęłam jego wyzwanie.

Joseph nie przestał pieścić jej szyi.

– Victor powinien był wiedzieć, że nie można cię nie doceniać. To wspaniała poezja, Louiso, dzieło kobiety o pięknym umyśle i sercu. Dlaczego nie wierzysz, że przynajmniej niektóre z tutejszych młodszych dzieci mogłyby być moje?

Louisa z lekkim trudem podążała za zmianą tematu, gdyż Joseph oprócz tego, że przesuwał nosem po linii jej podbródka, jeszcze pieścił jej piersi, i ogólnie zaburzał jej zdolność mowy.

– Ożeniłeś się w tamtym czasie i jesteś człowiekiem, który dotrzymuje przyrzeczeń.

– Nawet wobec niewiernej żony? Wątpię, czy ludzie będą to postrzegać tak jak ty. A właściwie wiem, że nie będą.

– Współczułeś Cynthii; nie oszukałbyś jej, ponieważ była młoda, słaba i samotna.

– Louiso Carrington, co mam zrobić z taką hrabiną jak ty?

– Dzieci?

Jego uśmiech był czuły i pełen determinacji, ale kiedy Louisa pomyślała, że Joseph dobierze się do jej gorsetu, on zamiast tego sięgnął do kieszeni kamizelki i wyciągnął stamtąd małą czerwoną książeczkę.

– Twój brat Bartholomew poprosił mnie, żebym to przetrzymał, kiedy wyjechał na przepustkę w Portugalii. Powiedział, że gdyby przegrał to w jakiejś pijackiej grze w karty lub stracił na rzecz jakiegoś kompana o lepkich palcach, nigdy by sobie tego nie wybaczył.

Louisa wzięła książeczkę drżącą dłonią.

– Miałeś ostatni egzemplarz? Miałeś to przez cały czas? I to było u Barta? – Przycisnęła książkę do piersi i ukryła twarz na ramieniu Josepha.

– Kupił ją, nie wiedząc, że to twoje dzieło, ale jeden z twoich braci musiał mu powiedzieć. Niektóre nakreślone w niej uwagi są jego, a reszta moja. Miałem przy sobie tę książeczkę, wędrując przez cały Półwysep. Czytałem ją Lady Ophelii i nie mogę się doczekać, kiedy będę czytał ją tobie. Jesteś znakomita, Louiso Windham Carrington, a te wiersze również są doskonałe.

Przez tak długi czas Louisa uważała owe dowody jej kreatywności i wiedzy za wstydliwy, niemądry przejaw buntu nastolatki. Joseph tak nie uważał i choć Louisa nie mogła się w pełni zgodzić z jego oceną – gdyż niektóre z tych wierszy naprawdę były sprośne – nie mogła też nadal trzymać się kurczowo własnej opinii o tej książce.

– To mój prezent dla ciebie – powiedział Joseph, wyjmując delikatnie tomik z jej rąk. – Wesołych świąt, ukochana żono.

Pocałował ją łagodnie, co nie wystarczało, aby coś zacząć, ale też nie wystarczało, by Louisa straciła chęć do marzenia o dalszym ciągu.

– Josephie, nie mogę... nie mogę... – westchnęła. – Nie mogę wydostać się z tej sukni dostatecznie szybko. Chciałabym się kochać z hrabią Kesmore.

– A hrabia Kesmore chce kochać się z hrabiną Kesmore, ale Louiso, mam do ciebie jeszcze jedną prośbę w te święta.

Jego głos nie brzmiał poważnie, ale też nie całkiem żartobliwie. Louisa zerknęła na męża.

– Czy drzwi są zamknięte na klucz? Czy to tego rodzaju prośba? Ostatecznie okazałeś się bardzo dobrym człowiekiem, mój rycerzu, a podanie bakaliowego puddingu po prostu nie wynagradza...

Przyłożył palec do jej ust.

– Drzwi są zamknięte na klucz, ale chciałbym, żebyś wznowiła wydanie tej książki.

– Co takiego?

Louisa próbowała się odsunąć, ale przebywanie okrakiem na kolanach silnego mężczyzny – silnego i zdeterminowanego mężczyzny – nie dawało kobiecie po kilku porcjach ponczu dużego pola do manewru.

– Usuń te naprawdę ryzykowne fragmenty, jeśli musisz, wygładź erotyczny język w miejscach, które cię niepokoją, ale zostaw wszystkie pieśni miłosne, sonety, ballady i ody, Louiso. Tak są urocze, że chciałbym, aby świat dowiedział się o twoim talencie. Jesteś teraz mężatką, a nie geniuszem w szkolnej ławie, a nowa wersja tych wierszy będzie tylko wspanialsza dzięki twojej większej dojrzałości.

Otworzyła usta, żeby się sprzeciwić, po czym je zamknęła.

Miał rację. Była teraz mężatką, i to szczęśliwą mężatką, poślubioną mężczyźnie, który ją kochał, który nie wzdrygał się ani nie odwracał, kiedy wyznawała mu miłość.

– Mogłabym to zrobić. – Powiedziała to na głos, choć nie chciała.

– A ja mogę być hrabią, jak mi oznajmiła moja hrabina. To prawie to samo, kwestia odpowiedniego punktu widzenia i właściwych skojarzeń.

Louisa czuła, że on chce, aby to zrobiła, żeby opublikowała swoje prace, pokazała je ludziom i zajęła należne sobie miejsce pośród tych, którzy mają talent literacki.

– Posłużę się pseudonimem – oświadczyła, ciesząc się na myśl, że będzie przerabiać wiersze, niespiesznie dobierając cudownie trafne określenia. Tęskniła za przyjemnością, jaką dawała twórczość, ogromnie jej tego brakowało. – Skorzystam z usług jakiegoś wydawcy z Yorku, jest tam kilku dobrych, i porozumiem się z nim listownie, tak jak ostatnim razem.

– Zależy to wyłącznie od ciebie, ale jako twój finansowy partner w tym przedsięwzięciu uważam, że mogłabyś posłużyć się własnym nazwiskiem lub moim nazwiskiem z tytułem hrabiowskim, jak to się zwykle robi przy publikacjach.

– Josephie, niezmiernie mi miło, że chcesz mnie w tym wspierać… – Nie wyrażało to w pełni ulgi ani radości, jakie odczuwała, ale umilkła, widząc wyraz twarzy męża.

Uśmiechał się frywolnie i tak cudownie szelmowsko.

– Dedykuj mnie tę książkę, kochana, a zyskasz zasłużone uznanie wszystkich bez wyjątku. Louisa Windham nie została doceniona za swój talent, ale dopóki jestem twoim rycerzem, hrabina Kesmore zostanie doceniona.

I tak się stało, że na następne święta Bożego Narodzenia Louisa znalazła pod poduszką kolejną małą książeczkę oprawioną w czerwoną skórę, piękny tomik pełen czarujących wierszy, dedykowany wspaniałemu człowiekowi. Mąż leżał obok niej i czytał strofy o miłości głosem, który Louisa najbardziej lubiła, aż ich maleńkie dziecko zaczęło kaprysić i wszystkie myśli o poezji – w każdym razie takie, jakie wzbudzała tak mała książeczka – trzeba było chwilowo odłożyć na bok.

Ale tylko chwilowo.

Od autorki

Kiedy pewnego jesiennego poranka Louisa i Joseph jadą konno brzegiem jeziora Serpentine w Hyde Parku, Joseph recytuje swojej towarzyszce następujący wiersz Williama Wordswortha:

Na moście Westminsterskim
3 września 1802 roku

Ziemia nic piękniejszego nie ukaże oczom.
Nieczułą miałby duszę, kto by obojętnie
Ominął widok, który tak wzrusza swym pięknem.
Wielkie miasto przywdziało, jak szatę przeźroczą,

Światło poranka: oto leżą obnażone
Łodzie, wieże, kopuły, teatry, świątynie,
Ku polom i ku nieba otwarte wyżynie
I świetliście w powietrzu czystym roziskrzone.

I chyba nigdy piękniej nie złociło słońce
Dolin, skał i pagórków – w swojej pierwszej chwale,
Ni spokój tak głęboki z błękitu nie spływał.

Własnej błogości służą te fale płynące,
Domy są uciszone tak samo jak fale.
Boże, to wielkie serce jeszcze we śnie spoczywa.

[William Wordsworth *Poezje wybrane*, przeł. Zygmunt Kubiak]

Louisa, czując się nieco przygnębiona przed świętami Bożego Narodzenia, przypomina sobie kilka wersów z wiersza W. Blake'a:

Kominiarczyk

Czarnulek – gdzie biel śniegu szeroko rozlana –
Ćwierka piskliwym głosem to żałosne swoje:
„O-jej! O-jej!" – „Gdzie twoi rodzice?" – „Oboje
Poszli się teraz modlić, jak każdego rana.

Ponieważ weseliłem się na wrzosowisku,
Ponieważ uśmiechałem się wśród lodów zimy,
Jak na śmierć mnie okryli płachtami zgrzebnymi
I nauczyli jęków bólu i ucisku.

Ponieważ wiedzą, że ja śmiać się, tańczyć wolę,
Myślą, że nie skrzywdzili mnie. Każdego rana
Będą wystawiać Pana, Króla i Kapłana,
Którzy stworzyli dla nas to niebo, niedolę".

[*Twarde dno snu. Tradycja romantyczna w poezji języka angielskiego*, przeł. Zygmunt Kubiak]

Książę Moreland odwołuje się do wiersza lady Mary Wortley Montagu, kobiety, która pod wieloma względami wyprzedziła swoje czasy, choć prawdopodobnie najbardziej znana jest z tego, że przywiozła ze sobą z Konstantynopola szczepionkę przeciwko ospie wietrznej:

W twej pościeli

O, jakże mocno zasypiasz w swej alkowie,
Nie o czuwaniu jednak sny mają kochankowie.
Gdy przez noc całą wciąż szepczę imię twoje,
Ten czuły dźwięk rozpala nas oboje.
I w wyobraźni wdzięki twe widzę całe,

Gęste, jedwabne włosy i ramiona białe.
I całe piękno, co tu bezwolnie spoczywa
...w twej pościeli.

O, Lindamiro, czy potrafisz zajrzeć w me serce,
Wolne od fałszu, szczere i tak tkliwe wielce.
Nie sposób wyrazić najczulszym spojrzeniem,
Co to ból pulsujący, żarliwe pragnienie,
Które czuję w duszy, płyną przez me żyły;
W które nie uwierzysz, a i ja nie sprawię, by się ujawniły.
I nie ukaże ich żadna metafora, ale
ja (jak mi się zdaje) umiem je wyrazić doskonale
...w twej pościeli.

Podczas wieczoru, w którym zostaje skonsumowane ich małżeństwo, Joseph przytacza Louisie kilka strof z następującego wiersza Johna Wilmota, hrabiego Rochestera:

Do kochanki

Czemu przesłaniasz swe cudne oblicze?
Och, czemu dłonią zakrywasz policzek,
By słońca blask w oczach uczynić niczem.

Bez twej jasności, jaka jasność mi pozostaje?
Tyś jest mą drogą, mym życiem i rajem.
Przez uśmiech twój widzę, wędruję przez kraje.

Tyś jest mym życiem i gdybyś się odwróciła,
Me życie śmiercią stałoby się, miła –
Bez ciebie ma podróż błąkaniem by była.

Tyś jest mym światłem – cudowną osobą,
Bez ciebie oczy me nic widzieć nie mogą.
Kochana, jesteś mym życiem, mą drogą.

Książę Moreland czyta księżnej sonet nr 73 Szekspira, a nieco wcześniej Joseph cytuje Louisie kilka wersów z tego sonetu:

Tę porę roku dostrzec we mnie możesz,
Gdy liście żółte, żadne, nieco liści,
Z drżących gałęzi zwisają na mrozie;
Gdzie słodko śpiewał ptak, nagi chór zniszczeń.
Zmierzch dnia twym oczom we mnie się odsłania,
Gdy słońce gaśnie na zachodzie nisko,
A noc je z wolna pochłania, pochłania –
Bliźniaczka śmierci – pieczętując wszystko.
Nikły żar we mnie widzisz, po płomieniu,
Który w popiele młodości umiera
Na łożu śmierci, gdzie zagaśnie w cieniu,
Przez to pożarty, co dotąd pożerał.
Widzisz to; rośnie twoje miłowanie;
Chcesz kochać, wiedząc, że przyjdzie rozstanie.

[William Shakespeare *Dzieła. Sonety*, przeł. Maciej Słomczyński]

Po raz pierwszy natrafiłam na ten cytat z *Eneidy*: *Fortran et haec olim meminisse juvabit,* w college'u. Te niosące pociechę słowa pojawiły się w pewnej restauracji/jadalni/knajpie (to miejsce miało wiele wcieleń), gdzie, mam nadzieję, pozostają do dziś. Znaczenie tego zdania jest następujące: „Może zaświta dzień, kiedy i to będziemy wspominali błogo".

A co do Katullusa... Moja kochana siostra Gail nauczała łaciny przez wiele lat, natomiast teraz przygotowuje pracę doktorską z literatury porównawczej, a zajmuje się głównie filologią klasyczną. Pożyczyła mi dostatecznie dużo tłumaczonych wierszy Katullusa, abym zrozumiała, dlaczego większość jego utworów nie nadaje się do studiowania przed podjęciem nauki w college'u, a w każdym razie nie w murach szkoły. Nazwanie ich frywolnymi wydaje się dosyć delikatnym określeniem.

Zapoznajcie się jednak choćby tylko z kilkoma jego bardziej dystyngowanymi w swej namiętności utworami, a zobaczycie, że geniusz

Katullusa, tak jak talent Louisy, nie ogranicza się do tego, co stosowne i stateczne.

Mam nadzieję, że czytelnikom spodobała się ta historia – mnie z pewnością pisanie jej sprawiło radość..

Grace Burrowes